トロツキーと
永続革命の
政治学

Троцкий

森田成也
SEIYA MORITA

柘植書房新社

序　文

一九八〇年代後半、ソ連共産党のゴルバチョフ書記長がいまは亡きソ連で開始したペレストロイカによる歴史見直しの大きな流れはついに、何十年と反革命のレッテルを貼られて歴史から抹殺されていたトロツキーにまで及び始めた。トロツキーがようやくにして、自らレーニンとともにその建国に貢献したソ連において復権するようになったのである。この流れを受けて、日本でも新たなトロツキー復興の動きが起こり、それはかつての反スターリニスト左翼の範囲を超えて、共産党系の研究者や理論家にまで広がり始めた。そうした中で一九九〇年にトロツキー没後五〇周年の国際シンポジウムが開催され、ソ連を含む世界各地からトロツキー研究者や活動家がやって来た。そして、その翌年にはトロツキー研究所が発足し、新たなトロツキー・ブームが起きそうな気配が感じられた。

しかしその直後、せっかくトロツキーが復活し始めたソ連は国家として崩壊を遂げ、今度は、レーニンや十月革命もろともトロツキーも再び葬り去られるようになった。そして、資本主義世界に対する曲がりなりにも体制的なオルタナティブとして機能していた東側世界が資本主義世界市場に飲み込まれたことによって、新自由主義的グローバリズムの嵐がいっそう勢いを増して世界中に吹き荒れるようになった。

トロツキー研究所は、そうした厳しい中でも、新しい歴史資料の発掘や、これまで日本で紹介されていなかったトロツキーの多くの文献の翻訳、欧米やロシアでの新しいトロツキー研究文献の翻訳・

紹介などを地道に行ない、それらの成果を、『トロツキー研究』（最初は年四回、やがて年三回になり、最終的には年二回になった）に発表し、同誌は最終的に七三号を数えるまでになった。トロツキー研究所は、度重なる財政難に苦労しながらもかろうじて存続し続けたが、二〇一九年三月をもってついに二八年の歴史に幕を閉じるに至った。私は、トロツキー研究所の発足以来の事務局メンバーとして、研究所の活動を支え、『トロツキー研究』の発行を中心的に担った。『トロツキー研究』に掲載した私の翻訳は数百本、論文は数十本に及ぶ。

本書は、私がこの二八年間に『トロツキー研究』と『ニューズレター』に発表した膨大な論文のうち、トロツキーの永続革命に関連したものを中心に編集されている（それ以外のテーマを論じた諸論文は、いずれ別のテーマで編集した著作に収録する予定である）。収録されたもののうち最も古いのが一九九四年の論考である第一章の「パルヴス、トロツキー、ロシア革命」であり、最も新しいのが二〇一七年に発表された第五章「第二次中国革命をめぐる三つの論点とトロツキー」である。収録にあたっては、いつものように、古いものほど大幅に加筆修正されている。それらと並んで、光文社古典新訳文庫から出されたトロツキーの『永続革命論』と『ロシア革命とは何か』に私がそれぞれ書いた解説文を、序章と終章に配置した。

この序章と終章を別にすれば、本書は全体として「第一部　永続革命論の形成」と「第二部　各国の経験」に分かれている。第一部においては、ロシアの一九〇五年革命の経験を通じた永続革命論の形成過程とそれをめぐる論争が取り扱われ、第二部では、第三世界における諸変革、中国革命、スペイン革命の経験を通じてトロツキーの永続革命論がどのように発展していったかを具体的に跡づけている。他ならぬ一九一七年のロシア革命とその後の経過については特別の章をもうけなかったが、各論文の中で適時触れられているので、それでよしとすることにした。一九一七年革命についてより詳しくは、『トロツキー研究』第七一～七三号に掲載した私の諸論稿を参考にしてほしい。

※　※　※

トロツキーの永続革命論は、何十年にもわたってスターリンとスターリニストによってとことん歪められ、ソ連崩壊後も依然としてその歪みは根強く残っている。トロツキーに対する偏見を多少なりとも脱した人でも、トロツキーの永続革命論を正しく理解しているとはかぎらない。むしろそうでない場合が多い。したがって、本書のようにトロツキーの永続革命論について正面から論じた著作は今日でも出す価値がある。

だが、人は問うだろう。そもそも、ソ連・東欧が崩壊して三〇年も経っている今日、トロツキーの永続革命論について何か書くことそれ自体に意味があるのかと。私は答える。意味はある、大いに意味がある、と。なぜなら、トロツキーがその永続革命論の構築を通じて、そしてその実践バージョンである十月革命とその後の社会主義建設を通じて解決しようとした二〇世紀的問いは、二一世紀の今日においてもなお解決されていないからである。その「問い」とは何か。それは、非エリートの一般民衆のきわめて基本的で切実な諸要求（革命前のロシアにおいてそれは、土地に対する農民の要求、人間的労働条件に対する労働者の要求、専制体制を打倒して民主共和制およびその他の民主主義的諸条件を求める民衆の要求であり、十月革命前夜においては、そこに戦争からの離脱と平和の実現が加わる）は、はたして、ブルジョアジーの支配のもとで、そしてその政治的代理人たちの手によって解決できるのかという問いである。

二〇世紀初頭におけるロシアの現実と一九〇五年革命の経緯を通じて、トロツキーは次のような結論に至った。いやできない。ブルジョアジーはあまりにも深く専制体制や農奴制と癒着しているために、そして、専制を憎悪する以上にプロレタリアートを恐れているために、あるいはその生成と発展があまりにも人民に疎遠で外的であったために、ブルジョアジーはその「ブルジョア民主主義的」諸課題を自己の手に引き受けることはできない、と。では、誰がその歴史的課題を引き受けるのか？　誰が「ブルジョア民主主義」的課題を引き受けるのか？　それは、ロシアが遅れて資本主義に参入したがゆえに、他の先進資本主義諸国よりもはるかに高度に集中され、また古い歴史の重荷を引きずることなく、その成立の最初から欧米先進国の最先端の革命思想（すなわちマルクス主義）を受け入れたロシアのプロレタリアート、および、古い農奴制の圧迫と「上からの資本主義」導入による新しい抑圧の両方によって苦しめられている農民である。だがこの両者の主導性は均等ではない。広大なロシア帝国の版図に分散して存在し、数百年前からの生活様式を営んでいる農民ではなく、ウラル以西の大都市に高度に集中され、西方以上に巨大な諸工場の中で日常的に組織され、西方の新たな文明と思想を貪欲に摂取していたプロレタリアートこそが、革命の指導的階級勢力である。したがって、このプロレタリアートのヘゲモニーによる両階級の同盟こそが、本来のブルジョア民主主義的課題を自己に引き受けて、ロシアにおけるブルジョア民主主義革命を遂行しうる唯一の階級勢力であった。

だが、この階級同盟がプロレタリアートの主導のもと、実際に専制政府を打倒して、ロシアで民主主義権力を構築した場合、この政府は自己の課題をブルジョア民主主義的課題の実現に限定できるだろうか？　ここにおいて、マルクス主義の基本命題である生産力と生産関係との照応関係という問題が先鋭な論争点となった。当時における多くのマルクス主義者は、その最も革命的な部分も含めて、ロシアの遅れた経済水準においては、たとえプロレタリアートが農民と協力して権力に到達しても、そのブルジョア的限界を突破することはできないだろうと考えた。例外はトロツキーだった。

巨大な革命的エネルギーを発揮して政治権力を獲得したプロレタリアートが引き続きブルジョアジーの経済権力のもとで奴隷に甘んじていることはありえないし、ましてやロシアのブルジョアジーは専制権力と癒着し、労働者・農民のプリミティブな諸要求や民主主義的課題にさえ全力で抵抗する勢力なのだから、ブルジョア民主主義的課題を実現するためだけであっても、革命のブルジョア的限界を超えないわけにはいかないだろうとトロツキーは判断した。つまり、ブルジョア民主主義的課題は実現できても、社会主義的課題は実現できない、のではなく、革命のブルジョア民主主義的限界を突破しないかぎり、ブルジョア民主主義的課題も実現できないとみなしたのである。こうして、ロシアは後進国にもかかわらず、他の先進欧米諸国に先んじてプロレタリアートが権力を獲得し、社会主義的諸政策のいくつかに着手することができるのだと、トロツキーは予言した。したがって、それは「二段階連続革命」というレベルを超えた諸革命の複合性、アマルガムをもたらす。

このメカニズムについてより詳しくは本論を読んでいただくとして、いずれにせよトロツキーは、後発国ロシアにおける特殊な内的ダイナミズムがもたらす革命の独特の発展軌道を、実際に一九一七年の革命が起こる一二年前に予測していたのである。だが、もちろんのこと、このような発展の独自性は何らかの奇跡を引き起こすわけではない。より正確に言えば、ロシアの相対的な経済的後進性と、より高度な資本主義諸国による包囲という条件がもつ根本的制約性を免れさせてくれるわけではない。トロツキーは、ロシア革命に引き続いて西欧で社会主義革命が起こって、ロシアのプロレタリア権力が国家的に援助されない場合には、革命はロシアでも維持されず、はるか後方に投げ返されるだろうとつけ加えることを忘れなかった。そして、実際に、ロシア革命から七〇数年後に、この予見も現実のものとなったのである。

※　※　※

ソ連・東欧が崩壊した時、西欧のあるブルジョア知識人はブルジョア自由主義の最終的勝利による「歴史の終焉」を宣言した。だが、その後の現実はどうだったか？　旧ソ連や旧東欧に理想的な民主主義国家が建設されたどころか、資本主義の支配にもかかわらず、ロシアそれ自身を筆頭に権威主義的国家が続々と成立し、旧ソ連・東欧の富、財産、資源は、一部の新興財閥化した官僚と欧米企業に収奪され、労働者の既得権が次々と奪われ、多くの女性が事実上の性奴隷として西側諸国の性産業に吸収されていった。

こうして、結局、後発国の労働者・農民の基本的諸要求や民主主義的課題は、ブルジョアジーの支配のもとでは実現されないままに終わった。歴史は終焉しなかったどころか、より深刻なやり直しを命じられたのである。先進国においても、ソ連・東欧の崩壊を契機に勢いを増した新自由主義と緊縮財政路線は、労働者・市民が戦後勝ち取ってきた多くの社会福祉的・労働条件的成果を破壊していった。今日、世界中で猛威を振るっているコロナウイルスが何よりも、長年の新自由主義政策のもとで緊縮政策を遂行しつづけたヨーロッパ諸国（とりわけイタリアとスペイン）や、最初から福祉が貧困であったアメリカや南米に最大のダメージを与えているのは偶然ではない。

ソ連・東欧の崩壊以来、全世界をわが物顔で支配しつづけてきた世界のグローバル多国籍資本は、この深刻なコロナ危機に対してなすすべなく立ち尽くしており、わずかばかりの寄付金を出すか、工場の一部をおそるおそる医療器具の生産に転化する程度でお茶を濁している。ヨーロッパ資本主義国家の連合体であるＥＵもその無力さをさらけ出した。ＥＵの最富裕国家であるドイツとオランダは、自らがＥＵ全体に押しつけた均衡財政・緊縮路線を一つの要因として相対的に貧しいイタリアとスペインが今回のコロナ・パンデミックにおいて最大の打撃をこうむっているというのに、ＥＵ全体で両国の経済的ダメージをカバーしようとする提案（コロナ債）をにべもなく拒絶した。中国がその国力を総動員して武漢のコロナ危機を短期間で封じ込めることに成功したというのに、ヨーロッパ資本主義の連合体は基本的に各国の自助努力に任せている。

さらに、より長期的な視野で見るならば、資本主義の長年にわたる世界制覇のもとで、ほとんど不可逆的に進行している地球温暖化とグローバルな経済格差によって、人々の最も基礎的で根源的な生活と環境が破壊されようとしているのに、資本主義諸国はほとんど何の実効的な措置も講じることができないでいる。社会の正常な再生産と持続可能性は資本の利潤原理とますます相いれなくなっている。したがって、二〇世紀初頭においてロシア人民が直面した問いは今なお解決されていないどころか、それははるかに深刻なものになり、先進国や後進国を問わずすべての国と地域の人民に投げかけられている。その意味で、人々の最もプリミティブな諸要求と民主主義的諸課題の実現を、労働者階級の権力獲得と資本主義システムの変革に結びつけたトロツキーの永続革命論は、まさにこの二一世紀において人類史的意義を帯びるに至っていると言えるのである。

※　※　※

本書に収録した諸論文の初出は以下の通りであるが、すでに述べたように、いずれの論文も加筆修正されている。

- 序章　悲劇の革命家と革命論の悲劇……初出、トロツキー『永続革命論』光文社古典新訳文庫、二〇〇八年。
- 補論　複合発展と「後発性」に関する覚書……初出、『トロツキー研究』第六二号、二〇一三年
- 第一章　トロツキー、パルヴス、ロシア革命……初出、『トロツキー研究』第一三号、一九九四年
- 第二章　一九〇五年革命と永続革命論の形成……初出、『トロツキー研究』第四七号、二〇〇五年
- 第三章　一九〇五年革命をめぐるバートラム・ウルフの歴史偽造……初出、『ニューズレター』第四五号、二〇〇七年
- 第四章　トロツキーの第三世界論と永続革命……初出、『トロツキー研究』第三一号、二〇〇〇年
- 第五章　第二次中国革命をめぐる三つの論点とトロツキー……初出、『トロツキー研究』第七〇号、二〇一七年

・第六章　トロツキーとスペイン革命……初出、『トロツキー研究』第二三号、一九九七年
・終章　ロシア革命――一〇〇年目の総括と展望……初出、『ロシア革命とは何か――トロツキー革命論集』光文社古典新訳文庫、二〇一七年

ますます厳しくなる出版事情の中、本書の出版を快く引き受けてくれた柘植書房新社に深くお礼申し上げる。

コロナ・パンデミック真っ最中の二〇二〇年春

トロツキーと永続革命の政治学◆目次

序章　悲劇の革命家と革命論の悲劇

【解題】本稿はもともと、光文社古典新訳文庫から出版された『永続革命論』（二〇〇八年）の解題として書かれたものである。全体として、本書の手引きのような役割を果たす中身になっているので、序章に配置することにした。本書に収録するにあたって、独立論文としての体裁を整えるとともに、若干の加筆修正を行なった。

トロツキーほど長年にわたって誤解されてきた革命家はいない。その誤解は、一九二〇年代半ば以降においてスターリニストによって国家的および国際的規模でなされた反トロツキズムの大カンパニアによって生じただけではない。それ以前から、トロツキーは、レーニンを含むロシア・マルクス主義者の中で大いに誤解されてきた。それは、今日においてさえそうである。その最大の原因は、トロツキーの名前と一体になっている理論、永続革命論の複雑な弁証法的性格にある。マルクス主義者のあいだで（マルクス主義者だけではないが）ほとんど無意識レベルで常識化している段階論的発想が、永続革命論を正確に理解することを絶えず妨げるのである。

社会ないし歴史が一定の段階を追って発展していくということは、マルクス主義において常識となっているだけでなく、ヴィーコやヘーゲルを初め近代以降の種々のブルジョア思想においてもかなり広範に受け入れられている歴史観でもある。ブルジョア思想は、その歴史的発展の終着点を資本主義と議会制民主主義そのものに見出すだけで、そこに至るまではやはりある程度普遍的に人類が経なければならない発展の諸段階があると考えている。終着点は違えど、マルクス主義もまたこうした観念を共有する。それゆえ、マルクス主義をある程度かじった人々、あるいは真剣に学んだ人々であっても、トロツキーの永続革命論が段階革命論ではないという程度の認識しか持っていない場合には、それはただちに一段階革命論、あるいは歴史の必然的な段階の飛び越え論と同一視されてしまうのである。それが二段階革命論でないのなら、一段階革命論でなければならない。二つに一つだ、というわけである。

トロツキーが永続革命論を確立した一九〇五年以来、繰り返し自己の理論の核心をわかりやすく説明しても、それを本当の意味で理解した同時代人はほとんど皆無であった。たしかに、一九〇五年革命の最高揚期（一九〇五～〇六年）、あるいは一九一七年革命の最高揚期（一九一七～一八年）においては、そうした革命的高揚の興奮に促されて永続革命論に接近し、あるいはそれを形式的に受け入れるボリシェヴィキは（一九〇五年革命当時は一部のメンシェヴィキも）、少なからず存在した。しかし、その永続革命論はトロツキーの本来の永続革命論よりもはるかに単純化されたものであったし、そうした高揚が過ぎ去るとたいてい放棄されるか、自然と忘れ去られ、段階革命論の常識へと落ち着くのが常であった。

トロツキーがまだ二六歳の若さで、一九〇五年革命の中心機関であったペテルブルク・ソヴィエトの指導者となっただけでなく、マルクスやエンゲルスの革命論をも越える独創的な革命論を確立しえたことは、真に驚くべきことである。そしてトロツキーは、その革命論を一九〇五年革命の敗北後の反動期にも堅持しつづけただけでなく、一二年後に起きた一九一七年革命によってその正しさが実地に証明され、しかもその革命そのものを自ら指導するという幸運にも恵まれた。

このようなことは、それ以前にもそれ以降にも起きたことがない。どんなに優れた革命家も、たいていは革命の勃発に不意を打たれ、革命が作り出す嵐のような現実についていくのがやっとである。真に優れた革命家ならば、まさに、一九一七年にレーニンがそうしたように、無理やり自己の理論に現実を合わせようとするのではなく（これは革命の敗北の道である）、時宜を失せず現実に合わせて自己の理論を抜本的に変更し、革命の内的論理に従い、そうすることでその先頭に立ち、革命を勝利に導くことができるだろう。だがトロツキーはあらかじめ革命の発展の一歩一歩をほとんど正確に予測していた。

したがって、トロツキーがしたような経験、実際の革命が起こる一二年前にその基本的な発展の論理を予見し、ほぼその予見どおりに革命が展開し、そして、その革命の指導者として革命を勝利に導いたこと、これは後にも先にも起こらなかった真に稀有な事例なのである。これは、ボリシェヴィキとメンシェヴィキというロシア社会民主労働党の二大分派の外部にいたトロツキーがボリシェヴィキとソヴィエト国家の最高指導者へと一気に飛躍することを可能にした要因であるとともに、革命が衰退期に入った後にトロツキーが驚くほど急速に没落していくことを促した要因でもあった。ボリシェヴィキ党とソヴィエト国家において神格化されていた不動の指導者レーニンでさえ、長いあいだトロツキーの理論を理解できず、革命前にまったく的外れな批判を繰り返していた。ましてやレーニンよりもはるかに知的・実践的能力の劣る有象無象の古参ボリシェヴィキには、トロツキーの理論はなおさら理解不可能なものだった。トロツキーの仲間であった左翼反対派ないし合同反対派の誠実な革命家たちでさえ、トロツキーの理論をほとんど理解していなかった。このことは何よりも一九二六〜

二七年の第二次中国革命をめぐって暴露された。[*1]

一九二〇年代における党内闘争において、トロツキーは、永続革命論をめぐる無数の誹謗中傷に対して、国外追放されるまでは、ほとんどと言っていいほど公然とは反論しようとしなかった。一九二四年の文献論争の際には「われわれの意見の相違」というかなり長文の反論文を執筆し、その中ではすでに、本書『永続革命論』で展開されている思想がより簡潔な形で展開されている。[*2] それにもかかわらず、結局それは公表されることはなかった。トロツキー自身の沈黙をいいことに、スターリン、ジノヴィエフ、カーメネフ、ブハーリン、クーシネン、モロトフ、等々は、永続革命論に対するまったく無知蒙昧な批判を繰り返した。[*3] とくに悪質であったのはブハーリンである。というのも、トロツキーが『スターリンの偽造学派』の中で触れているように、一九一七～一八年にはブハーリン自身が永続革命論を公然と主張していたからである。[*4]

だが、なぜトロツキーは沈黙を守ったのか？　それは本書を読めばよくわかるだろう。まず第一に、自己の永続革命論を防衛するためには、必然的にレーニンを、とりわけ「プロレタリアートと農民の民主主義独裁」のスローガンを批判の俎上に載せなければならない。レーニン神格化の状況の中ではそれは自殺行為に等しかった。第二に、同じ左翼反対派ないし合同反対派の仲間をも批判しなければならない。党の中でほとんどただ一人トロツキーだけがこの理論を正しく理解し、それを擁護していたために（例外は盟友のヨッフェとラコフスキー）、それを党内闘争の文脈で防衛することがきわめて困難になったのである。スターリニストはこのことをよく理解していた。それゆえ、彼らは永続革命論を最大の攻撃対象としたのである。皮肉なことに、トロツキーの最大の強みであったはずの永続革命論——一九一七年革命の基本的な発展力学を驚くほど正確に予見したこの理論が、その強みゆえに最大の弱みに転化したのである。

正しい理論の持ち主が勝利するとはかぎらない。反対に、同時代人に理解されないような「正しい」理論を持っていることは、政治においてはしばしば孤立を招き、敗北の重要な一要因にさえなる。ここに永続革命論の悲劇があった。

だがこの悲劇にはまだ続きがある。もし西方ヨーロッパ諸国で社会主義革命が起こらず、ソヴィエト国家が孤立した場合には、遅かれ早かれ労働者国家が崩壊することを永続革命論ははっきり予言していた。第二次世界大戦後に労働者国家が東欧およびアジア諸国に広がったことは、ソ連の寿命をかなり延ばしたとはいえ、先進欧米諸国ではついに社会主義革命は起こらなかった。結局このことはソ連の命運を決した。

永続革命論の最後の予言は、この問題に関するトロツキーの主著の一つである『永続革命論』が書かれてからちょうど六〇年後に現実のものとなった。それは、一国社会主義論の最終的破産を示すものであり、永続革命論の正しさを示すものであった。だが、それは永続革命論とトロツキーの復権につながったのではなく、一国社会主義論もろともロシア革命そのものの正当性の否定へとつながった。スターリンもろとも、レーニン、トロツキー、そしてボリシェヴィキそのものの否定につながった。今ではトロツキーは、ロシア革命を妨害した罪やレーニンと対立した罪で糾弾されているのではなく、レーニンとともにロシア革命を成功に導いた罪で告発されている。

一、マルクスからトロツキーへ

一九世紀以来、ロシアはヨーロッパの社会主義者にとって「特殊性」を象徴する国家ないし地域であった。もちろん、アフリカや南アメリカ大陸、アジア諸国は、ヨーロッパにとってずっと異質な世界であったろうが、それは異質すぎたせいで、あるいは遠すぎたせいで、何らかの「特殊性」をあえて云々する対象でさえなかった。それに対してロシアは、ヨーロッパ世界と接していただけでなく、その帝国主義的膨張と強大な軍事力ゆえに、ヨーロッパの政治と経済に絶えざる影響と脅威を与え続けている存在でもあった。ヨーロッパ世界と地続きのこの巨大な帝国は、ヨーロッパ人にとって、そしてヨーロッパの社会主義者にとって、「特殊性」において理解するべき最も重要な対象だったのである。

マルクスが一八八一年にロシアのナロードニキ革命家（後にマルクス主義者になる）ザスーリチに宛てた手紙（およびその草稿）や『共産党宣言』の一八八二年ロシア語版序文[*5]にも示されているように、マルクスとエンゲルスによっても、ロシアはヨーロッパとは異なる発展経路をたどることのできる特殊な地域とみなされていた。マルクスの手紙などにも鼓舞されて、ロシアの革命的ナロードニキおよびその後継者たちは、ロシアにおける社会主義への特殊な道を展望した。資本主義の煉獄を通ることなく、ロシア農村のミール共同体を基礎にして、社会主義へと飛躍することができると考えた。

だが、マルクス自身は、単純にナロードニキの観念を承認したわけではなかった。マルクスは一つの決定的な条件を設定した。ミール共同体が資本主義の発展によって根本的に掘りくずされないうちにロシアでの革命がヨーロッパの社会主義革命の合図となって、両者が補い合うことであった。マルクスはロシアにどんな特殊性を認めようとも、けっして非資本主義的な発展の一国的完結を可能とするほどの特殊性を認めることはなかった。

しかし、マルクスのこの慎重な展望でさえ、歴史の発展によって実現できないことが明らかになった。マルクス自身も一つの可能性としてのみ先ほどのような展望を述べたにすぎない。マルクスがロシアの発展の特殊性について書いていた一九世紀末にはすでに、国家によって上から、あるいは外国資本によって外から移植された資本主義はたちまちロシアの地に根を張り、急速な発展を開始していた。資本主義の煉獄を飛び越すことが不可能であることが明らかになった。ナロードニキは分裂し、プレハーノフを指導者とするロシア・マルクス主義が成立した。プレハーノフは、マルクスの手紙よりもむしろ「産業の発展度のより高い国はより発展度の低い国の未来の姿を示すだけ」だという『資本論』の文言の方にもとづいて、ナロードニズムの非資本主義的発展の観念に猛烈な攻撃を加えた。マルクス主義的な歴史の発展段階論は、ナロードニキに対する最大の理論的武器となり、資本主義の発展なしにはプロレタリアートの発展はありえないし、プロレタリアートの発展なしには社会主義はありえないことが、プレハーノフの強力で鋭利な論争の剣によって完膚なきまでに論証された。

しかしそのプレハーノフも、ロシアの発展の特殊性をはっきりと認めていた。プレハーノフが一八八九年に第二インターナショナルの大会演説で「ロシアの革命運動は労働者の運動としてのみ勝利しうるか、さもなくばけっして勝利しないだろう!」という有名な警句を発した時、それはプレハーノフ自身が思っていた以上に予言的なものであった。この命題は、一九〇五年になって一気に分化するロシア社会民主主義内部のあらゆる傾向・ニュアンス・理論の相違を包含しうるものであった。それは、メンシェヴィキの二段階革命論も、レーニンの労農民主独裁論も、トロツキーの永続革命論さえも内包しうるものだった。*6

一九〇五年一月九日の「血の日曜日事件」とその後に起きた嵐のようなストライキ闘争は、ロシアにおける労働者運動の巨大な潜在力を示した。一九〇三年以前までは無敵の巨大帝国に見えたロシアは、日露戦争という、アジアの新興資本主義国である日本との局地的戦争だけですでに動揺しはじめていたが、首都ペテルブルクで起こったこの労働者の闘争は、日露戦争以上にロシア帝国を深部から揺るがした。

労働者のこの巨大な運動は、亡命中のロシア社会民主労働党の理論家たちに衝撃を与え、連続革命により接近したメンシェヴィキの二段階革命論から、トロツキーの永続革命論に至るまでの一連の理論的分岐をもたらした。*7

その発端となったのは、トロツキーが一九〇五年の「血の日曜日事件」以前にすでに書き上げていたロシア情勢に関する小冊子（それは、『一月九日以前』という題名で出版される）に寄せたパルヴスの序文である。当時トロツキーと政治的にも人間的にも近い関係にあったパルヴスは、この序文の中ではじめて、この革命においてロシア社会民主党が主導的勢力として政権に就くことができるという展望を明らかにした。社会民主党による政権獲得などまだまだ遠い先の話であり、当面は、ブルジョアジーをその主導勢力とするブルジョア民主主義革命が最初にやってきて、その後、資本主義発展の一時代（もっとも、それは、西方におけるよりもはるかに短くてすむと考えられていたが）が訪れ、その先にようやく社会民主党による権力獲得の出番が来ると考えていた当時のすべての社会民主主義者たちにとって、この序文は衝撃的なものだった。

ただし、注意しておかなければならないが、この序文の中でパルヴスが言ったのはあくまでも社会民主党による政権獲得の可能性だけであって、プロレタリアート独裁の可能性でも、民主主義革命を突破して社会主義革命へと突き進む可能性でもない（「必然性」についてはいうまでもない）。

このパルヴスの序文をきっかけにして、メンシェヴィキ、ボリシェヴィキ、パルヴス、トロツキーの四者の見解がロシア革命の展望をめぐる代表的な理論として登場する。

まずトロツキーはいち早くパルヴスに続いて、今回の革命において、ロシア社会民主党による政権獲得が可能であることに同意した。レーニンは、党綱領における二段階革命論と、パルヴスによる理論的示唆と、現実に展開されつつある革命的諸事件におけるプロレタリアートの主導的役割とを統合して、「プロレタリアートと農民の民主主義独裁」という独特の戦略を確立した。

メンシェヴィキもまた、この巨大な労働者運動の登場とロシアの特殊性を考慮して、当面する革命においてプロレタリアートが巨大な役割を演じることを認めたが、それは革命の展望に質的変化を引き起こすものではなく、単に量的な相違を引き起こすにすぎないと考えた。この場合、「労働者の運動として勝利するロシア革命」とは、「労働者の運動」が帝政破壊のための破城槌としてブルジョア自由主義派によって用いられることを意味した。「労働者の運動」は馬であり、騎手はあくまでもブルジョア自由主義派なのである。こうして、メンシェヴィキは「血の日曜日事件」以前からの二段階革命論に最も忠実な立場をとった。しかし、それでも急進的な情勢に促されて、この二つの段階の時間的距離を著しく短縮させることに同意した。とくに、その心情においてまだ急進的であったプレハーノフは、「永続革命」という言葉さえ用いて、自分たちの（メンシェヴィキの）路線を定式化したほどである。だがこの「永続革命」論は、トロツキーが後に定式化する永続革命論とはまったく似て非なるものであった。一八五〇年三月のマルクスとエンゲルスの回状に触発されたプレハーノフは、眼前の革命においてプロレタリア政党が一貫して急進野党の立場をとり、革命の勝利の後に政権に就くであろう小ブルジョア革命党を下から突き上げ、その中途半端さを徹底暴露し、下からの圧力で急進化させ、そのブルジョア民主主義革命的課題を徹底遂行させ、やがてその政治的資源を使い果たさせ、プロレタリア政党の出番を促進し、こうしてプロレタリア社会主義革命へとできるだけすみやかに移行するという戦略を唱えた。これこそまさに、その後、共産党を含む多くの党派の二段階「連続」革命論のモデルとなるものであった。

しかし、すでに五〇年前のドイツでさえ十分に臆病で裏切り的であった小ブルジョア政党が、どうして、その時代よりはるかに自由主義と社会主義とのイデオロギー的・政治的分裂が深化している二〇世紀初頭において、そして、ドイツよりもはるかにブルジョアジーが自国の専制政府および国際帝国主義と癒着しているロシアにおいて、そのような民主主義的課題の実現を成し遂げることができるだろうか？　プレハーノフの展望の最大の欠陥は、革命の第一段階において、曲がりなりにもブルジョアないし小ブルジョア政党が革命の主導勢力となり、自己の名において権力を獲得し、それを行使することができると考えた点にある。このことから、プレハーノフは、これらブルジョア勢力が権力を取るまでは、彼らに対する攻撃は控えなければならない、さもなくば、右手と左手がまったく正反対のことをすることになると考えた。ここから、二段階「連続」革命論の外見上の急進主義にもかかわらず、まったく日和見主義的な実践が導き出されるのである。

それに対して、レーニン、トロツキー、パルヴスの三者の考えでは、二〇世紀初頭のロシアにおいては、ブルジョア自由主義派も小ブルジョア民主主義派もすでに、たとえ当面する課題がブルジョア民主主義革命であったとしても、革命の中心的な主導勢力ではなかった。革命の最初の段階では、革命勢力の一員として登場することがあっても、彼らは専制政府が妥協の姿勢を少しでも見せ、立憲主義の体裁を授けようとするやいなや退却と裏切りを開始するだろう。したがって、このような勢力には、革命のどんな段階であれ、自己の名において権力を獲得したり、ましてやブルジョア民主主義革命の課題を、たとえ下からの突き上げがあったとしても、十分満足に遂行することなどありえない。当面する革命におけるブルジョアジーないし小ブルジョアジーの政治的役割というこの一点において、メンシェヴィキとそれ以外の三者（レーニン、パルヴス、トロツキー）とのあいだに、根本的な政治的分岐点が存在したのである。

では、ブルジョアジーも小ブルジョアジーも革命を主導できないとすれば、誰が革命を主導するのか？　それは労働者と農民である。この問題については、レーニン、トロツキー、パルヴスの三者に本質的な相違は存在しなかった（パルヴスは、革命の最初の段階では農民の問題はほぼ完全に無視していたが、革命の最盛期になって農民の問題についても論及するようになる）。

三者のあいだで意見が分かれたのは、この主導勢力が革命に勝利した際に生じる臨時政府の性格をめぐってであった。この問題をめぐっては、ボリシェヴィキ（レーニン）と、パルヴスおよびトロツキーとのあいだに分岐線が存在する。ボリシェヴィキすなわちレーニンは、今はまだ存在しないがやがては必ず登場するであろうと思われた革命的農民政党をプロレタリア政党と並んで、臨時政府の独立した主導的な構成要素に加えた。このような政権を表現するものとして「プロレタリアートと農民の革命的民主主義独裁」というスローガンを提唱したのである。*8

それに対して、パルヴスとトロツキーは、革命の指導勢力としてはプロレタリアートとその党しか政治の舞台には存在しないし、存在しようがないとみなした。ロシア住民の圧倒的多数を占める農民層は、後背地における反乱によってプロレタリアートの革命闘争を容易にし、旧支配権力の足元を揺るがすことはできるが、その経済的分散性と停滞性、その政治的後進性ゆえに、政治的に主導的な勢力として政権を獲得したり、プロレタリアートの党と権力を分有することなどありえないと考えた。

したがって、革命が勝利した暁には、それはプロレタリアートの革命党が、すなわちロシア社会民主党が臨時政府の指導勢力として政権に就くだろう。パルヴスはそれを「労働者民主主義の政府」と表現したが、トロツキーはより踏み込んで「農民に依拠したプロレタリアートの独裁」と表現した。この表現上の相違には、表現の問題を越えた実質的な革命的展望上の相違が内在していた。革命的プロレタリアートが民主主義革命の遂行者として政権に就いた場合、彼らは自らをブルジョア民主主義的課題の解決に限定することができるだろうか？　この問題をめぐってトロツキーとパルヴスとが分岐するのである。

パルヴスは、自らの展望する「労働者民主主義の政府」の課題を、通常のブルジョア民主主義的課題と、八時間労働制などの労働者民主主義の課題に限定した。彼は、ロシアの遅れた政治的・経済的状況からして、労働者政府が社会主義的課題に着手することは不可能だとみなし、それゆえ社会主義革命と密接に結びついた概念である「プロレタリアートの独裁」という表現を意識的に回避したのである。パルヴスの想定した国家は、第二次世界大戦後にヨーロッパ諸国に出現する社会民主主義政権に近いものだった。

それに対して、トロツキーは次のように問題を提起する。巨大な運動の高揚の中で政治権力を獲得した革命党と先進労働者が、経済分野ではあいかわらず資本の奴隷でありつづけることができるだろうか？　あるいは逆に、資本家が自分たちの賃金奴隷である労働者の革命政権をいつまでも許しておくだろうか？　政治権力を獲得した先進労働者がブルジョアジーの経済権力を安泰に保つと想定することも、政治権力を一時的に失ったが経済権力をまだ保持しているブルジョアジーが自分の頭上に革命的労働者政府をそのまま許しておくだろうと想定することも、どちらもブルジョアジーとプロレタリアートとの根本的な階級対立を軽視するものであろう（この問題は、たとえば、資本主義国家のもとで工場の労働者管理を長期的に維持できるかどうかという問題と対をなす。この場合は、ブルジョアジーの政治権力とプロレタリアートの部分的経済権力との長期的両立が問題になっている）。

したがって、プロレタリア政治権力とブルジョア経済権力とのこの「二重権力」は早晩解消されなければならない。すなわち、労働者政府が、自己をブルジョア民主主義的課題に限定することなく、それを越えて社会主義的課題にまで突き進み、ブルジョアジーの経済権力を掘りくずすか、あるいは、ブルジョアジーによる反革命によって政治権力をも失うかである。トロツキーはもちろん、ブルジョアジーによる反革命を手をこまねいて見守るのではなく、革命の狭いブルジョア民主主義的枠を突破するべきだと主張した。こうして、民主主義革命として出発したロシア革命は永続革命となるのである。

だが、ブルジョア民主主義的枠を突破した労働者政府は、その道をどこまで進むことができるだろうか？　革命の主導勢力をめぐってメンシェヴィキと分岐し、臨時革命政府の性格をめぐってレーニンと分岐し、労働者政府の課題をめぐってパルヴスとさえ分岐し、こうしてただ一人残ったトロツキーは、さらに議論を先に推し進める。トロツキーの答えはこうだ。ヨーロッパの最後進国であり、巨大な農民的重荷を背負った少数派のロシア・プロレタリアートは、それがどんなに英雄的力量を発揮したとしても、奇跡を起こすことはできない。それはヨーロッパ帝国主義の干渉と国内における農民の離反によって決定的な脅威にさらされるだろう。ヨーロッパの社会主義革命によって支えられないかぎり、ロシアの労働者政府は永続的な社会主義権力にはなりえないだろうし、いずれ崩壊することになるだろう。

こうした全体としての展望は、一九一七年革命によって肯定的に証明されただけでなく、その後の他国における一連の革命において指導勢力が永続革命的観点に立たず、革命の内的論理に逆らって段階論に固執したために革命を敗北に追いやったという形でも否定的に証明された。中国革命しかり、スペイン革命しかりである。[*9]そして、こうした一連の敗北の結果としてヨーロッパ革命が総じて失敗に終わったことで、数十年後に、トロツキーの最後の予見もまた基本的に実現されたのである。トロツキーが予想していなかったのは、ロシアの労働者国家が、外部からの反革命によって打倒される以前に、内部からの堕落によって変質するという一段階が存在したことであった。

二、二月革命から一国社会主義へ

以上見たように、トロツキーの永続革命論は二段階革命論でないのは無論のこと、一段階革命論でもなかった。それはそもそも、何らかの特定の数の段階をあらかじめ想定するものではなかった。トロツキーが主張したのは、ブルジョア民主主義革命の真の勝利はただ農民に依拠したプロレタリアートの独裁としてのみ可能であり、そしてプロレタリアートの独裁が成立したなら、それは自己の課題をブルジョア民主主義的課題に限定することはできないということだけである。こうして、ブルジョア民主主義革命の最終局面とプロレタリア社会主義革命の最初の段階とがプロレタリア独裁のもとで有機的に融合するのである。だがプロレタリアートの独裁に至るまでに、さまざまな副次的段階があるかもしれない。その可能性は何ら排除されない。だが、それらの段階はいずれも、ブルジョア民主主義革命の真の勝利を画するものではなく、ただその課題の一部を実行しうるだけの一時的でエピソード的な「段階」にすぎないのである。トロツキー自身、一九二七年の夏に書かれた覚書の中で、次のようにはっきりと断言している。

私はこれ〔レーニンの労農民主主義独裁論〕に対してこう反論した。わが国の革命の当面する段階がブルジョア民主主義的性格を有していること、これは議論の余地がない。また、この課題を解決する途上においては、あれこれの過渡的権力をともなったさまざまな段階があることも否定しない。しかし、これらの過渡的形態はエピソード的性格のものでしかないだろう。民主主義的課題を解決するためであっても、プロレタリアートの独裁が必要になるだろう。民主主義的段階を、総じて階級闘争の自然な諸段階を飛び越すつもりはまったくないが、われわれは、プロレタリア前衛による権力獲得に向けた基本路線をただちに定めなければならない、と。[*10]

実際、一九一七年の二月革命は、そうした一段階の典型例であった。ツァーリ帝政を崩壊させた二月革命は、明らかにブルジョア民主主義革命の一構成部分である。だが、二月革命はブルジョア民主主義革命を完成させたのではなく、それを開始しただけであった。帝政の崩壊によって生じた権力の空白を埋めたのは、ブルジョア民主主義革命にさえ抵抗し続けたブルジョア自由主義派であった。革命の最初の段階では、しばしば旧勢力の一部が――それが旧秩序ですでに有していた権威と権力のおかげで――政権を受け継ぐのである。だが、このブルジョア政権は、帝政を崩壊させた世界大戦からの離脱も、ブルジョア民主主義的課題の達成も、何一つ実現できなかった。こうして、その後、トロツキーの予見どおりに事態は進んでいくのである。そこから一〇月革命にいたる過程を詳しく再現する必要はないだろう。

だが、永続革命論はその理論的正当性が完全に証明された瞬間から、ロシア革命そのものと同じく苦難の道を歩みはじめる。すでに述べたように、永続革命論は、ヨーロッパ革命の勝利なしにはプロレタリア独裁は長期にわたって持続することはできないと予見していた。だが、トロツキーの永続革命論は、ロシアでの社会主義革命の勝利が必ずヨーロッパ革命を引き起こすということを想定したものではなかったし、勝利したプロレタリア独裁の将来についてもけっして楽観的ではなかった。それどころか、トロツキーは、一九〇五年一二月に書いた論文の中で、次のような可能性さえ示唆していた。

究極的には経済的発展過程にもとづいている階級闘争の論理が、ブルジョアジーが自らの経済的使命を「使い果たす」よりも前に……プロレタリアートを独裁にまで押しやっているのだとすれば、そのことはただ、歴史がその困難さにおいて巨大な課題をプロレタリアートに課していることを意味している。もしかすると、プロレタリアートが闘争の中で疲れ果て、その困難さに打ちのめされることさえあるかもしれない……。しかし、プロレタリアートは、階級の解体と国全体の野蛮状態への没入を恐れて、こうした課題を放棄するわけにはいかないのである。[*11]

実際に起きた事態は、まさにトロツキーがこの文章で予見したものにきわめて近かった。勝利したプロレタリアートの独裁は、内部からは白衛軍による絶え間ない軍事的攻撃を受け、外部からはロシアよりもはるかに豊かで技術的に発達した帝国主義諸国からの軍事干渉にさらされた。過去の実例もまったくなく、経験も組織力も乏しかったボリシェヴィキ政権は、一億もの分散的な農民を抱えた国家をまったく手探りで運営せざるをえなかったし、生産と流通を適確に組織することなどまったく不可能だった。飢餓から逃れるための穀物の徴発政策は農民との深刻な対立をもたらし、戦時共産主義の政策は工業を荒廃させた。およそ過去のいかなる革命政権も経験したことがないような巨大な困難にボリシェヴィキは直面したのである。それに比べれば、十八世紀のフランス革命でさえはるかに恵まれた環境の中で起きたと言えるだろう。

トロツキーが不吉にも予見したように、プロレタリアートの中核部分は階級的に解体し、国全体が野蛮状態に没入した。ヨーロッパ革命は実際に各地で起きたが、すぐに崩壊するか中途で挫折した。トロツキーが予想しえた範囲の中で最悪に近い線で事態が推移した。しかし、それでもボリシェヴィキ政権は、トロツキー自身の八面六臂の活躍もあって、崩壊しなかった。それ自体が一つの奇跡だった。さまざまな悪条件とボリシェヴィキ自身のさまざまな主体的誤りにもかかわらず、ボリシェヴィキ政権はかろうじて生き残ったのである。

しかし、その結果は悲惨だった。革命前の理想の多くが裏切られ、党内民主主義も著しく切り縮められ、ソヴィエト民主主義もボリシェヴィキの一党独裁によって空洞化した。こうした中で、スターリニズムの官僚独裁体制がしだいに形成され強固になっていった。ヨーロッパ革命がことごとく失敗に終わる一方で、ロシアのボリシェヴィキ政権はきわめて歪んだ形ではあったが政治的に強固な基盤を獲得するにいたった。こうした現状をイデオロギー的に結晶化させたものが一国社会主義論であった。これは、一九二四年末にスターリンが提唱したものだが、おそらくはスターリン自身もそれが数十年にわたって官僚独裁体制のイデオロギー的支柱になるとは思っていなかっただろう。周囲のボリシェヴィキ幹部も、当初はそのイデオロギーの政治的含意についてすぐには理解できなかった。トロツキーもそうである。トロツキーがこの理論に批判的に言及するのは、ようやくそれから一年以上も経った後なのである。*12

一国社会主義論は、段階発展論と根本的に矛盾するものであるにもかかわらず、スターリンにあっては奇妙なことに、機械的な段階発展論と両立していた。トロツキーは、ロシアの歴史的・経済的諸条件の特殊性を厳格に分析し、その上で、単なる量的相違に還元されない質的に異なったロシアの特殊な発展軌道を明らかにした。だがこの特殊性はけっして絶対的なものではない。それはより普遍的な法則に制約され、究極的にはそれに服するのである。だがスターリンは、一方では、機械的な発展段階論にしたがって、ロシア以外の後進諸国においては独立した段階としてのブルジョア民主主義革命を唱導しながら、ロシアに関してだけは、そうした普遍性からの完全な例外として一国だけで完全な社会主義社会を独力で建設できるとした。こうして、特殊性と普遍性との弁証法は完全に解体され、一方の極（ロシア以外の後進諸国）では機械的な普遍性が適用され（機械的段階論）、他方の極（ロシア）では普遍性の制約をいっさい受けない純粋な特殊性論が適用されたのである（一国社会主義論）。

三、「文献論争」から『永続革命論』へ

一国社会主義論が確立されてから、永続革命論は最大の異端として断罪されることになった。すでにそれ以前から永続革命論は、農民の軽視、民主主義段階の飛び越え、世界革命への機械的依存、冒険主義、等々の罪で非難されていたが、スターリンの一国社会主義論の確立によって、それは、ロシアの労働者の力量を軽視した敗北主義の理論として規定されることになった。

このような大カンパニアがなされるまでは、一九一七年にボリシェヴィキがトロツキーの見解の側に移行したことで一〇月革命が成功したのだという認識は、ロシア共産党内部のみならずコミンテルンでもかなり常識の分類に属していた。たとえばグラムシは一九二四年二月の時点で、そうした認識をイタリア共産党の同志たちに宛てた手紙の中で表明している。[*13]

しかし、一九二四年末の「文献論争」の中で、こうした常識が大々的に覆され、トロツキーの革命論は最初から最後までレーニンの革命論と対立していたのであり、一〇月革命はトロツキーの理論とまったく無関係な形で起きたのだという大カンパニアが、ソ連内外でなされた。

このカンパニアには党史研究部門の官僚たちも積極的に参加した。トロツキーが、かつてレーニンをこっぴどく批判した「チヘイゼへの手紙」を公表するべきではないことを党史部門の責任者であったオリミンスキーに宛てた手紙[*14]は一九二一年に書かれたものだが、その中でトロツキーは、革命前においてボリシェヴィキとトロツキーとのあいだの意見の相違がどの点にあり、どちらがどの点で正しく、どの点で間違っていたのかについて簡潔に述べた。オリミンスキーは一九二五年に、過去レーニンがトロツキーを批判したあらゆる論文やメモをかき集めた論文集を編集・発行した際に序文を付し、その中でこの手紙をあえて公表した。この手紙は、トロツキーが傲慢にも永続革命に関してはボリシェヴィキよりも自分の方が正しかったと主張している証拠として大々的に利用された。

こうして、文字通り世界規模での思想改造がなされた。そのおかげで、グラムシでさえ、獄中ノートでは、かつての見解とは反対に、トロツキーの永続革命論を戯画化した上で批判することになってしまっている。トロツキーが言うように、「トロツキズムに反対する討論なるものの洪水」があふれ、

「一〇月革命によって構築されたものの多くを破壊し、新聞、図書館、閲覧室を水浸しにし、党と革命の発展史における最も偉大な時代に関係する無数の文書を泥と瓦礫の下に葬り去った」[*15]のである。

すでに述べたように、トロツキーはこうした非難の大合唱がなされているあいだ、それに対する系統的な反論をしようとしなかった。〈永続革命〉をめぐる意見の相違はすでに過去のものとなった、レーニンと対立した本質的問題ではすべてレーニンの方が正しかった、という声明に終始せざるをえなかった。一九二四年以降、〈永続革命論〉を公然と擁護することはトロツキーにとって一種のタブーとなった。

だが、この問題が単に過去の意見の相違の問題ではなく、それがスターリニズムのイデオロギー的支柱とかかわる問題であり、コミンテルン全体の戦略路線とかかわる問題であることが明らかになるにつれて、この問題について系統的に述べる必要性をトロツキーはますます強く感じていった。しかし、左翼反対派の内部でさえコンセンサスがまったく得られなかったがゆえに、それは必然的に限定された形式をとらざるをえなかった。すでに言及した「レーニンとの意見の相違」という一九二七年夏の覚書は、〈永続革命〉の問題について系統的に論じようとする最初の試みであった。しかし、結局、この覚書は発表されることはなく、トロツキーの個人アルヒーフの中に埋もれたままとなる。

一九二八年に現在のカザフスタン共和国のアルマ・アタ〔アルマトイ〕に流刑となった時、ようやくトロツキーはそうした束縛から一定解放されて、本格的に〈永続革命論〉をめぐる批判(といっても、事実無根の誹謗中傷でしかなかったが)の問題に取り組むことができるようになった。そうしたとき、ラデックによる長大な論文が流刑者の各コロニーに送られてきた(おそらく一九二八年の八月末から九月初め)。それは、レーニンの民主主義独裁論の成り立ちと変遷を歴史的に考察するとともに、それとの対比でトロツキーの永続革命論の「誤り」を示そうとするものであった。

ラデックが非常に優れたジャーナリストであるとともに、政治的に非常に不安定で、しばしば不正確な理論的規定を行なう人物であることは、後にトロツキーが『反対派ブレティン』に書いた「ラデックと反対派」でも明らかである。[*16] そこでは取り上げられていないが、ラデックは、一九二四年一二月に、すなわち、「文献論争」と呼ばれる、トロツキーに対する大々的な攻撃カンパニアがなされている真っ最中に、パルヴスについての追悼文を『プラウダ』に発表している。その中でラデックは、一九〇五年革命当時のパルヴスの立場を不正確にも「永続革命」と特徴づけ、それをロシアにおける「農民の革命的可能性の過小評価」として描き出している。[*17] 一九〇五年におけるパルヴスの立場が永続革命ではなかったことも、また、パルヴスがロシア農民との革命的同盟の意義をけっして否定していなかったことも無視されている。ここにも示されているように、ラデックの永続革命認識は一九二四年当時からかなり危ういものだった。

トロツキーは流刑者コロニーに流布されたラデックの大論文に取り組まないわけにはいかなかった。ラデックは反対派の中で最も著名な指導的人物の一人であり、トロツキーと個人的にも親しい盟友だったからだ。トロツキーは、始めていた他の仕事を中断して、この攻撃に対する全面的な反論の書を執筆することを余儀なくされた。これが『永続革命論』の中心となる部分である。しかし、流刑の身であったトロツキーはこの著作をすぐには発表する機会を持たなかった。一九二九年にトルコのプリンキポに追放されると、トロツキーは必要な補足をして、一九三〇年初めにようやく『永続革命論』が出版された。大々的な永続革命論攻撃がなされはじめてから六年以上も経った後のことである。

この著作は、エピゴーネンによる荒唐無稽な永続革命論攻撃に全面的に反論するとともに、それとの関連で一九〇五〜〇七年当時のトロツキーの見解の核心部分を要約的に再現しており、永続革命論入門といった趣を持っている。しかしそれだけではない。一九二五〜二七年の中国革命の悲劇を踏まえて、トロツキーは自らの主張をいっそう拡張し、より体系化している。一九〇五〜〇六年当時においては、ブルジョア民主主義的課題を実現するためのプロレタリア独裁という展望は、基本的にロシアに限定されたものだった。トロツキーは一九二〇年代に至るまで、他のどの国にもこの理論を適用しようとはしなかったし、実際、一九〇五年革命以降に起きた後進国革命は永続革命的な軌跡をたどりはしなかった。その典型例がトルコ革命である。一九〇八年に起こったトルコ革命では、ブルジョア民主主義的課題をプロレタリアートではなく、急進化した青年将校を中心とする政治集団（青年トルコ党）が代行した。プロレタリアートによって担われなかったブルジョア民主主義革命は、当然ながら、社会主義革命へと連続することはなかった。[*18]

一九一七年革命の勝利後、トロツキーはレーニンやジノヴィエフ、ブハーリンと並ぶコミンテルン指導者として大いに活躍したが、永続革命的展望を直接にコミンテルンの方針に反映させることはなかった。トロツキーは、自分のよく通じていない他の後進諸国に自分の独自理論を機械的に適用するような態度とは無縁だった。しかし、こうした立場は一九二五〜二七年の中国革命によって大きく変化する。コミンテルンの指導下で起こった最初の本格的な後進国革命であった中国革命において、基本的な政治路線と革命戦略の問題が差し迫ったものとしてコミンテルン指導部全体に提起されたからである。

トロツキーの永続革命論に対する全面的な攻撃をしてきたコミンテルン指導部は、自国の経験に反して、半ばメンシェヴィキ的路線を中国の事態に適用した。中国では広範な大衆政党である国民党が、ロシアでソヴィエトが果たしたのと同じ役割を果たすのだとされた。

しかし、この路線は、国民党の指導者蒋介石による一九二七年四月の軍事クーデターによってあえなく崩壊した。コミンテルン指導部は、そのクーデターのほんの数日前まで蒋介石を信頼できる同盟者として大々的に扱っていたために、政治的パニックに陥るとともに、この失態を何としてでも反対派の攻撃から守らなければならなかった。コミンテルンはアリバイづくりのために、一九二七年末に即席の労働者蜂起（広州蜂起）を組織し、それは当然、一昼夜で弾圧され、血の海に沈められた。

こうして、中国革命の悲劇的経験を通じて、トロツキーは、永続革命の問題が単にロシア一国に限定されるものではないこと、むしろ、帝国主義時代における後進国全体に適用可能なかなり普遍性を有した理論であると認識するに至ったのである。[*19]

『永続革命論』はさらに、一国社会主義論の問題に対しても新しい重要な論点を提起している。従来、ロシア一国で社会主義の建設を成し遂げることが不可能なのは、ロシアが後進国だからであるという説明が一般的であったし、トロツキーもまた一九二〇年代の党内闘争ではそうした説明を繰り返していた。しかし、一九一四年の『戦争とインターナショナル』以来、トロツキーが強調してきた観点、すなわち資本主義の生産力がとっくに民族国家（国民国家）の枠を突破して成長したこと、そして、世界経済が各国経済の機械的総和ではなく、一個の強力な現実として各国経済を支配しているという観点からすれば、たとえ先進国であっても一国だけで社会主義の建設を成し遂げることは不可能であることがわかる。後進国ではあまりにも低い生産力がネックとなるが、先進国の場合には逆に、一国だけで調和的な社会主義経済を組織するにはあまりにも成長しすぎた生産力がネックとなる。こうした観点にもとづいて、トロツキーは、『永続革命論』において、一国社会主義が後進国のみならず先進国でも不可能であることを明らかにしたのである。

なお、この一国社会主義論に関して、訳語上の問題を提起しておきたい。トロツキーは一国社会主義について論じる際、「建設」を意味する二つの単語「**строительство**」（一般に「建設すること」あるいは「建設しつつあること」を意味する）と「**построение**」（「建設してしまうこと」を意味する）とを使い分けている。トロツキーの主張だとされる「一国における社会主義建設の不可能性」という命題は、「建設」がどちらの意味であるかによって意味が大きく異なる。トロツキーは、ヨーロッパ革命が成功していない段階でも、ロシアの地で積極的に社会主義の建設に着手することに賛成であったし、それをできるだけ前に押し進めることにも賛成であった。それどころか、他のボリシェヴィキ指導者よりも積極的に社会主義建設の具体的提案を繰り返し提起し、それが党内闘争の一つの重要な争点になったぐらいである。トロツキーが否定したのは、孤立した一国の枠内で社会主義社会を建設しきること、それを最後までやり遂げてしまうことである。それに対してスターリンは一九二四年末に、ロシア一国だけで社会主義社会を最後まで建設しきることが可能であると主張し、それが「一国社会主義論」と呼ばれる教義となったのである。

四、『ロシア革命史』と「歴史的後発性」論

トロツキーは『永続革命論』を仕上げるとただちに、彼の主著の一つとなる『ロシア革命史』に取りかかった。この歴史的大著の第一巻の最初の章として、トロツキーは、一九〇五年以来論じてきた永続革命の社会的・歴史的根拠をより一般化した形で明らかにする議論を展開している。これが『ロシア革命史』の冒頭章として書かれた「ロシアにおける発展の特殊性」である。[*20]

　この論稿には、後進国における特殊性を解明する上で決定的に重要な二つのキータームが登場する。一つは、「後進性（отсталость）」と区別されるものとしての「後発性（запоздалость）」という概念であり、もう一つは、「不均等発展の法則」と区別される法則としての「複合発展の法則」という概念である。最初の「後発性」という概念は、「запоздалый（遅れてやってきた、遅ればせの）」という形容詞としては、これまでのトロツキーの諸論文・諸著作に頻繁に出てきたし、ロシア革命のダイナミズムを解明する上で重要な役割を果たしてきたが、名詞形としての「後発性」はほとんど登場しなかった。[*21]おそらく、ロシアの発展の特殊性との関連ではっきりとした形で登場するのは、『ロシア革命史』第一巻の付録として収録されたポクロフスキー批判の論文（一九二二年六月）においてであろう。[*22]

　ロシアの発展のまぎれもなく明白な後発性が、西方のより高度な文化の影響と圧力を受けて、ヨーロッパの歴史的過程を単に遅れて繰り返すのではなく、独自の研究を必要とする深い特殊性を生み出した。[*23]

しかし、その後も、「後発性」の概念はほとんど登場せず、『永続革命論』でも、形容詞（「遅ればせの」「遅れてやってきた」）や副詞（「遅れて」）としては何度か登場するが[24]、名詞としては登場していない。だが、『ロシア革命史』第一巻第一章「ロシアにおける発展の特殊性」においては、この「後発性」ははっきりとキータームとしての位置づけを与えられている。そこでは、まず以下のように「歴史的後発性の特権」という形で最初に登場し、その後も、繰り返し登場している。

> 後進国は先進国に追いつこうとつとめざるをえないので、順番を守らない。歴史的後発性の特権――このような特権も存在する――のおかげで、後進国は一連の中間的段階を飛び越すことによって、想定されていた時期より早く出来合いのものを摂取することが可能になる。[25]

これまでの翻訳では、この「запоздалость」は「後発性」と訳されず、単に「後進性」とか「立ち遅れ」「遅れ」などと訳されてきた。そのため、この概念の独自性はトロツキーの思想を評価する人々のあいだでも十分に明らかにされてこなかった。

この「後発性」という概念は、何らかの意味で「遅れ」を意味する「後進性」や「立ち遅れ（отставание）」とは明確に異なる概念である。「後進性」とは今現在、先進的なものと比べて発展水準が低いこと、遅れていることを意味する。「立ち遅れ」とは、何か別のものの発展テンポと比較してそれよりも発展テンポが遅れていることを意味する。したがって、この言葉は、ほとんどの場合、「～

から立ち遅れる（отставать от～）」という動詞形で登場する。それらに対して、「後発性」は、発展の開始時期が遅かったこと、あるいは何らかの事件や制度や現象などが歴史的に遅れて到来すること、すなわち時間的な意味での「遅れ」を意味する。

戦前の日本は後発資本主義であると同時に、かなり後進的でもあったが、戦後の急速な発展によって他の先進諸国に追いつき、しばしば追い越し、有数の先進資本主義国になった。つまり、現在の日本は、後発国ではあるが、後進国ではなく先進国である。アメリカ合衆国も後発国で先進国である。しかし、発展テンポそれ自体が緩慢であるか、あるいは先進国の発展スピードに立ち遅れる場合には、後発国は先進国の仲間入りをすることができず、後進国のままであろう。たとえ急速な発展テンポを実現しても、先進国との発展水準の差があまりにも巨大である場合には、なかなか先進国の仲間入りをすることは難しいだろう。

トロツキーが言うように、ロシアは昔から発展テンポが緩慢で、他のヨーロッパ諸国から大きく立ち遅れ、したがって圧倒的な後進国であった。しかし、一九世紀に資本主義が上からないし外から移植されることで遅れて資本主義的発展を開始し、一九世紀後半から二〇世紀初頭にかけてきわめて急速な発展を遂げた。だが、先進欧米諸国と比べてあまりにも発展水準の差が大きかったために、一九一七年革命に至るまで、あるいはそれ以降もかなりの期間、後進国のままであった。

日本やアメリカのように、後発国でありながら先進国になりえた秘密の一つは、まさにトロツキーが指摘している「歴史的後発性の特権」が存在したからである。後発国は、先進国の最新の技術、最新の生産様式を移植ないし学習したり、先進国の豊富な資金や巨大な市場を利用したりすることができるので、一国だけなら達成不可能な急速なテンポを勝ち取ることができ、また場合によってはいくつかの技術的・生産的段階を飛び越えることもできる。こうした認識は、一九五〇年代におけるアレクサンダー・ガーシェンクロンの「後発性の利益」命題（これは明確にトロツキーの理論から影響されたものだ）の提唱以来、開発経済学や経済史学において常識と化しているが、それを最初にはっきりと概念化したのはトロツキーなのである。

この「後発性」の概念と不可分なものとしてトロツキーがこの『ロシア革命史』ではじめて提起したのが、「複合発展の法則」である。後発国は、先発国がすでにたどってきた歴史を機械的に反復することはない。資本主義の成立以前においては、各国の歴史はかなりの程度孤立した状態にあったために、このような反復はある程度見られた（あくまでも「ある程度」）。しかし、資本主義は世界市場を成立させ、そのような孤立を克服していく。後発国は、すでに先進諸国が作り出した世界市場のもとで資本主義的発展を開始せざるをえない。それゆえ「歴史的後発性の特権」を生かして先進諸国の技術や資金や市場を利用して、一足飛びで発展を遂げようとするし、そうせざるをえない。後発国のそのような主体的努力によって新しいものの摂取が起こるだけでなく、全般的に自国を取り囲む先進国の経済的・政治的・思想的影響を絶えず受けることになる。こうして、後発国においては、外部から移入ないし影響された先進的諸要素と、自国における古い時代遅れの諸要素との独特の結合、アマルガムが生じ、これが、後発国の発展に固有の独自性をもたらす。これが「複合発展の法則」である。[*26]

この独特の法則ゆえに、しばしば、古い歴史的課題の遂行を新しい階級的主体が代行するという事態が生じる。ロシアでは、その内的発展の結果として古い専制政府の打倒と土地問題の解決を課題とするブルジョア民主主義革命が日程にのぼったとき、すでに、その本来の遂行主体であるはずの自由主義ブルジョアジーは、先進帝国主義の外国資本に隷属し、国内の地主や専制政府と癒着し、プロレタリアートの台頭を死ぬほど恐れていた。そのため、彼らには、遅れてやってきたブルジョア民主主義革命の主体となることができなかった。

この現象はすでに、一八四八年のドイツ革命においても見られたが（ドイツもまたヨーロッパの後発国であった）、そのときには、代わりにその課題を担う新しい勢力はまだ登場していなかった。そのため、ドイツ革命はまったく中途半端なものに終わり、その歴史的課題を実現することができなかったのである。ところが、一九〇五年のロシアにおいては、その課題を担いうる新しい階級勢力、すなわち都市の工業プロレタリアートが登場していた。一九〇五年時点では、プロレタリアートおよびその党の経験不足と帝政のなお残っていた力ゆえに、革命の勝利にまではいたらなかった。しかし、プロレタリアートとその党は一二年間の反動期に鍛えられるとともに、一九一四年に勃発した世界戦争は、一九〇五年革命のきっかけとなった日露戦争をはるかにしのぐ規模で帝政の基盤と権威を掘りくずした。

こうして、一九一七年の二月革命から一〇月革命へのダイナミックなドラマが生まれた。歴史的に遅ればせのブルジョア民主主義的課題を実現するために、プロレタリアートの独裁が必要になったし、またそれが可能にもなった瞬間であった。しかし、ロシア・プロレタリアートは、革命に勝利するには十分に強かったし、また勝利後の内乱と干渉戦争に持ちこたえることはぎりぎり可能だったが、彼らの力は事実上そこでほとんど使い果たされてしまった。極度に混乱し疲弊し破壊された後進国の社会を運営していく能力を欠いていたプロレタリアートは、党と国家の官僚によってその独裁を代行されることを余儀なくされた。プロレタリアートの勝利を可能とした複合発展の法則は、その論理の延長として、官僚層をプロレタリア独裁の代理人（傲慢で敵対的な代理人）として全体主義的権力の頂点に押し上げたのである。

五、トロツキー『永続革命論』の現代的意義

以上見たように、トロツキーの永続革命論は、プロレタリア独裁としてのロシア革命の勝利の可能性を予見した理論であった。だが、トロツキーがその勝利に貢献したロシアのソヴィエト政権はとっくに崩壊し、それとともに、一〇月革命の正統性も社会主義の理念もともに葬り去られた。こうした時代にあって、今日、トロツキーの永続革命論を学ぶ意義はどこにあるのだろうか？[*27]

一九九〇年代なら、こうした問いに対する答えは、高度に理論的ないし思想的なものになっただろうし、そうした回答は今日でも十分有効である。ロシア革命の発展のダイナミズムを明らかにしたトロツキーの方法論それ自体は、ロシア革命のその後の運命にかかわらず、有効でありつづけている。むしろその方法論ゆえに、ソヴィエト政権の崩壊をも予見しえたのである。歴史的後発性の論理と複合発展の法則、歴史的課題とそれを遂行する階級主体とのズレ、歴史発展の諸段階の接近融合、といった問題群は、日本をはじめとする他の後発諸国の歴史発展のダイナミズムを理解する上でも、また複雑な現代世界を分析する上でも、この上なく貴重な示唆を与えている。

グラムシ研究者やその周辺の学者によって今日大いに注目されている受動的革命論は、その内的ダイナミズムに着目するならば、実は永続革命論と同じ問題意識と方法論に立脚していることがわかる。[*28] トロツキーの方法論はすでに汲み尽くされたとは言えない。それはまだまだ発展と応用の余地がある。たとえば、現代の最も優れた経済地理学者デヴィッド・ハーヴェイは、地理的不均等発展という概念を提起し、この概念にもとづいて新しい帝国主義と新自由主義とを分析したが、[*29] この概念に地理的複合発展法則を結びつけるならば、はるかに実り多い成果を得ることができるだろう。[*30]

だが、今日では、こうした理論的・思想的水準を越えて、より実践的に回答することもできる。「歴史の終焉」を豪語していた資本主義と新自由主義は今やその反文明的姿をますます露わにしている。「社会主義の脅威」という制約から解放された資本主義はますます傍若無人となり、日本でも世界でも貧富の格差の拡大、貧困層の増大、巨額の投機資本の席捲、環境破壊、帝国主義の伸張、民主主義の抑圧がますます進行しつつある。一〇年前なら新自由主義は、その支配を甘んじて受け入れざるをえないような圧倒的現実のように見えたが、今では、新自由主義の限界と破綻は、はるかにはっきりとしたものになっている。

はたして人類はいつまでもこの新自由主義的資本主義と共存できるのかという問いが出され始めている。ローザ・ルクセンブルクが提起した「社会主義か野蛮か」という二者択一が、まだごく一部の範囲であれ、世界各地で提起されつつある。[*31] そうした中で、革命のダイナミズムを鋭い論争的形で明らかにした本書は、再び実践的な意義を持ちうるだろう。資本主義の発展が全般的な「過剰富裕化」などではなく、一握りのウルトラリッチを除いて、再び広範で深刻な貧困化と結びついている新しい世代が、そこから積極的なものを学ぶだろう。

もちろん歴史は繰り返さない。今日、資本主義は二〇世紀初頭と比べものにならないぐらいグローバルなものとなり、世界の隅々を統合している。新しい交通・通信手段は、トロツキーの時代における鉄道や電信などと比較にならないぐらい密接に世界中を結びつけた。それは最初から一国社会主義の可能性を先進国であれ後進国であれ完全に排除している。他方、世界の民衆と運動体との横のつながりは、コミンテルン時代とはまったく異なった形で新たな国際連帯の可能性を切り開きつつある。

また、多くの人々は、スターリニズムの負の歴史をけっして忘れることはないだろう。それはたいていの場合、社会主義の展望そのものを否定するものとして作用しているが、同時に「人間の顔をした社会主義」の新たな模索にとってもかけがえのない教訓にもなっている。その際、『永続革命論』や『ロシア革命史』をはじめとするトロツキーの思想的営為はけっして小さくはない役割を果たすことだろう。

注
＊1　本書の第五章を参照のこと。
＊2　トロツキー「われわれの意見の相違」、『トロツキー研究』第四一号、二〇〇三年。
＊3　この時のトロツキー攻撃論文のほとんどは、以下の文献に英訳されている。Frederick C. Corney ed., *Trotsky's Challenge: The 'Literary Discussion' of 1924 and the Fight for the Bolshevik Revolution*,-Leiden & London, Brill, 2015.

＊4　トロツキーは、一九一八年初めに出版されたブハーリンの『ツァーリズムの崩壊からブルジョアジーの没落まで』から、以下の一文を引用している――「ロシア・プロレタリアートの前には、かつてないほど先鋭な形で、国際革命の問題が提起されている。（……）ヨーロッパで形成された諸関係の総体は、この不可避的結末へと行き着くだろう。かくして、ロシアにおける永続革命はヨーロッパにおけるプロレタリア革命へと移行しつつあるのである」（トロツキー「永続革命（『スターリンの偽造学派』より）」、『永続革命論』光文社古典新訳文庫、二〇〇四年、四一三頁）。

＊5　マルクス＆エンゲルス「ロシア語一八八二年版序文」、『共産党宣言』光文社古典新訳文庫、二〇二〇年。

＊6　この点につき、以下の拙稿を参照。森田成也「『資本論』とロシア革命における経済法則と階級闘争」、『「資本論」とロシア革命』柘植書房新社、二〇一九年。

＊7　以下の議論についてより詳しくは、本書の第一章と第二章を参照のこと。

＊8　レーニンとパルヴスとの意見の相違についてより詳しくは、本書の第三章を参照せよ。

＊9　この点について本書の第五章と第六章を参照せよ。

＊10　トロツキー「レーニンとの意見の相違」、前掲『永続革命論』、三六五頁。

＊11　トロツキー『わが第一革命』現代思潮社、一九七〇年、二七三頁。

＊12　以下の拙稿を参照。森田成也「トロツキーと一国社会主義批判の政治経済学」、『思想』一九九六年四月号。

＊13　トロツキーとグラムシとの関係については、以下の拙書を参照。森田成也『ヘゲモニーと永続革命』社会評論社、二〇一九年。

＊14　トロツキー「オリミンスキーへの手紙」、前掲『永続革命論』に付録一として収録。

＊15　前掲トロツキー「永続革命」、四一七～四一八頁。

＊16　トロツキー「ラデックと反対派」、前掲『永続革命論』の付録三として所収。
＊17　カール・ラデック「パルヴス」、『ニューズ・レター』第一〇号、一九九五年、一七頁。
＊18　この点について詳しくは、本書の第四章を参照のこと。
＊19　詳しくは本書の第五章を参照。
＊20　前掲トロツキー『永続革命論』の付録四として収録。
＊21　それでも一九〇五年革命後のトロツキーの諸文献に時おり登場している。この点に関しては本章の補論を参照せよ。
＊22　ただし、『ロシア革命史』第一巻の付録に収録されたものは、ポクロフスキー批判論文の半分程度に過ぎない。全訳は以下に所収。トロツキー「ロシアの歴史的発展の特殊性について」、『トロツキー研究』第七三号（最終号）、二〇一九年。
＊23　トロツキー『ロシア革命史』第二巻、岩波文庫、三四八頁。ただし、岩波文庫版では「後発性」は「立ち遅れ」とまったく誤って訳されている。明らかに訳者は、「**отсталость**」と「**запоздалость**」の概念的相違を理解していない。
＊24　前掲トロツキー『永続革命論』、五二頁（二箇所）、二二一頁、二二七頁、三〇七頁、三四八頁。
＊25　トロツキー「ロシアにおける発展の特殊性」、前掲『永続革命論』、三八九頁。さらに、以下の頁にも登場。同前、三九〇頁、三九二頁、四〇二頁、四〇五頁。「後発的」「後発国」という表現は以下の箇所にも登場する。三九〇頁、三九一頁、四〇一頁。
＊26　ただしこの法則の影響は後発国に限られるものではない。先発国においては、まさにその発展の先駆性が、その周囲における後進的状況との作用と反作用を通じて、その先発国の歴史発展の歩み、社会状況や政治構造に独特の性格を刻印する。たとえば、イギリスにおける本源的蓄積の特別に破壊的

な性格や、資本主義になっても大地主が強力な力を持ち続けたその構造的特殊性は、イギリス資本主義の先発的性格と、国内および他のヨーロッパ諸国の後進性との独特の複合的産物であった。その意味で、先発国であれ後発国であれ、資本主義発展の一般的なモデルとなるような国は一つとして存在しない。

＊27　この点については、本書の終章も参照のこと。

＊28　以下の拙稿を参照。森田成也「トロツキーの永続革命論とグラムシの受動的革命論」、前掲『ヘゲモニーと永続革命』所収。

＊29　ハーヴェイ『ニューインペリアリズム』青木書店、二〇〇五年。同『新自由主義』作品社、二〇〇七年。

＊30　その試みのいくつかとして、『トロツキー研究』第六二号の特集「不均等複合発展と永続革命」所収の諸論文を参照。

＊31　前掲『「資本論」とロシア革命』の第一章「現代資本主義とマルクスの『資本論』」を参照。

補論　複合発展と「後発性」に関する覚書

【解題】本稿はもともと、『トロツキー研究』第六二号の特集解題として書かれたものだが、内容的に、本書の序章「悲劇の革命家と革命論の悲劇」を補完するものとなっているので、その補論として収録することにした。収録にあたっては、特集の内容について説明した箇所は割愛した。

トロツキーが『ロシア革命史』第一部第一章の中で明確に定式化した「不均等複合発展の法則」は、ロシアのような後発国の特殊性やその具体的な歴史の変遷を理解する上で決定的であるだけでなく、一般的に先進国を含む世界の歴史（とりわけ資本主義の歴史）を理解する上でも、また現代資本主義の複雑さを理解する上でも決定的である。*1 しかし、この概念の提唱者がトロツキーというあまりに政治的な人物であったために、アカデミズムの世界では長らく、この法則を学術研究の対象としたり、あるいはその理論的起源を明示した上でその法則を何らかの歴史分析に適用したりすることは、総じて避けられてきた。

歴史学者の多くは、世界史あるいは特定の国の歴史を具体的に研究しようと思えば、不均等複合発展の無数の事例にぶつからざるをえず、それを概念的に正しく把握するには、トロツキーが定式化した形でそれを定式化しなければならなかったはずである。しかし、トロツキーが二重の意味であまりにも政治的であったために、すなわちブルジョア学者にとってトロツキーは危険な共産主義革命家であり、マルクス主義系の学者にとってはトロツキーは危険な「極左冒険主義者」であったために、トロツキーの名前やそれと密接に結びついた概念に明示的に言及することが避けられがちであった。
しかし、このようなタブーは今日しだいに打破されつつある。トロツキーに対する政治的偏見がなくなったわけではないが、以前に比べればアカデミズムの研究の中でトロツキーの学問的業績に一定の敬意が払われるようになってきている。とくに、歴史学や人類学、国際関係論、世界経済論などの分野では、もはや不均等複合発展の法則を無視して議論することはできなくなっている。そうしたこともあって、昨今、不均等複合発展法則について学問的な研究対象にしたり、あるいはそれを個々の具体的な歴史過程の分析に意識的に適用する事例が増えている。トロツキーの不均等複合発展について論じた、あるいはそれを意識的に適応して各国の状況や世界経済などを分析する英語論文や書籍の数も、この二〇～三〇年ほどで急増している。[*2]
すでに述べたように、トロツキーが実際に「複合発展の法則」という言葉を提示したのは、一九三〇年代初頭の『ロシア革命史』第一部の最初の章「ロシアにおける発展の特殊性」においてであった。念のため、非常に有名なその箇所を以下に引用しておこう。

歴史の法則性は、衒学的な図式主義といかなる共通性も有していない。不均等性は、歴史過程の最も一般的な法則であって、それは、後発国の運命のうちに最も先鋭で複雑な形で現われる。外的な必要性の鞭のもと、後進国は飛躍を行なうことを余儀なくされる。不均等性という普遍的法則からもう一つの法則が生じる。他により適切な名称がないので、それを複合発展の法則と呼ぶことにしよう。さまざまな発展段階の接近融合、個々の段階の結合、時代遅れとなった古い形態と最も現代的な形態とのアマルガムである。[*3]

しかし、このような言葉を直接に用いていなくても、トロツキーは事実上、そうした観点に基づいて、一九〇五年以降、ロシアの歴史および当時のロシア政治を分析していたのであり、それゆえ、永続革命論という独創的な戦略概念を提示することができたのである。そこでは、単にロシアの「後進性（отсталость）」だけが問題とされるのではなく、それ以上にロシアの「後発性（запоздалость）」が重要になる。

「後進性」とは、先進諸国と比べて経済、政治、文化の発展水準が遅れていることを意味する。これは、単線発展史観ないし機械的な段階発展論とも完全に整合する普通の概念であり、また単純な不均等発展論の範囲内にある。あらゆる国は一定の発展段階を順番に通って先進国になるのであり、今はまだ後進的である国はそのような順番をこれから経ていかなければならないというわけである。

しかし、国同士は万里の長城のようなもので機械的に分離された絶対的空間として存在しているわけではなく、大昔からさまざまな交易関係や人々の流出入を通じて、国と国、地域と地域との間に絶え間ない交流と相互浸透とが存在していた。とりわけ、資本主義は世界市場を創出し、世界の隅々をその支配下に置こうとする。こうした状況のもとでは、単に先進的か後進的かという基準はまったく不十分なのである。そこで重要になるのが、発展水準の高低のみを問題にする概念（後進性）ではなく、時間的な先後関係を問題にする概念である「後発性」である。遅れて資本主義世界市場に参入することなった多くの後発国（これは最初の時点では同時に後進国でもある）は、先発国（これは同時に先進国でもある）からの圧倒的な文化的・技術的・政治的影響を強力に受けることになる。先進国に急速に追いつく上で、このような先進的な文化、技術、組織形態等々を利用することは、「後発性の特権」である。このように、まずもって、後発国は、先進国の文化や技術や組織形態を利用することで通常より急速に経済発展を遂げることができるという形で、複合発展の一パターンを形成しうる。こうして、アメリカ合衆国やドイツや日本のように、後発国でありながら先進国の仲間入りをする多くの事例が見られたわけである。

しかし、これだけでは、それはまだ単線発展史観の枠を出ていない。『トロツキー研究』第六二号に収録したニール・デヴィッドソンの論文が指摘しているように、それは単に、あらかじめ定められた発展段階を通常よりも急速に通り過ぎるということでしかない。[*4] トロツキーの複合発展論の最も重要な点は、後発国の歴史においては、土着の古い後進的な諸要素と外部からの最新の先進的諸要素とが複雑に結合し絡み合うことによって、それ自体としては先進的でも後進的でもない（あるいはその両方である）複雑なアマルガムが形成されるという点にある。

たとえばロシアの労働者は、その文化水準や直近の農民的起源や一人当たりの生産力という基準で測れば十分に後進的であったが、同時に先進国以上に大工場に集中的に組織され、[*5] その政治意識や階級意識は先進国の労働者以上に革命的であった。同じくロシアの資本家は、その労働生産性の水準やその自由主義的な政治意識からすれば後進的であったかもしれないが、同時に労働者に対する階級的敵意や社会主義への警戒心の大きさという点からすれば、先発国の資本家がその黎明期において持っていた階級意識よりも、ある意味ではるかに「先進的な」（労働者から見れば反動的な）階級意識を持っていた。

このような複雑なアマルガムの結果として、ロシアにおいては永続革命の戦略が可能となり、かつ最も現実的なものとなったのである。それゆえ、トロツキーはその永続革命論を確立するまでは、「後進性」ないし「後進的な」という言葉しか用いていなかったが、一九〇六年以降はそれらと並んで「後発性」あるいはその形容詞である「後発的な、遅れてやってきた、遅ればせの（запоздалый）」という用語をかなり頻繁に用いるようになっている。たとえば、『文学と革命』下巻に収録されている一九〇八年の論文「『文化』が渇望されていた」には次のような一節が存在する。

思想的矛盾が「正常な」発展力学であるとしても、対立する諸思想がわが国で入れ替わるテンポはまったく例外的である。インテリゲンツィアの変容過程における個々の契機は、まるで映画スクリーンのごとく早くすぎていく。これはわが国の歴史発展の全体的な後発性（запоздалость）によって説明がつく。われわれはあまりにも遅くやってきたのであり、そのためわれわれの歴史はヨーロッパの短縮された教科書にのっとって経過せざるをえない。[*6]

このように、トロツキーは「後発性」の意味を発展水準の遅れとしてではなく、「あまりにも遅くやってきた」こととして提示している。近代資本主義世界にあまりに遅れてやってきたがゆえに、その発展には独自のテンポと特殊性が刻印されるのである。

ちなみに英語ではしばしば「отсталость」も「запоздалость」もどちらも「backwardness」と訳されており、マックス・イーストマンが翻訳した英語版の『ロシア革命史』でも最初にこの概念が登場したときはそう訳されている。たとえば、最も有名な「歴史的後発性の特権」という部分は、「privilege of historical backwardness」と訳されている。[*8] そのため、英語圏では基本的に、「後進性」と「後発性」とが区別されないまま、トロツキーの不均等複合発展論が論じられている。

しかし、イーストマンは途中から「запоздалость」を「belatedness」と訳すようになっている。たとえば、同じ第一章に出てくる「ロシア革命の後発性は、年代の問題であっただけではなく、国民の社会的構造の問題でもあったのだ」[*9]という部分における「ロシア革命の後発性」は、「the belatedness of the Russian Revolution」と訳されている。[*10] 時間的な遅れを意味するこちらの英語の方が明らかに正しい訳であろう。さらに、『ロシア革命』第一巻の付録一として収められているポクロフスキー批判の論文では、「запоздалый」「запоздалость」は一貫して「belated」「belatedness」と訳されている。[*11] さらに『ロシア革命史』第二巻の第一六章「民族問題」でも「запоздалый」「запоздалость」は一貫して「belated」「belatedness」と訳されている。[*12]

ちなみに、アレクサンドラ・ラムによるドイツ語訳の『ロシア革命史』においては、最初からそれぞれ別のドイツ語で訳されており、「後進性」には、発展水準の遅れを意味する単語（Rückständigkeit）が当てられ、「後発性」には、時間的な遅れを意味する単語（Verspätung）が当てられており、これは基本的に正確な訳し分けであると思われる。たとえば、最も有名な「歴史的後発性の特権」という部分は、ドイツ語版では、「Privileg der historischen Verspätung」と正しく訳されている。[*13] それ以降も同様である。フランス語訳ではこのような訳し分けは見られないので、ドイツ語版が唯一、一貫して「後進性」と「後発性」とを訳し分けていることがわかる。

注

＊1　私は以下の拙稿において、明治維新後の日本における発展の特殊性とマルクス主義の運命について、この法則にもとづいて説明した。Seiya Morita, Marxism and Trotsky in Pre-war Japan, *Oriens Extremus: Kultur, Geschichte, Reflexion in Ostasien*, no.57, 2020.

＊2　その数は膨大すぎてここでは紹介しきれない。たとえば、Academiaという学術サイトで検索すると、表題に「combined and uneven development」が入っている論文が一〇〇本近くヒットする。

＊3　トロツキー「ロシアにおける発展の特殊性」、『永続革命論』光文社古典新訳文庫、二〇〇八年、三九一頁。

＊4　ニール・デヴィッドソン「不均等発展から複合発展へ」、『トロツキー研究』第六二号、二〇一三年。

＊5　トロツキーの『一九〇五年』の「序説」はこの点を非常によく証明している（トロツキー『一九〇五年』現代思潮社、一九七〇年、三三～三四頁）。一九世紀末の時点ですでにロシアは、ヨーロッパ諸国随一の都市集中型大工業を持った国であり、それはマルクスの故国ドイツの当時の水準をはるかに上回るものだった。これはロシアの全般的後進性というイメージに単純に合致するだろうか？

＊6　トロツキー『文学と革命』下、岩波文庫、一九九三年、九一頁。訳文は修正。元の訳では「後発性」は単に「遅れ」と訳されている。

＊7　前掲トロツキー『永続革命論』、三八九頁。

＊8　Leon Trotsky, *The History of the Russian Revolution*, The University of Michigan Press, renewed version, 1961, vol. 1, p. 5.

＊9　前掲トロツキー『永続革命論』、四〇二頁。

＊10　Trotsky, *The History of the Russian Revolution*, vol. 1, p. 12.

＊11　Ibid, pp. 464-465.

＊12　Ibid, vol. 3, pp. 36-37, pp. 53-55.

＊13　Leo Trotzki, *Geschichte der Russischen Revolution: Februarrevolution*, Mehring Verlag, 2010, S. 8.

第Ⅰ部　永続革命論の形成

第一章　パルヴス、トロツキー、ロシア革命

【解題】本稿はもともと、『トロツキー研究』第一三号（一九九四年）におけるパルヴス特集号の解題として書かれたものである。本書に収録するにあたって、引用文献の出典を最新のものに変え、またかなりの加筆修正を行なった。第二インターナショナルが生んだ最も優れた理論家の一人であるパルヴスは、そのロシア革命論だけでなく、ヨーロッパ革命論においても秀逸な議論を展開しており（彼は「ヘゲモニー」という言葉をマルクス主義的な階級的指導という意味で先駆的に使用した人物の一人でもある）、いずれこのテーマでも『トロツキー研究』で特集を組む予定だったが、トロツキー研究所が二〇一九年で閉鎖されたため、結局、パルヴスの先進国革命論を特集する機会を得ることはなかった。

一九九四年は、第二インターナショナルの最も優れた理論家の一人であり、おそらく最も奇想天外な生涯を生きた革命家であるパルヴスが、一九二四年に没して七〇年目にあたる。

彼は、一九世紀後半から二〇世紀初頭にかけてはローザ・ルクセンブルクと並ぶドイツ社会民主党の最も雄弁で戦闘的な急進左派であり、世界市場の発展に対する豊かな分析を踏まえておそらくはじめて長期波動論を唱え、トロツキーの永続革命論への道を開く労働者民主主議論を展開して第一次ロシア革命を指導し、ヨーロッパに戻った後は「陣地戦」を唱えて西欧マルクス主義に貢献し、大戦中は熱狂的なドイツ愛国主義者となって巨富を築き、一九一七年にはひそかにボリシェヴィキ革命を支援し、晩年にはボリシェヴィキに対する最も狂暴な敵の一人となった。このように簡単にその生涯を振り返っただけでも、いかに彼の一生が波瀾万丈で、興味のつきないものであるかがわかる。

ここでは、とりわけトロツキーとロシア革命に対する関わりに焦点をあてて、彼の生涯を簡単に跡づけ、彼の意義を明らかにしたい。というのは、トロツキーは、パルヴスがドイツ愛国主義者になったときに書いた論文のなかで、彼をこっぴどく批判しながらも、あえて「自分の思想的成長を、ヨーロッパの社会民主党の古い世代の誰よりも一番多く負うている人物[*1]」と書いて憚らなかったからである。

一、パルヴスとロシア

ドイツ社会民主党の理論家にして急進左派の論客

パルヴス、本名アレクサンダー・イスラエル・ヘルファントは、一八六七年にロシアの下層中産階級のユダヤ人家庭に生まれた[*2]。やがて彼は、当時の多くのロシア革命家と同様、ナロードニキの文献を通じて革命に目覚め[*3]、一八八〇年代にマルクス主義に獲得されて、たちまち熱心なマルクス主義者となった。そして、当時の多くのユダヤ人革命家と同じく、ロシアよりも西欧に憧れ、一八八七年にスイスに移った。ここからの彼の軌跡は、当時のロシアの革命家ともユダヤ人革命家とも違うものだった。彼は、ヨーロッパに移った後、ロシアへのアイデンティティを完全に失い、一八九一年にドイツに移ってからは、ドイツに徹底的に同化しようとしたのである。ドイツは彼の第二の祖国となり、死ぬまで祖国であり続けた。

ドイツ社会民主党員となったパルヴスは、カウツキーをはじめとする当時の指導者たちにその才能を認められ、やがて各種機関紙誌に寄稿するようになる。彼の名を最初に高めたのは、一八九二年六月に『フォアヴェルツ』に四回にわたって連載した「ロシアの状態」という論文で、その前年からロシアを襲っていた大飢饉を分析したものだった。[*4]

ヘルファントのロシアに関する論説には二つの重要な指摘が含まれていた。それらは後に、彼の思想の根幹となる箇所にあらわれることになる。一つは二大資本主義勢力たるロシアとアメリカの間に位置するヨーロッパという考えであり、もう一つはロシア・ブルジョアジーの革命的情熱の欠如という考えであった。[*5]

その後の彼の理論的活躍はすさまじいものであった。何ものも恐れず、いかなる権威をも、それが誤っていると感じた場合には容赦なく批判し、豊かな教養と鋭い分析力を駆使して、きわめて予言的かつ断定的な調子で、次から次へと論説を書いていった。『フォアヴェルツ』、『ノイエ・ツァイト』、『ライプチヒ人民新聞』、『ザクセン労働者新聞』、また自ら創刊した『世界政治から』などが彼の主な活躍舞台であった。

とりわけ彼の名声を高くしたのは、大衆的政治ストライキに関する論文（「クーデターと政治的大衆ストライキ」）、世界市場や長期波動を論じた諸論文（「世界市場と農業恐慌」、『労働組合と社会民主主義』、『商業恐慌と労働組合』、「工業関税と世界市場」など）、ベルンシュタインの修正主義を批判した諸論文（「ベルンシュタインの社会主義の転覆」、「実践における日和見主義」など）である。

トロツキーとの関連で重要なのは、政治的ストライキを新しい革命闘争の方法として位置づけた

「クーデターと政治的大衆ストライキ」（これは、第一次ロシア革命におけるストライキ戦術を先取りするものであった）、世界市場の長期の発展過程（長期波動）と階級闘争の波とを関連づけて論じた『労働組合と社会民主主義』と『商業恐慌と労働組合』（『トロツキー研究』第一三号に一部翻訳）である。パルヴスは、その先見の明、そのダイナミズム、独創性、理論的深み、その展望と規模の壮大さ、その分析の堅実さと結論の大胆さ、これらの点で同世代のどの理論家よりも一頭地を抜いていた。

　先見の明に関して言えば、一八九六年の時点ですでに彼が長期波動論の基本的命題のいくつかに到達していたことを指摘すれば十分であろう。一八九六年といえば、コンドラチェフ波の第三の波の上昇波の開始時点にあたっており、この時すでにパルヴスは新しい「疾風怒涛期」が、すなわち後の言葉で言えば「上昇長波」が始まると予見していたのである。そして、その五年後に書いた一九〇一年の論文の中では、より明確に次のような長期波動論的主張を行なっている。

> かくして、資本のそれぞれの「疾風怒涛期」は、いくつかの好況と恐慌を含み、経済の停滞期もまた同じである。しかし、世界市場において発展テンポのこうした大交替が起こるのは、資本主義的生産が高い発展段階に達している場合のみである。マルクスとエンゲルスは好況と商業恐慌の単純な交替についてしか知らず、好況や恐慌が起こる枠組みたるより長期の発展の加速期や減速期については、何も述べていない。[*6]

この一文だけからでもすでに明らかなように、パルヴスは、その先見の明、そのダイナミズム、独創性、理論的深み、その展望と規模の壮大さ、その分析の堅実さと結論の大胆さ、これらの点で同世代のどの理論家よりも一頭地を抜いていた。パルヴスはこの同じ論文の中で次のように言って、自分の判断が正しかったことを満足をもって確認することができた。

この文章の筆者は農業恐慌の研究を通じてはじめて、経済的停滞が相対的で一時的な性格のものであるという認識に到達した。そして、工業の世界市場の実情を研究したことで、資本の疾風怒涛期が近づきつつあることを明瞭に予測することができたのである。[*7]

トロツキーとの出会いと日露戦争

パルヴスは一九〇〇年頃にレーニンやマルトフらのロシア・マルクス主義の第二世代と交流するようになる。その時パルヴスはすでに、ドイツ社会民主党の急進左派として赫々たる名声を勝ちえており、レーニンもその前年にはパルヴスの「世界市場と農業恐慌」を書評して絶賛していた。[*8]

だが、ロシアの党組織は一九〇三年の第二回党大会を契機に、レーニン率いるボリシェヴィキ派と、マルトフやアクセリロート率いるメンシェヴィキ派に分裂する。両者の指導者から深い尊敬を得ていたパルヴスは、どちらか一方に加担することを欲せず、ロシア党の再統一を訴える立場に回った。だが、彼は、ロシア党内のせせこましい党内論争よりも、ロシアに迫りつつある革命の胎動の方に注意を集中しようとした。

そんなおり、一九〇四年二月に日露戦争が勃発した。その直後から彼が『イスクラ』に四回にわたって連載した「戦争と革命」（その第一回目「資本主義と戦争」は『トロツキー研究』第一三号に訳出）という大論文は、党内闘争の泥仕合に明け暮れていたロシアのマルクス主義者たちの目を覚まさせ、彼らを一気に巨大な歴史的現実の前に立たせた。「日露戦争は、来たるべき大事件の血ぬられた黎明である」という非常に有名なフレーズで始まるこの論文は、日露戦争を、それ以前の世界資本主義の発展史のなかに位置づけ、「世界戦争」という暗澹たる事態へと世界を導く前触れとして描きだした。

イギリス資本は全世界を変革し、古いウクラードを滅ぼし、古い神々を駆逐し、自分自身とそっくりの新しい世界を創りだした。しかし、全世界を資本主義化することによってイギリスは、全世界を再編成し、それを自分自身に敵対させ、自らの存在の土台を掘りくずしてしまった。それはまず、いたる所で市場を創出し、続いて——世界に機械や労働者や資本を供給しながら——すべての国に工業をもたらした。そして、各国の工業は、自国内部の市場を征服し、国家の政治的権力を強化し、それを国内市場の人為的保護と外国市場の暴力的開放に用いた。……これらの国家は、国土を鉄道で取り囲み、電信と郵便の網で包囲し、商業代理店をはりめぐらし……絶え間なく商品の山を築いた。それらの商品は巨大な集合体として全世界に普及し、市場をあふれさせた。そして、国土は資本家にとって狭隘で、人口過小なものとなった。……人間界の他に、不必要な商品を捨てるゴミ捨て場を発見することにまだ成功していない以上、資本家、すなわち資本主義体制における社会的生産の所有者たちは、お互いから市場を奪い合おうとせざるをえず、そして彼らの衝突は、他の手段が使い果たされたとき、不可避的に世界戦争をもたらすだろう。[*9]

ここにすでに、世界市場の再分割戦として世界大戦を把握する認識がはっきりと示されている。パルヴスの日露戦争論で興味深いのは、彼が、ロシアの戦争動機を、日本やイギリスと違って資本主義的利害にもとづいているのではなく、もっぱらロシア専制政府の利害にもとづいているものと把握し、他方で、日本側の戦争動機を、若い資本主義国としての発展を勝ちとるためのものと把握していたことである。[*10] こうしたとらえ方は、トロツキーが同じ頃に書いた日露戦争に関する論文での見解と基本的に同じである。たとえば、トロツキーは『イスクラ』の一九〇四年三月一五日号に書いた「われわれの『戦争』カンパニア」の中で次のように述べている。

日本の側からすれば、この戦争は、ブルジョア的発展の諸条件を獲得するための、すなわち資本主義的搾取をさらにいっそう拡大するためのブルジョア的「国民」の戦争である。ロシア側からすれば、この戦争は、国民のブルジョア的発展の諸条件と非和解的に矛盾している専制政府の戦争である。[*11]

しかし、同時にこの論文は、一九〇四年三月時点でのトロツキーがどれほどまだ「永続革命」的観点から遠かったかも示していて興味深い。トロツキーはこの論文の中で次のように述べている。

われわれのすべての民主主義的スローガンは、われわれの社会革命的スローガンの原理の下に置くことができる――そしてそうしているし、そうしなければならない。すなわち、手段としての自由、目的としての社会主義、である。しかし、もちろんのこと、これを宣伝ビラのすべてにおいてすることはできない。そんなことをすれば、単純な社会主義的教条主義に陥り、紋切型に堕することになるだろうし――そして実際にそうなりつつある――、あらゆる意義を失ってしまうだろう。そして、もちろんのこと、このような社会革命的スローガンは現在、いかなるアクチュアルな意義も持っていないし、いかなる直接的行動も引き起こさないし、人気や影響力の点で民主主義的スローガンに――大衆は現在、この民主主義的スローガンの名のもとに街頭に繰り出している――匹敵することもできない。最悪の場合、民主主義的スローガンと社会主義的スローガンとがいっしょくたにされ(「専制打倒! 社会主義万歳!」)、専制の一掃と社会主義体制の導入とが等置であるかのような理解さえ生じるだろう。*12

しかし、当面する闘争における民主主義的課題と社会主義的課題との混同を戒めるだけでは、党としての先進的役割を果たせないのは明らかである。それに対してパルヴスは、四回にわたるこの遠大な論稿を、次のような壮大な展望で締めくくることで、問題に対する認識をいっきに前進させた。

資本主義的発展の世界的過程は、ロシアに政治的大変革をもたらすだろう。この大変革は、全世界の資本主義諸国の政治的発展を反映しないわけにはいかない。ロシア革命は全世界をその政治的土台から揺さぶり、ロシア・プロレタリアートは社会革命の前衛の役割を果たすことができるだろう。ロシアにおけるプロレタリアートの政治闘争の行方を追うことによって、われわれは、国際社会主義の世界的展望に達するのである。[13]

この壮大で、力強く、先見の明に満ちた論文は、ロシアのマルクス主義者に、とりわけ若きトロツキーに大きな衝撃を与えた。トロツキーは後年、この論文を次のようにほとんど絶賛している――「『イスクラ』に載った戦争と革命に関する彼の諸論文をわれわれはみな誇りとし、そこから多くのものを学んだ。これらの諸論文は、わがロシアの問題を国際的な歴史の高みにひきあげた[14]」。

その頃トロツキーは、ロシア党の分裂の際にはメンシェヴィキに属したにもかかわらず、プレハーノフに忌み嫌われていたために、また自由主義者に対する手厳しい態度のおかげで、メンシェヴィキからも疎遠になっていた（それでも『イスクラ』には時おり寄稿していたが、それもしだいになくなっていった）。二人は一九〇四年の春に初めて出会った。すぐさま親しい交友関係を結び、パルヴスのもとでトロツキーは彼の思想を速やかに吸収し自分のものとしていった。

彼がパルヴスから学んだものは、単に理論だけではなく、その力強く簡潔な文体もであった。後年トロツキーは繰り返しパルヴスの文体について言及している。「力強い文体を身につけた文筆家[15]」、「われわれは彼から簡潔な思想を簡潔な言葉で表現するという難しい技術を学んだ[16]」、等々。たしかに、それ以降のトロツキーの文体からは、それまでのきらびやかな修飾やいささか助長な言い回しが姿を消して、力強く簡潔な文体となった。それは、彼の代表作である『総括と展望』に典型的に見られる。

二、第一次ロシア革命と永続革命論争I――ロシアの社会主義者たち

トロツキーの小冊子『一月九日以前』

日露戦争の開始は、パルヴスの予想どおり、ロシアを揺るがし、各地に大衆運動を引き起こした。すでに一九〇三年には、南部ロシアで強力なストライキ運動が起こっていた。この運動は日露戦争の勃発によって一時的に抑制されたが、ツァーリズムが軍事的に崩壊する中で、以前にましてロシア各地でさまざまな反政府運動が巻き起こりつつあった。こうした情勢の中、トロツキーは一九〇四年の一一月から一二月にかけて、ロシアで起こっている運動に関する小冊子を書き、メンシェヴィキの出版社に渡した。その中でトロツキーは、ロシアの自由主義者たちをパルヴスがやった以上に手厳しく批判し、徹底的にやっつけている。

さて、自由主義新聞はどうか？　口ごもり、言いつくばり、嘘をふりまき、へいこらし、堕落し堕落しつつある、あのみじめな自由主義新聞！　腹の中ではひそかにツァーリ軍の壊滅を卑屈に願いながら、民族的誇りのスローガンを口にし、反動派の喧騒に遅れをとるまいと、例外なく排外主義の汚らしい放流に身を投じた。[*17]

そして、パルヴスの政治的ゼネラル・ストライキ論をロシアの情勢に合わせて戦術的に具体化し、

プロレタリアートを、人民の先頭に立ってロシアを救いうる唯一の勢力として位置づけた。彼は「プロレタリアートと革命」という章の中で次のように述べている。

専制に対する憎しみは社会の全階層、全階級の中に存在しており、したがって解放闘争に対する共感もまた存在する。この共感を、革命勢力としてのプロレタリアートに集中しなければならない。この勢力の決起だけが、人民大衆の先頭に立ってロシアの未来を救いうるのである。*18

何よりも、革命的事件の主要な舞台は都市であることを確認せねばならない。このことはもはや誰もあえて否定しないであろう。さらに、その場合ただデモンストレーションのみが、そこに大衆、すなわち何よりもまず工場プロレタリアートが参加するならば、人民革命に転化しうるということも疑いない。工場プロレタリアートが先頭に立って街頭に登場しなければ、革命的インテリ、とりわけ学生、それに都市小市民の決起は意味をもちえないであろう。労働者大衆を動かすには結集地点が必要である。工場プロレタリアートには、そのような恒常的結集地点がある。それは工場である。そこから出発しなければならない。*19

繰り返し言おう。労働者大衆の出発点は、われわれの主たる革命的軍団の構成にしたがって、工場でなければならない。このことは、決定的事件を孕む重大な街頭デモは政治的大衆ストライキから開始されねばならないことを意味する。……政治的大衆ストライキ――地方的なそれではなく、全ロシア的なそれ——が自らの共通の政治的スローガンをもたねばならないことは言うまでもない。……言うまでもなく、このスローガンとは、戦争の停止と憲法制定会議の召集である。[*20]

元共産主義者のバートラム・ウルフは、このトロツキーの分析を次のように評価している——「一九〇四年に作られたあらゆる定式、計画、示唆、スローガン、当面の提案と分析の中で、政治的ゼネラル・ストライキに関するトロツキーのこの見解は、一九〇五年の現実に最も近かった[*21]」。まさにその通りであった。そして、注目すべきは、その後のあらゆる神話にもかかわらず、この時点での(いつの時点でもそうだったのだが)トロツキーが農民を無視しているどころか、農村を革命に引き入れるべきことを力説していることである。

このアジテーションを農村に持ち込まねばならない。農村は自分の要求が憲法制定会議の要求であるということを知らねばならない。農民は、ゼネストの日に自らの全村集会に集まって憲法制定会議召集の要求を決議するよう、呼びかけられていなければならない。近郊の農民は、全人民的憲法制定会議の旗のもとに結集する革命的大衆の街頭行動に参加するために、都市に呼び寄せられていなければならない。[*22]

当時ロシアの社会民主主義者から出されたあらゆる小冊子の中で、トロツキーのこれは最も先見の明のあるものだったのだが、この小冊子は、なかなか出版されなかった。あまりにも激しい自由主義批判にメンシェヴィキが恐れをなしたからである。そうこうするうちに、あの一九〇五年一月九日の「血の日曜日事件」が勃発した。この報を聞いて、いてもたってもいられなくなったトロツキーは、パルヴスのもとを訪れ小冊子の原稿を読ませた。パルヴスはこの小冊子の分析と結論に深く共鳴し、「序文」を一月中に書き記した。そしてこの小冊子はようやく三月に出版されたのである。それは『一月九日以前』と題された。

パルヴスの序文

「血の日曜日事件」が、ロシア・マルクス主義者の思考に及ぼした現実の爆弾だとすれば、パルヴスがトロツキーの小冊子に付した「序文」は理論の爆弾だった。それは、これまでのマルクス主義者の常識を根底からくつがえす大胆な結論を含んでいた。「序文」はまず、ロシアの発展の特殊性に注意を向け、西欧のブルジョア急進主義が基盤にした都市小ブルジョアジーが不在であることを指摘している。そのため、ロシアのブルジョアジーは西欧以上に反動的であり、革命の中心を担いうるのはただプロレタリアートだけである。だが、ここまでなら、トロツキーにも見られた見解である。パルヴスはここから、さらに大胆な結論を導きだした。すなわち、この当面するロシア革命において労働者階級の政権獲得が可能であることを認めたのである。

ロシアで革命的な体制転覆をなし遂げうるのは労働者だけである。ロシアの臨時革命政府は労働者民主主義の政府であろう。社会民主党がロシア・プロレタリアートの革命運動の先頭に立つならば、この政府は社会民主主義政府となるであろう。[*23]

社会民主主義的臨時政府は、ロシアで社会主義的な体制転覆をなし遂げることはできまい。だが、専制の崩壊と民主共和制樹立の過程そのものが、有利な政治活動の基盤をこの政府に与えるのである。[*24]

社会民主主義的臨時政府は、政府の権力が非常に大きくなる時点でつくられ、社会民主主義的多数派をもつ全一的な政府であろう。[*25]

この「序文」は、いわば理論的なビッグバンであった。それ以降、ロシア・マルクス主義者、およびロシア問題に深くかかわっているドイツ・マルクス主義者のさまざまな革命論が、トロツキーの永続革命論からレーニンの労農民主独裁論まで、あるいは「序文」を継承発展させ、あるいは「序文」に対抗しつつ、生まれてきたのである。[*26] トロツキーは自伝でこう述懐している。

パルヴスは、疑いもなく、前世紀の終わりから今世紀のはじめにかけて傑出したマルクス主義者であった。彼はマルクスの方法を自在に駆使し、広い視野を持ち、世界の舞台で展開されているあらゆる重要な事柄を追っていた。……彼の初期の諸労作は社会革命の諸問題に私を近づけ、プロレタリアートによる権力の獲得を、私にとって天文学的な「究極の」目標から現代の実践的課題へと決定的に変えてくれた。[*27]

トロツキーがここで示したパルヴスに対する特徴づけの多くがトロツキーにも当てはまることは言うまでもない。

レーニンの労農民主独裁論

そもそもの最初から、ロシアの革命家たちは、マルクス主義の一般理論とロシアの特殊性との間の矛盾に悩んでいた。一般理論からすれば、絶対主義のロシアで当面する革命はブルジョア民主主義革命に他ならず、その支配権はブルジョアジーに帰し、その後ブルジョアジー支配のもとで長期にわたる資本主義の発展を経たのち、ようやくプロレタリアートの独裁と社会主義革命の出番が回ってくるのであった。この立場は、農民に依拠して即時の社会主義をめざすナロードニキおよびその後継者たる社会革命党に対する理論闘争を経て確立されたものであって、けっしてないがしろにできないものであった。他方では、ロシアの現実は、ブルジョアジーの極端な弱さと臆病さ、それに比してのプロレタリアートの能動性、集中性、革命性を示していた。この矛盾は結局つきつめられないまま一九〇五年を迎えたのである。

パルヴスの「序文」は、この矛盾を、一般理論を修正する方向で解決する最初の大胆な試みであった。ブルジョア民主主義革命と労働者権力との結合、それを媒介するものとしての労働者民主主義――これは、当面する革命の性格とその主体とが一致していなくても一向にかまわないことを明瞭な定式化のうちに表現したものであり、新しい理論の可能性を一気に開くものであった。

レーニンは、一九〇五年四月、パルヴスに対抗する形で労農民主独裁論を提起した。これもまた、当面する革命の性格と革命主体との不一致を承認したものであり、パルヴスと違うのは、革命主体が労働者単独ではなく、労働者と農民であったことである。パルヴスはけっして農民を無視したわけでも軽視したわけでもない。農民は来たるロシア革命において偉大な革命的役割を果たすことを確信していたが、しかし、その分散性と非文化性ゆえに、けっして指導的役割を果たさないだろうし、労働者と権力を分かち合うことはなおさらないだろうと考えていた。

レーニンが、労働者と農民の独裁としたのは、まず第一に、労働者がロシアでは圧倒的に少数であったからである。

ロシアのプロレタリアートは、今はロシアの住民の少数を占めている。それが巨大で圧倒的な多数となることができるのは、半プロレタリアート、半個人経営者の大衆、すなわち小ブルジョア的な都市および農村の貧民と結合した場合のみである。そして、ありうべき望ましい革命的民主主義的独裁の社会的基盤のこのような構成は、もちろん、革命政府の構成に反映するだろうし、革命的民主主義派のさまざまな代表者たちがそこに参加し、あるいはそこで優勢を占めることさえ不可避となるだろう。[*28]

第二に、労働者の権力がもし成立するなら、その時には社会主義的政策が行なわれることになるだろうが、それはロシアの客観的な条件からして不可能だからである。そこでレーニンは、労働者政府から一歩退いた定式を用いることによって、この困難を避けようとした。ここには、パルヴスの定式に含まれている一つの本質的な矛盾に対する洞察がある。すなわち、パルヴスが、労働者による政権獲得を公言しながら、正統マルクス主義の伝統にそって、革命の課題をブルジョア民主主義革命に限定したことである。だが、革命的労働者が政府権力を専一的に掌握するまで政治的に強力になっているにもかかわらず、どうして彼らは資本の経済的権力をそのままにしておけるのか？　なぜ政治的支配者となっているにもかかわらず、経済的に奴隷のままでいなければならないのか？　パルヴスはこのアポリアを解決しないまま放置した。レーニンはこのアポリアを直観的に洞察したのだが、それを後向きに解決しようとした。すなわち、農民が労働者と同じかそれ以上の力を政府の中で振うと前提することによって、である。

同じアポリアを認識したマルトィノフは、さらに踏み込んでこう言う。だが、農民といっしょであれ、社会民主党が一度政権に入ったなら、それは社会主義的な政策を実行しないわけにはいかないだろう、したがって、そもそも社会民主党は政権に入るべきではないのだ、と。レーニンがこれに答えるために持ち出したのが、正統マルクス主義の発展段階論とそれに配慮した「自制」論である。レーニンは言う、

この議論は、民主主義的変革と社会主義的変革との混同、共和制のための闘争と社会主義の

ための闘争との混同にもとづいている。……このような誤った意見の支持者たちは、そういう情勢のもとでは社会民主党は、事物の成り行きによって、自分の意志に反しても、社会主義的変革の実現にとりかかることを余儀なくされるだろうと考える点で、自然発生性の前に拝跪しているのである。[*29]

すなわち、われわれは自然発生性に拝跪せず、目的意識的に自己の課題を限定するだろう、というわけである。つい先日まで激しく闘われていた「自然発生性」と「意識性」とをめぐる対立が、言葉の上ではここでも継続しているのだが、その内容はまったく異なっている。組織論争では、「意識性」は何よりも革命をいっそう前に推し進める推進力とみなされていたのだが、ここでは逆に、革命を必要以上に前に進めない抑制力とみなされている。トロツキーはこのような「自制論」を次のように舌鋒鋭く批判している。

レーニンはプロレタリアートの階級的利害と客観的諸条件との間に横たわる矛盾からの出口を、プロレタリアートの政治的自制のなかに見るのである。しかもこの自制たるや、労働者階級が主導的役割をはたすところの変革がブルジョア的変革であるということを理論的に認識する結果として現われるに違いないというのである。レーニンは客観的諸矛盾をプロレタリアートの認識に転化し、宗教的信仰ではなく「科学的」図式をその根本においてもつ階級的禁欲主義によってこれを解決するのである。[*30]

この、正統マルクス主義の発展図式と、それに配慮した自制論こそ、当時多くのマルクス主義者が永続革命論に接近しながら、そこに到達できなかった理由である。この点を、当時の代表的な革命家たちの所論に即して確認しておこう。

パルヴスの場合

まず、パルヴス本人にご登場願おう。パルヴスは「序文」を書いた後も、ロシア革命の成り行きに注目し、その刻々を分析していたが、一〇月ストライキの報を耳にして、いてもたってもいられず意を決してペテルブルクに向かった。この地でトロツキーと再会したパルヴスは、彼とともに、永続革命論を鼓舞した中心的メディアとして名を馳せた『ナチャーロ』を創刊する。この創刊号にパルヴスは「われわれの任務」と題する綱領的論文を発表した。それは、「序文」での立場の確認であるとともに、その発展でもあった。

ロシアにおけるプロレタリアートの直接的な革命的目標は、労働者民主主義の要求を保証するような国家体制を実現することである。[*31]

このようにしてロシアにおける革命は、社会民主党の最小限綱領とその最終目的との間に特殊な結びつきを生み出している。これは国内の生産関係を根本的に変革することを任務とするプロレタリア独裁ではまだないが、すでにブルジョア民主主義よりもはるかに前進している。ロシアではブルジョア革命を社会主義革命に転化することがわれわれの任務であるとはまだ考えられない。だがわれわれは、ブルジョア革命に服従することが必然的であるとはなおさら考えられない。[*32]

ロシア・プロレタリアートが、労働者民主主義への途上においてさらなる革命的成功を勝ちとるならば、これはすでに全世界のプロレタリアートの成功であろうし、西欧において、プロレタリアートの社会革命組織と国家権力との間の決定的闘争への動因となるであろう。それまでに、ロシアにおけるプロレタリアートの社会民主主義組織は全労働者大衆を包含し、より発展し、より強固になっているだろう。それまでに、労働者の政治意識が高まり、その革命的確信は増大しているだろう。この時、われわれは革命的綱領を、労働者民主主義の限界を超えて拡大するという任務に直面することになるだろう。[*33]

このようにパルヴスは、最小限綱領と社会主義的変革の最大限綱領との「特殊な結びつき」を示唆しながら、「ブルジョア革命を社会主義革命に転化すること」を拒否し、その課題を、西欧でプロレタリアートの社会革命組織と国家権力との「決定的な闘争」が行なわれる時まで延期したのである。この「自制」の背後にあったものこそ、ロシアの経済的未成熟という伝統的なマルクス主義の発展図式に他ならない。

三、第二次ロシア革命と永続革命論争Ⅱ――ドイツの社会主義者たち

これまではロシア自身における社会主義者たちの反応を見てきたが、一九〇五年革命はヨーロッパ全体をも揺るがしたのであり、何より、マルクス、エンゲルス以来、ロシアこそがヨーロッパ革命の震源地になるべき運命にある専制国家であった。それゆえ、当時、何よりもドイツの社会主義者たちもロシア革命の展望という問題に積極的に関与した。そして、ドイツの社会主義者も、ロシアの革命家たちと同じく、「自制」論がその理論の発展を妨げることになる。

カウツキーの場合

まずはドイツ社会民主党および第二インターナショナルの理論的指導者であるカウツキーから見ていこう。先に紹介したパルヴスの「われわれの任務」はドイツ語に翻訳されて『ノイエ・ツァイト』に掲載された。これはドイツの理論家にも衝撃を与え、彼らの見解を急進化した。その代表者がカウツキーである。

彼はもともとロシア問題に造詣の深い第二インターナショナルの指導者として、ロシア革命の推移に最初から深い注意を払い、ロシアのマルクス主義者たちがその理論を発展させていたのと同じ方向で自己のロシア革命論を発展させていた。

まず、一九〇五年の七月に『ノイエ・ツァイト』に掲載された「日本の勝利の結果と社会民主主義」

という論文で、カウツキーはすでに「Revolution in Permanenz」という言葉を使ってロシア革命の経過を分析している。だが、もちろん、この言葉は、特殊トロツキー的な意味での「永続革命」ではなくて、ただ、革命が専制との即時妥協になるのではなく、それを持続させることによって、専制の崩壊をより根本的にし、ブルジョア革命をより徹底し、「国家と社会に」プロレタリアートの独自利害を「最も深く刻印」し、「最大の譲歩を勝ちとる」ことでしかなかった。[*34] ちなみに、同年一一月に、メーリングも「Die Revolution in Permanenz」という論文を『ノイエ・ツァイト』に書いているが、この「永続革命」もトロツキー的意味ではなく、カウツキー的意味である。[*35]

だが、ロシアでの事件の進展に触発されて、カウツキーも一九〇六年の「ロシア革命の推進力と展望」の中では、いっそう前進している。その中で彼は、「ロシア革命はブルジョア革命か社会主義革命か」というプレハーノフの質問に答えてこう述べている。

最初の質問は、一言、二言で答えられるほど単純ではないように思われる。ブルジョア革命、すなわち、その推進力がブルジョアジーである革命の時代はロシアでも終わっている。……したがって、ブルジョアジーは今日のロシア革命運動の推進力ではない。そのかぎりで、これをブルジョア革命と呼ぶことはできない。だからといって、それが社会主義革命であると無造作に言ってはならない。ロシア革命がプロレタリアートに独裁権をもたらすことはけっしてありえない。ロシア・プロレタリアートはそのためにはあまりにも弱体であり未発達である。もっとも、革命の進行過程で勝利が社会民主党に帰することもありうるし、社会民主党は自己の支持者にこの勝利の確信を熱心に植えつけることも必要である。……しかし、社会民主党が他の階級の協力なしにプロレタリアートの力だけで勝利することは不可能である。したがって、社会民主党が勝利しても、その綱領の実行は、プロレタリアートを支持した階級の利害の枠を出ることはできない。[*36]

現在の革命は、農村において私的土地所有者の基礎のうえに立つ強力な農民層を創出し、西ヨーロッパですでに存在しているのと同じような、プロレタリアートと、農村住民のうちの所有者層との間に深淵を開くという結果をもたらすかもしれない。したがって、現在のロシア革命がたとえ社会民主党を一時的に権力の座に就けることがあっても、社会主義的生産様式に達するということは考えられない。[*37]

当面するロシア革命を伝統的な意味でのブルジョア革命でも社会主義革命でもなく、ブルジョア社会と社会主義社会の境界で生じている革命――前者の解体に寄与し、後者への道を準備する革命――とみなせば、いちばん正確に評価することになるかもしれない。いずれにせよ、ロシア革命は資本主義文明下にある全人類にその発展過程における巨大な一歩をもたらすものである。[*38]

このようにカウツキーは、状況しだいでは一時的にロシアの社会民主党を権力の座に就ける可能性さえ肯定している。これは、遅ればせながら、この時点でカウツキーがパルヴスの『一月九日以前』序文」の水準に追いついたことを示している。トロツキーはこの論文を読んで、事実上、自分の見解をカウツキーが支持したものであると一九〇七年に書いているが[*39]、しかし、これはいささか過大評価であろう。ここで述べられた見解はトロツキーよりもパルヴスとレーニンに近い[*40]。明らかに、カウツキーは、ロシアの客観的未成熟を理由に、プロレタリアートの独裁を自制し、社会主義的変革へ移行することを自制している。

ローザ・ルクセンブルクの場合

次に、ローザ・ルクセンブルクの革命論を見てみよう。彼女は、皮肉にも、あれほど大衆の自然発生性を称揚してレーニンの「上からの統制」を批判したにもかかわらず、ここではレーニンと同じ自制論に陥っている。

彼女も、一九〇五〜〇六年の間に急進化して、永続革命論に接近した。一九〇六年初頭に書かれた諸論文の中で、ローザは以下のように述べている。

ロシアの労働者階級は、社会主義を直接発展させる課題を有していないが、それと同じくらい、純然たるブルジョア支配を祭りあげる課題も有していない。……八時間労働制、民兵などの要求は、ロシアでは、資本主義社会の外的限界と非常に激しく衝突するので、それは、プロレタリア独裁に向けた一連の過渡的形態として現われる[*41]。

プロレタリアートの力、組織、階級意識は、革命後に非常に高く発展するであろうから、それはいたる所で「正常な」ブルジョア社会の枠組みを乗り越えるだろう。……これはまたブルジョア社会の歴史における新しい局面を開くだろう。階級関係には安定した均衡が欠けているがゆえに、絶え間なく嵐がまき起こるだろう。この嵐は、多少の休止をともなったり、その激しさが多少変わろうとも、社会革命、すなわちプロレタリア独裁以外にいかなる出口も見出しえないだろう。……ロシア革命とともに、穏やかで議会主義的なブルジョア支配の六〇年が終わろうとしている。ロシア革命とともに、われわれはすでに、資本主義社会から社会主義社会への過渡期に入ったのである。[*42]

ツァーリズムの打倒後、権力は、社会の最も革命的な部分たるプロレタリアートの手中に移るだろう。[*43]

以上の文言から明らかなように、ローザ・ルクセンブルクは、パルヴスの「序文」やカウツキーのレベルを超えて、単に社会民主党の政権獲得にとどまらず、プロレタリア独裁への前進を必然的なものとみなし、ロシア革命の発展が資本主義の外的限界と衝突することを明言してさえいる。この立場はレーニンよりもトロツキーに近い。だが、彼女はこうした議論から必然的に生まれる帰結をはっきりと述べる代わりに、労働者とその前衛の「自制」を持ち出してくるのである。

今日では闘うプロレタリアートはブルジョア階級やブルジョア政党によってではなく、社会民主党によって指導されており、したがってプロレタリアートの前衛はその階級利害、その任務とその実現のための社会的諸条件を自覚しているので、現在の革命には社会主義の即時実現といったユートピア的かつあまりに遠大な目標に入り込む余地はなく、民主共和制と八時間労働日の獲得という達成可能で歴史的に不可避な目標が掲げられているのである。……それはこの目標が、革命後の今日でもいまだ不可避であるブルジョアジーの階級支配と一致しており、同時に、労働者階級がすでに達した政治的発展状態そのものの中で成熟した階級関係と一致しているからである。他方、労働者階級は、革命的諸目標をもって登場するブルジョア社会最後の階級であり、この労働者階級がさらに急進的な社会階層によって、プロレタリアートが自覚的に設定した目標を越えて先へと押しやられることはない。[*44]

この文章で興味深いのは、労働者階級がブルジョア社会における最も革命的な階級なので、それより急進的な社会階層に駆り立てられることはないだろうから、労働者階級の前衛たる社会民主党による「自制」が可能になると述べていることである。だが、労働者階級がそれほど革命的ならば、他ならぬ労働者階級自身が社会民主党の「マルクス主義的発展図式」を超えて、社会民主党をもっと先へと駆り立てるのではないのか？　実際、ローザ・ルクセンブルクは不安そうにこうつけ加えている。

たしかに、労働者階級自身が現在の革命の高揚に心を奪われてしまい、彼らの現在の諸要求をさらに前進させ、単に民主共和制のみならず、社会主義的変革という意味での重要な譲歩を資本家階級に要求し、最終的にはプロレタリアート以外のすべての社会諸階級と先鋭な闘争に突入することがあるかもしれない。[*45]

こうした事態は、ローザ・ルクセンブルクにとっても、カウツキーやレーニンやメンシェヴィキやパルヴスにとっても、絶対に避けなければならない事態であった。だからこそ彼らはそれぞれの自制論を説いたのである。メンシェヴィキは政権に参加することの「自制」を、レーニンとカウツキーはプロレタリア独裁を樹立することの「自制」を、ローザ・ルクセンブルクとパルヴスは社会主義的変革を開始することの「自制」を。

これらの人々とトロツキーとが決定的に違う点は、こうした事態を単に避けなければならない不幸事とみなすのを拒否し、それをむしろ革命の基盤をさらにいっそう広げるための、すなわち世界革命のための絶好のチャンスとみなしたことである。トロツキーは、当時にあって、パルヴスの定式に含まれていたアポリアを前向きに解決しようとした唯一の人物であった。[*46]

四、第一次ロシア革命と永続革命論争Ⅲ――トロツキーの永続革命論

トロツキーは一九〇五年の初頭には、基本的に伝統的な綱領の立場と同じく、段階革命論者であっ

た。だが、パルヴスの「序文」に衝撃を受けた彼は、それを受け入れ、その結論をしだいに推し進めていき、やがてそれを最後までもっていくのである。

「政治的書簡」とラサールの小冊子への序文

まず、『イスクラ』三月一七日号に掲載されたトロツキーの「政治的書簡」を見てみよう。その中で、トロツキーは、「革命は組織されなければならない」[*47]と書いたパルヴスの「総括と展望」（『トロツキー研究』第一三号に訳出）に賛意を示すことから文章を始めている。そして、全人民的蜂起の必要を説き、この革命におけるプロレタリアートの指導的役割について述べ、最後に、来たる革命の権力主体についてこれまでよりも一歩踏み込んだ見解を披瀝している。

革命はプロレタリアートを最重要な地位に押し上げ、ヘゲモニーを彼らに渡すだろう。蜂起の勝利も、革命全体の勝利も、プロレタリアートだけがこれを保証することができる。……したがって、臨時政府の構成は主としてプロレタリアートにかかってくるだろう。より正確に言えば、蜂起の決定的な勝利の際には、プロレタリアートを指導した者が権力を握るだろう。[*48]

これは、トロツキーがパルヴスの「序文」の立場に完全に移行したことを示すものである。だが、まだこの時点では「ブルジョア民主共和制」のみが獲得目標とされていた。その後、トロツキーは弾圧を逃れてフィンランドに一時身を寄せるが、その時期に永続革命論の基本的概念が構築される。

その最初の表明は、六月に書かれた、ラッサール『陪審裁判演説』への序文である。

疑いもなく、プロレタリアートの階級闘争はブルジョアジーをも前方に駆り立てるだろうが、これをなしうるのは階級闘争のみである。そして他方では、プロレタリアートは、自らの圧力によってブルジョアジーの保守性を克服しつつも、それでもやはり、事態が最も順調に「発展する」場合には、一定の時点で直接的な障害物としてのブルジョアジーと衝突する。この障害物を克服することのできる階級は、実際にそうしなければならないし、そうすることによってヘゲモニーの役割を自らに引き受けなければならない……。このような状況のもとでは、「第四身分」〔プロレタリアート〕の支配が訪れるだろう。言うまでもなく、プロレタリアートは、かつてのブルジョアジーと同じように、農民と小ブルジョアジーに依拠しながら自らの使命を果たすだろう。彼ら〔プロレタリアート〕は農村を指導し、農村を運動に引き入れ、自らの計画の成功に関心を持たせるだろう。しかし、指導者として残るのは不可避的にプロレタリアート自身である。これは「農民とプロレタリアートの独裁」ではなく、農民に依拠したプロレタリアートの独裁である。その仕事はもちろんのこと、国家の枠に限定されない。その状況の論理からして、それはただちに国際的舞台に投げ出されるだろう。[*49]

ここではまだ「社会主義的変革の開始」は言われていないが、しかしすでに「農民に依拠したプロレタリアート独裁」と表現することによって、新たな地平を開いている。というのは、パルヴスが「労働者政府」を口にしながら、「プロレタリア独裁」と言わなかったのは、伝統的な意味における「プロレタリア独裁」とはまさに社会主義革命の開始とほぼ同義だったからである。

『ナチャーロ』と「総括と展望」

この時すでに彼の永続革命論の基本はでき上がっていたが、それを公の新聞で公表する機会は、一〇月宣言の発布を待たなければならなかった。一〇月ストの知らせを聞いてペテルブルクに舞い戻ったトロツキーは、パルヴスとともに『ナチャーロ』を創刊し、その一一月二五日付けに「社会民主党と革命」という綱領的論文を掲載する。その論文の中で彼は自分の結論を簡潔にこう表現している。

> 専制国家の頑強な抵抗と、ブルジョアジーの意識的な不活発とを克服しつつ、ロシアの労働者階級は、未曽有の組織的な闘争勢力にまで成長を遂げた。ブルジョア革命において、階級的利害という鉄の論理によって前に駆り立てられたこの闘争勢力が矛を収めることができるような段階などない。連続革命は、プロレタリアートにとって階級的自己保存の法則である。[*50]
>
> 革命闘争における労働者階級の前衛的地位、この階級と革命的農村との間に直接確立される結びつき、この階級が軍隊を自らに服従させる力、これらはすべて必然的にこの階級を権力に押し上げる。革命の完全な勝利は、プロレタリアートの勝利を意味する。裏返して言えば、プ

ロレタリアートの勝利は、革命のさらなる連続性を意味する。プロレタリアートは基本的民主主義の課題を実現する。そして、政治的支配の強化をめざすプロレタリアートの直接的闘争の論理は、一定の時点で、純社会主義的な諸問題を彼らの前に提起する。最小限綱領と最大限綱領との間には革命的連続性が横たわっている。[*51]

この思想は、翌年に獄中で書かれた『総括と展望』において完成された。この著書はまぎれもなく、マルクス主義革命論の最高傑作である。これは第一次ロシア革命に関する諸論文を収めた大著『われわれの革命』の最終章に収められて出版された。それ以来、九〇年近くたつが、その独創性と雄大さと論理の深さの点で、この作品に匹敵するような革命論の書物はまだ出ていないと言えるだろう。

ロシア社会の未成熟ということから他のすべてのマルクス主義者が躊躇した結論に、トロツキーは大胆に突き進んでいった。これが可能であったのは、トロツキーの思想形成に及ぼした種々の諸事情もあるだろうが、[*52]真っ先に革命のロシアに帰還し、ソヴィエトの先頭に立っていたことで、ペテルブルク労働者の最高の革命的エランを体現していたからであろう。その立場からすれば、マルクス主義の発展図式を理由に革命勢力が社会主義的変革を前にして「自制」することなど考えられなかった。そのような「自制」は革命を救うのではなく、逆に、急進化した労働者と真っ向から対立することによって、そしてブルジョアジーの経済権力をそのままにすることによって、革命を滅ぼすだろう。マルクス主義の発展図式に合致した「ちょうどよい地点」に革命がとどまることはなく、さらに突き進むか、さもなくば、ブルジョア民主主義以前の水準にまで押し戻されてしまうかだろう。ソヴィエト指導者として、革命期における政治的ダイナミズムの独特の論理に対するこうしたリアルな認識こそが、パルヴスの論理のアポリアを前向きに突破させたのである。

ロシア革命とヨーロッパ革命

だが、ロシア革命が社会主義的変革に足を踏みだしたりすれば、農民と対立することになって、革命を危機に陥れるのではないか――すでに述べたように、当時の革命家たちはこう考えて「自制」を説いたのである。[*53]「しかり」とトロツキーは答える、プロレタリア独裁政権による社会主義的方策は農民の敵対に出会うだろう。この矛盾をトロツキーは、「自制」によって後向きに解決するのではなく、逆にいっそう革命を拡大する内的原動力にしようとした。

ロシアのプロレタリアートは、たとえわが国のブルジョア革命の一時的な状況の組み合わせの結果としてであれ、権力にいったん就いたならば、世界的反動の側からの組織的敵対と、世界プロレタリアートの側からの組織的支持とに直面するであろう。ロシアの労働者階級は、それ自身の力だけに委ねられるなら、農民が彼らから離反した瞬間に反革命によって不可避的に粉砕されてしまうだろう。彼らに残されているのは、自らの政治的支配の運命を、したがってまたロシア革命全体の運命を、ヨーロッパにおける社会主義革命の運命に結びつけることだけである。ロシアの労働者階級は、ロシア・ブルジョア革命の一時的な状況の組み合わせによって与えられた巨大な国家的・政治的力を、全資本主義世界に対する階級闘争の秤皿に投げ入れるだろう。国家権力を手にしたロシアの労働者階級は、後方から〔国内の〕反革命に、前方からヨーロッパ反動に囲まれて、全世界に昔ながらの訴えを発する。そして今回それは最後の攻撃のための鬨の声になるだろう。万国のプロレタリア、団結せよ！[*54]

ロシア革命とヨーロッパ革命との結びつきという発想自体は、トロツキーの独創ではない。すでに晩年のマルクス、エンゲルスがその種のことを述べているし、さらに一九〇二年にはカウツキーが『イスクラ』に掲載した「スラブ人と革命」でこの結びつきを示唆し、一九〇四年には同じくカウツキーが「一つの可能性」として、次のような大胆な予測を立てている。

このようにしてロシア革命は、他のヨーロッパ諸国の革命運動に強力な動力を与える。……しかし、ドイツにおけるプロレタリアートの支配は全ヨーロッパに影響を及ぼすにちがいない。つまり、西ヨーロッパにおいてプロレタリアートの政治的支配を引き起こし、東ヨーロッパのプロレタリアートには、その発展段階を短縮し、ドイツの例を模倣することによって社会主義的制度を人為的に創出する可能性を与えるに違いない。[*55]

さらに、すでに挙げた「日本の勝利の結果と社会民主主義」でもカウツキーはこう述べている。

しかし、ロシアの永続革命（**Revolution in Permanenz**）は、残りのヨーロッパ大陸への反作用なしには、持ちこたえることはできない。[56]

このように、すべては、われわれが国家と階級との対立が最も先鋭化する時代に入ったことを示している。そしてこの時代において、隣国ロシアの革命化は、個々の人物や政党とは無関係に、西欧そのものにおける革命的状況を作り出しうるだろう。[57]

こうした一連のカウツキーの諸論稿にも影響されて、レーニンも、そしてパルヴスも、第一次ロシア革命のなかで、西欧の社会主義革命が起これればロシアの革命は民主主義革命の枠を突破できるかもしれないと考えるようになった。だが、西欧の革命が起こるまでは、やはりロシア革命は民主主義段階で「自制」しなければならなかったのである。

トロツキーは次の二つの点で、カウツキー、レーニン、パルヴスの立場と意見を異にしていた。まず第一に、国内における政治的発展のテンポと、国際的な革命の波及のテンポとの不均衡（タイムラグ）に対するリアルな認識である。つまり、ロシア革命がヨーロッパ革命に波及するテンポは、ロシア国内でその革命の過程が結末に達するテンポよりもはるかに遅いのである。[58] 第二に、ロシアの革命が民主主義革命にとどまるならば、ヨーロッパの労働者に革命的情熱を伝染させ革命をヨーロッパに飛び火させることなどできない、という認識である。ロシアに「健全な」資本主義社会が成立したところで、どうしてヨーロッパの労働者が社会主義革命に立ち上がるだろうか？[59]

以上を踏まえて、トロツキーがロシア革命をヨーロッパ革命に依存させたことに対する一つの非難に答えておこう。パルヴス研究者の田中良明氏は、パルヴスが労働者民主主義体制を長期的なものと考えたことを評価し、「西ヨーロッパ革命を革命ロシアの唯一にして不可欠の脱出路とするトロツキーの永続革命／世界革命論（この脱出路が塞がれたらどうするのか？）よりも、論理的にも、事実との適合性においてもまさっている」[*60]と述べている。だが、パルヴスが労働者民主主義体制を「長期なもの」と考えたからといって、事実において「長期なもの」になるとはかぎらない。トロツキーは、社会主義的変革への移行が農民との対立を生み、しかしてヨーロッパ革命に活路を見出さざるをえないと考えたのは事実だが、これには前段がある。つまり、社会主義的変革に足を踏みださないかぎり、そもそも農民と対立するよりも前に、革命的労働者と対立し、こうして政権はたちまち崩壊する（さもなくば、革命的労働者を血の海に沈めなければならない）と考えたのである。すなわち、社会主義的変革への移行は、単にヨーロッパ革命を呼び起こすためのものであるだけでなく、どんな長さの期間であれ、そもそも労働者権力が持ちこたえるための必要不可欠な措置なのである。[*61]

五、第一次ロシア革命と永続革命論争Ⅳ――帰結

一九〇五年革命が敗北に（少なくとも当面は）終わったことが明らかになった一九〇六～〇七年以降、革命の二日酔いから覚めたメンシェヴィキたちの多くは以前よりも確固とした二段階革命論に舞い戻ったが、レーニンとトロツキーはそれぞれの新しい理論的立場を堅持した。それゆえ、ロシア革命の性格と展望をめぐる論争は革命後において再び活発になった。以下、その過程を簡単に見てお

こう。

トロツキーの予見

トロツキーは、一九〇七年以降の党内論争において、「われわれの意見の相違」という論文（一九〇九年にローザ・ルクセンブルクのポーランド語雑誌に発表された）の中で次のように述べている。

メンシェヴィキが、「われわれの革命はブルジョア革命だ」という抽象概念から出発して、自由主義的ブルジョアジーが権力をとるまでプロレタリアートの全戦術を彼らの振る舞いに適合させるという思想に到達しているのに対し、ボリシェヴィキは、「民主主義的であって社会主義的でない独裁」というこれまた無味乾燥な抽象概念から出発して、国家権力を手中に収めたプロレタリアートのブルジョア民主主義的自制という思想に到達している。たしかにこの問題において両者の差異はまったく顕著であり、メンシェヴィズムの反革命的側面がすでに今日、主要な点ですべて現われているのに対して、ボリシェヴィズムの反革命性は、革命が勝利した場合にのみ大きな危険性となる恐れがある。[*62]

この論理的に非の打ち所のない予測は、しかしながら、トロツキーの内心の希望的観測と異なっていた。というのは、彼は、一九〇五年の経験から、ひとたび革命情勢になれば、ボリシェヴィキもメンシェヴィキも、状況の論理に促されて、自分の結論を受け入れざるをえなくなるだろうと密かに確信していたからである。[*63] 実際、一九〇五年から〇六年にかけて、ボリシェヴィキだけでなく、メンシェヴィキの理論家たちでさえ、一時的に「永続革命論」を（ただし俗流的な形で）展開していた。[*64] だからこそ、トロツキーは革命後も党の統一に固執したのである。

一九一七〜一八年の帰結

少し先回りして、一九一七〜一八年に、この予測がどういう帰結を見たか、そして、一九〇五〜〇六年に永続革命論争に参加した人々がどういう地点に行きついたかを簡単に確認しておこう。

一九一七年二月にロシア革命が勃発してツァーリ政府が倒れると、レーニンはトロツキーよりも早くロシアに帰還し、かの有名な「四月テーゼ」を発表した。これはプロレタリアートの独裁を志向していた。カーメネフらは、レーニンがあれほど長年月にわたって闘争してきたトロツキズムに転向したことを、口をきわめて非難した。だが、レーニンは取り合わなかった。レーニンは断固としてわが道を行き、ボリシェヴィキを説得して永続革命論の方向に転向させることに成功した。他方、メンシェヴィキは、あいかわらず段階革命論に拘束されて、反革命の立場に転落した。こうして、トロツキーの論理的予測と内心の予測は、それぞれ半分ずつ的中した。すなわち、トロツキーの論理的予測の通り、メンシェヴィキは反革命に転落し、ボリシェヴィキ幹部の大多数もその道に行きかけた。しかし、レーニンのおかげもあってボリシェヴィキ幹部は途中で引き返し、トロツキーの内心の予想に沿った道を進んだ。そしてレーニンは、決定的瞬間に永続革命論へと舵を切り替え、自分が本物の革命家であることを証明したのである。

カウツキーはどうか。彼は、ブルジョア民主主義にとどまるという立場に固執し続け、それを無視した野蛮なボリシェヴィキ独裁を呪い、最大限の悪罵を投げつけ、それでいながら、理想的な社会主義を実現していないと、これまた同じ調子で非難した。

ローザ・ルクセンブルクはどうか。彼女は、獄中でロシア十月革命の報を聞くと、一九〇五〜〇六年の時の見解をきっぱり捨て去って、断固として永続革命論の立場に立った。まず、ボリシェヴィキが社会主義的変革を企てた点について、ローザ・ルクセンブルクはこう断言する。

> メンシェヴィキは、ロシア革命のブルジョア的性格に関するフィクションにしがみついて――ロシアはまだ社会主義革命をするほどには成熟していないというわけだ――、絶望的にブルジョア自由主義者との連合に……すがりついてきた。……このような状況の中で、実際、ボリシェヴィキの路線こそは、民主主義を救い、革命を前進させることができる唯一の戦術を最初から宣言し、それを首尾一貫して徹底的に押し進めた点で、歴史的な功績を負っている。*65
>
> 「黄金の中道」はいかなる革命においてもけっして保たれるものではなくて、革命の自然法則は迅速な決断を求めるのである。機関車が全速力で歴史の昇り坂を頂上まで昇りきるか、それとも自分の重みで出発点の低地へと再び転がり落ちて、それをか弱い力で押し止めようとした人々をも無残にも奈落への道連れにするか、なのだ。*66

こうしてボリシェヴィキは、社会主義の最終目標をはじめて実際政治の直接のプログラムとして告示するという不滅の歴史的功績を打ち立てたのである。[*67]

以上の引用に示されているように、ボリシェヴィキの永続革命路線こそが「民主主義を救」ったとローザは正しく把握している。民主主義革命を遂行するためには社会主義革命にまで突き進まなければならないのである。

ロシア革命を世界革命に依存させるという点についても、ローザ・ルクセンブルクの見解はきわめて明快である。

ボリシェヴィキがその政策を完全にプロレタリアートの世界革命の上に立てたということは、まさに彼らの政治的な先見性と原則への忠実さ、および彼らの政策の果断さの、この上ない証明である。[*68]

ローザ・ルクセンブルクのこの時期のロシア革命論はその後、ボリシェヴィキを批判するために頻繁に持ち出されるようになったが、ここに引用したように、その眼目は、ロシア革命をヨーロッパの俗流社会主義者たち（カウツキーを含む）の不当な攻撃から防衛することにあったのである。こうしてローザ・ルクセンブルクもまた、決定的瞬間に、本物の革命家であることを証明した。では最後にパルヴスはどうなったか。

六、世界大戦とパルヴスの変節

パルヴスは結局、一九〇五年当時の「労働者民主主義論」に固執して永続革命の展望を拒否するのだが、カウツキーやメンシェヴィキと違うのは、最初は熱心にボリシェヴィキ革命を支援しながら（というのも、祖国敗北主義を取っていたボリシェヴィキが権力を取ればドイツにとって戦争が有利になると考えたからだが）、ボリシェヴィキの政権獲得後にその激烈な敵対者へ一八〇度転換したことである。この複雑な変遷を理解するには、そこに行きつくまでのパルヴスの軌跡を簡単にでも振り返っておかなければならない。

一九〇五年革命後のパルヴス

パルヴスは、トロツキーが一九〇五年一二月に逮捕されてからもしばらくソヴィエトを指導し、一九〇六年初頭には、これまでの革命の戦術とモスクワ蜂起、ソヴィエトの役割について総括的に展開した論文「現在の政治的状況と将来の展望」をパンフレットとして出版する。この論文の基本線は、トロツキーがソヴィエト裁判で主張したものとほぼ同じであった。たとえば、パルヴスは、労働者代表ソヴィエトが当時、事実上の労働者政府の機関として機能していたことをはっきりと述べている。

さらにつけ加えれば、労働者代表ソヴィエトは、人民大衆がはじめて実際に選出した代表機関であった。人民大衆が結集しうる別の議会が存在しないだけに、なおさらこの機関は前景に押し出されてきた。そして今では、あたかもこれが憲法制定議会であるかのように、労働者代表ソヴィエトの語る言葉に耳が傾けられはじめている。ソヴィエトにすべての政治問題の解決が期待され、その声明は政府の意志に対置された人民の意志を表明したものとみなされた。労働者代表ソヴィエトは、新しい国家権力の中核とみなされはじめた。*69

また、パルヴスは、労働者代表ソヴィエトの力が、自由主義ブルジョアジーに依拠したことにあるのではなく、労働者と農民に依拠したこと、そして彼らがソヴィエトを支持したことに見出している。*70ここでも「農民の無視」というその後のレッテルが、トロツキーのみならず、パルヴスにもあてはまらないことが示されている。そして、一時的にな反動の勝利にもかかわらず、結局は、再びソヴィエトを中心とした革命が起こらざるを得ないこと、そしてその時には労働者の勝利に終わることが予言されている。*71この予言は、トロツキーの場合と同じくやはり正しかった。

一九〇六年四月、パルヴスはついに逮捕され、シベリア送りとなる。だが、パルヴスはそこを早々に脱走し、同年一一月にはドイツに戻っていた。一九〇七年にトロツキーと再会するが、すでに永続革命論をめぐって意見の相違がはっきりしていたので、以前のような親密さは戻らなかったが、それでもトロツキーはパルヴスのことを一目置き続いていた。パルヴスは再び活発に著作活動に励み、多くの論文と小冊子を世に送り出した。それらは以前と同じく独創性と鋭い理論的洞察に満ちたものであった。*72だが、パルヴス自身はすでに以前のパルヴスではなかった。かねてからの夢であった大規模な事業と金儲けに熱心に努力するようになり、かなりの成功を収めることができた。赤貧の革命家から裕福な「革命の商人」へと「進化」したのである。

第一次世界大戦とパルヴスの変節

そうこうするうちに、パルヴス自身が繰り返し予言していた世界戦争が、一九一四年についに現実のものとなった。だが、多くの者が驚いたことに、パルヴスは、ドイツ社会民主党右派も顔負けの、最も熱心なドイツ愛国主義者となり、ドイツ軍の力でツァーリズムを打倒せよと呼びかけるようになったのである。トロツキーはこのことに非常に大きな衝撃を受け、『ナーシェ・スローヴォ』に「パルヴス」という表題の一文を書いた。このエッセイは、「転落」前のパルヴスに対する深い愛情と敬意を、そして「転落」後のパルヴスに対する同じぐらい深い軽蔑を表したものであった。第二インターナショナルの平均的な水準をはるかに超えていたにもかかわらず、パルヴスはやはり第二インターナショナルの世代に属していた。彼は第二インターナショナルの崩壊と運命をともにしたのである。だが、トロツキーが言うように「一般的な解釈ですますには、彼はあまりにもパラドックスに満ちた存在である」[*73]。では、この「転落」の個人的原因は何であろうか?

一つ目は、彼があまりにも深くドイツおよびドイツ社会民主党に同化していたことである。彼はロシア出身のユダヤ人だったにもかかわらず、何よりもドイツ人として生きようとした。二つ目は、ロシア革命の失敗から得た教訓としての、組織の至高の重要性という認識が、一九〇七〜一四年の平和な発展期にやがて組織フェティシズムに転じたことである[*74]。ドイツの労働者階級と社会民主党が作り出した無数の諸組織――労働組合、社会民主党の無数の地方支部、労働者クラブ、協同組合、労働者新聞編集部、等々――は、パルヴスにとって何が何でも守らなければならない歴史的獲得物だった。三つ目は、バルカン戦争を通じてかなりの富を築いたことであり、彼の事業と富がドイツ国家およびドイツ産業の利益とかなり重なり合っていたことである。四つ目は、逆説的だが、彼なりに革命への目的意識がなお強烈であったことである。これにはいささか説明がいる。

パルヴスは、トロツキーと並んで第一次ロシア革命を指導したが、しかしトロツキーのような勇気、大胆さ、行動力、人々を引き付け燃え立たせる雄弁さを発揮することはできなかった。[*75] また、レーニンのように、中央集権的な党を倦まずたゆまず建設し鍛える能力も持ち合わせていなかった。また、ドイツ社会民主党のなかでも彼は孤立していた。彼の諸著作はもちろん相変わらず大きな成功を博したが、それだけではとても物足りなかった。彼はもっと中心的に革命に関わり、その英雄となりたかったのである。[*76] そこで、彼に残された唯一の道は、戦争を利用して資金を稼ぐこと、そしてドイツ政府を利用することだった。そして、この方面では、彼には大きな才能があることがわかった。

ボリシェヴィキ革命への支援と敵対

大戦中にドイツ外務省と組んでツァーリ打倒の画策をしてきたパルヴスは、一九一七年の二月革命を絶好の機会ととらえた。彼は、何よりもロシアを戦争から離脱させて、ドイツを二正面作戦から解放する必要があったので、戦争継続になびきやすいメンシェヴィキよりも、祖国敗北主義を唱えているボリシェヴィキの方が有力であると考えた。彼は、レーニンを封印列車に乗せてドイツ経由でロシアに帰還させるのに一役かい、さらにレーニンに直接資金援助を申し入れた。用心深いレーニンは拒否したが、その後パルヴスは、さまざまなルートを通じて、ボリシェヴィキに資金が渡るように尽力した。[*77]

十月革命成功後、パルヴスは、ラデックを通じてレーニンに、ロシア帰還の是非を打診する。だが、ボリシェヴィキ革命に一定の貢献をしたと自負していたパルヴスにとって、レーニンの答えはショックであった。「革命の大義は汚れた手によって触れられてはならない」、レーニンはにべもなくこう言い切ったのだ。こうして、革命の英雄として認められたいというパルヴスの最後の望みが断たれた。彼はドイツ外務省に再び取り入るようになり、ドイツの併合的講和にさえ積極的に賛成するようになった。

こうして、彼はボリシェヴィキに対する狂暴な敵対者に一変した。かつて革命に傾けていたすべての情熱を、今やボリシェヴィキの打倒（それとドイツ帝国の勝利）に向けるようになった。理論的道具だては、一九〇五年当時と同じく労働者民主主義論である。その立場から、ボリシェヴィキの時期尚早な社会主義化を激しく非難した。それでいながら、理想的な社会主義像を——カウツキーと同じく——ボリシェヴィキの「野蛮な」政策に対置した。[*78]

一九一八年一一月、ドイツ革命が成功し、ドイツ帝国は崩壊する。パルヴスはすっかり過去の人となった。スイスに亡命して、なおも旺盛な執筆活動を繰り広げたが、もはや社会主義世界に影響を与えることはなかった。

一九二四年一二月一二日、パルヴスはベルリン郊外でその生涯を静かに閉じる。ドイツとロシアの革命家たちに巨大な知的影響を与え、両国の政治の成り行きに大きな足跡を残したこの偉大な人物は、まさにこの両国の社会主義者たち全員の憎悪と軽蔑に包まれて永眠した。そして、彼の死とともに、第二インターナショナルの時代も永遠に過ぎ去ったのである。

（一九九四年執筆）
（二〇一九年一二月修正）

注

＊1　トロツキー「パルヴス――生ける友への弔文」、『トロツキー研究』第一三号、一九九四年、四三頁。
＊2　以降、パルヴスの生涯についての個々の事件の年代や事実関係については、とくにことわりがないかぎり、すべて、シャルラウ＆ゼーマンの『革命の商人』（風媒社、一九七一年）にもとづいている。また、トロツキーやロシア革命との関わりは薄いが、理論的に非常に興味深い諸思想を含んでいる一九一〇年前後のパルヴスの諸作品については、今回は紹介を割愛する。さしあたり、西川伸一氏の「パルヴスの社会主義像」（『明治大学大学院紀要』政治経済学編、第二五集一三号、一九八七年）、および、これに加筆・修正した「パルヴス社会主議論の先駆性」（『現代と展望』第二八号、稲妻社、一九八八年）を参考にしていただきたい。
＊3　パルヴスの自伝によると、革命に目覚める前に社会正義に目覚めたきっかけは、ウクライナの民族詩人シェフチェンコを読んだことからである（前掲シャルラウ＆ゼーマン『革命の商人』、二二頁）。

＊4　この論文について詳しくは、西川伸一「パルヴスの飢饉論」（『明治大学大学院紀要』政治経済学編、第二六集）を参照せよ。

＊5　前掲シャルラウ&ゼーマン『革命の商人』、三五頁。

＊6　パルヴス「資本の疾風怒濤期」、『トロツキー研究』第一三号、四八頁。

＊7　同前、四九頁。

＊8　レーニン「書評：パルヴス『世界市場と農業恐慌』」（一八九九年二月）、邦訳『レーニン全集』第四巻、大月書店。ちなみに、この文献に、レーニンのものとしては初めて「ヘゲモニー」という用語が登場している。「イギリスの工業上のヘゲモニー（промышленной гегемонии Англии）」（同前、六四頁）。パルヴスは、プレハーノフらと並んで、ヨーロッパの革命家たちの中で最も早期に「ヘゲモニー」という言葉を「政治的指導」の意味で用いた人物である。

＊9　パルヴス「資本主義と戦争」、『トロツキー研究』第一三号、六二～六三頁。

＊10　同前、六九～七二頁、および、Парвус, Падение самодержавия, *РОССИЯ И РЕВОЛЮЦИЯ*, С-пет., 1906, с. 111.

＊11　Троцкий, Наша “военная” кампания, *Искра*, №62, 15 March 1904. この論文は社会革命党（エスエル）を批判すると同時に、ボリシェヴィキ派もエスエルと同じ抽象論に陥っていると皮肉っぽく批判しており、『イスクラ』に抗議の手紙が多数寄せられることになった。トロツキーはこのいわくつきの論文を、革命後のどの論文集にも著作集にも入れることはなかった。

＊12　Троцкий, Наша “военная” кампания.

＊13　Парвус, Самодержавие и реформы, *РОССИЯ И РЕВОЛЮЦИЯ*, с. 133. ただし、ロシアがヨーロッパ革命の前衛的な役割を果たしうるという「予言」はすでに、マルクスとエンゲルスによる一八八二年ロ

シア語版『共産党宣言』の序文で書かれているが（マルクス＆エンゲルス『共産党宣言』光文社古典新訳文庫、二〇二〇年、一二七頁）、その時にはその「前衛」的役割を担うことを期待されていたのは、当時はまだほとんど存在していなかったロシア・プロレタリアートではなく、革命的インテリだった。その後、プレハーノフやカウツキーは、一九世紀末における上からの工業化を通じて急成長したロシア・プロレタリアートが革命的前衛に役割を担いうることを予測するようになった。

＊14　トロツキー「パルヴス──生ける友への弔文」、『トロツキー研究』第一三号、四三頁。
＊15　同前、四二頁。
＊16　同前、四四頁。
＊17　トロツキー「一月九日以前」、『わが第一革命』現代思潮社、一九七〇年、一七頁。
＊18　同前、六四頁。
＊19　同前、七二頁。
＊20　同前、七三～七四頁。
＊21　バートラム・ウルフ、『レーニン、トロツキー、スターリン』紀伊国屋書店、一九六九年、二九三頁。ただし、このウルフの著作には多くの問題があり、その点については本書の第三章を参照せよ。
＊22　前掲トロツキー「一月九日以前」、七四頁。
＊23　パルヴス「『一月九日以前』序文」、前掲『わが第一革命』、四五五頁。ここで言う「労働者民主主義」とは、通常のブルジョア民主主義の要求のみならず、八時間労働制などの労働者の独自の階級的要求をも含みこんだ民主主義であり、ブルジョア民主主義の枠内だが、その枠を最大限広げたものとパルヴスはみなしている。
＊24　同前、四五六頁。

＊25 同前。

＊26 高橋馨氏は、トロツキーが一九〇四年の時点ですでに二段階革命論を乗り越えていたかのように述べているが（『別冊経済セミナー』一九八三年二月二八日号、一六九頁）、これはまったく事実に反する。そのような立場に移るのは、やはり一九〇五年になってからである。

＊27 トロツキー『わが生涯』上、岩波文庫、二〇〇〇年、三三一頁。

＊28 レーニン「社会民主党と臨時革命政府」、邦訳『レーニン全集』第八巻、大月書店、二八九頁。

＊29 レーニン「プロレタリアートと農民の革命的民主主義独裁」、同前、二九二〜二九三頁。

＊30 トロツキー「われわれの意見の相違」、前掲『わが第一革命』、四四〇頁。

＊31 Парвус, Наши задачи, *РОССИЯ И РЕВОЛЮЦИЯ*, с. 203.

＊32 Там же.

＊33 Там же, с. 206.

＊34 K.Kautsky, Die Folgen des japanischen Sieges und die Sozialdemokratie, *Die Neue Zeit*, №. 41, 1904-05, Bd. II, Berlin, 1923, S. 462. この論文は最近になって英語圏で翻訳されて、ロシアにおける永続革命論の形成に一定の役割を果たしたものとして評価されるようになっている。Richard B. Day & Daniel Gaido eds, *Witnesses to Permanent Revolution: The Documentary Record*, Leiden & London: Brill, 2009.

＊35 Winfried Scharlau, Parvus und Trockij: 1904-1914, *Jahrbucher fur Geschichte Osteuropas*, 1962, S. 366-367. ソロモン・シュヴァルツは、この種の「永続革命」の概念を次のようにまとめている。これは「二つの基本的な意味を含んでいた。まず第一、ロシアの民主主義的改革を完成に至るまで追求し、旧体制との妥協で終わらせないようにすること。第二、ロシアの事件の影響のもとで、明確に社会主義への傾向を持った革命的発展が西欧で起こること、である」（Solomon M.Schwarz, The Theory of Permanent

Revolution: Parvus and Trotsky, *The Russian Revolution 1905*, Chicago and London, 1967, p. 247）。第三として、「ブルジョア民主主義革命に労働者の階級的利害をできるだけ反映させること」という規定を加えれば、ほぼ完全な規定となるだろう。

*36　カウツキー「ロシア革命の推進力と展望」、『第二インターの革命論争』紀伊国屋書店、一九七五年、三四二頁。

*37　同前、三四三頁。

*38　同前。

*39　**Н. Троцкий. Каутский о русской революции, *В ЗАЩИТУ ПАРТИИ*, С-Пет., 1907, сс. 139-144.**

*40　実際、レーニンはこのカウツキー論文に言及してこう述べている。「カウツキーの分析は、われわれにまったく完全な満足を与えるものである。われわれが主張してきたことを……カウツキーは完全に確証した」（レーニン「ロシア革命におけるプロレタリアートとその同盟者」、邦訳『レーニン全集』第一一巻、三八四頁）。

*41　Rosa Luxemburg, Die russische Revolution, *Gesammelte Werke*, Bd. 2, Berlin, 1972, S. 8.

*42　Ebenda, S. 9.

*43　ローザ・ルクセンブルク「ブランキズムと社会民主主義」、前掲『第二インターの革命論争』、二四五頁。

*44　ローザ・ルクセンブルク「革命期において――さらに何を（Ⅲ）」、『第二インターの革命論争』、二三九～二四〇頁。

*45　同前、二四〇頁。

*46　トロツキーは自伝において、一九〇七年のロシア社会民主労働党ロンドン大会でのローザの立場に言及し、「いわゆる永続革命の問題について、ルクセンブルクは私と同じ原則的立場を擁護していた。

大会の控え室で、この問題をめぐって私とレーニンとのあいだで冗談半分の論争が起こった」(前掲トロツキー『わが生涯』上、三九六頁)と述べている。そのため、ローザ・ルクセンブルクが一九一七年以前にすでに永続革命論の立場に立っていたかのような「伝説」が生まれた(**Norman Geras, *The Legacy of Rosa Luxemburg*, London, 1976, pp. 46-50**)。ここで言う「原則的立場」とは、ロシア革命における主要な革命勢力は自由主義ブルジョアジーや小ブルジョアジーではなく、労働者階級と農民であり、それが革命の真の推進力だという点である。たしかにこの観点を貫徹すれば、必然的に永続革命論へと至るのだが、すでに本文でるる述べてきたように、ローザ・ルクセンブルクもレーニンもパルヴスも種々の「自制」を唱えて、そこまでは至らなかったのである。

＊47　パルヴス「総括と展望」、『トロツキー研究』第一三号、八五頁。さらにパルヴスはこう述べている——「現在の政治的条件下においては、この何十万もの人々を組織することは不可能である。しかし、今後全体を結びつける酵素となり、そして革命の瞬間には自己の周囲にこの数十万の人々を結集させるであろう組織をつくることはできる。われわれのなすべきことは革命を組織することである」(同前、八六頁)。だが、社会民主党だけで、革命の瞬間に「数十万人の人々」を結集させることができるだろうか？この時点ではまだ、党と大衆とを媒介するソヴィエトという組織形態は発見されていなかった。それゆえ当面は党を組織することだった——「最良の組織形態がどのようなものであるかを問うことは可能であるし、有益なことでさえあるだろう。しかし、だからといって、党を解体するわけにはいかない」(同前)。

＊48　トロツキー「政治書簡」、前掲『わが第一革命』、一〇三頁

＊49　トロツキー「ラサール『陪審裁判演説』序文」、『トロツキー研究』第四七号、二〇〇五年、一九五〜一九六頁。

＊50　トロツキー「社会民主党と革命」前掲『わが第一革命』、二五九〜二六〇頁。

＊51　同前、二六〇頁。この引用文に、労働者階級と「革命的農村との間に直接確立される結びつき」とあることに注目せよ。ここでもトロツキー＝「農民軽視」論のデマゴギー性は明らかである。

＊52　この種の事情について、ミッシェル・レヴィは、世代の問題や、トロツキーがアントニオ・ラブリオーラからマルクス主義を学んだことなどを挙げている（**Michael Lowy, The Genesis of Theory of <Permanent Revolution>, *Pensiero e asione politica di Lev Trockij*, Vol. 1, Francesca Gori, 1982**）。

＊53　社会主義変革後の農民との対立を「不可避」としたことが、まるでトロツキーの農民軽視の証拠であるようにスターリニストたちは宣伝してきたが、これは当時におけるマルクス主義者たちの論争に対する完全な無知にもとづいている。「農民との対立不可避論」はトロツキーの専売特許ではなく、当時のすべての革命家、メンシェヴィキからレーニンまで共通していた確信だったのである。

＊54　トロツキー「総括と展望」、『ロシア革命とは何か』光文社古典新訳文庫、二〇一七年、一六三〜一六四頁。

＊55　カウツキー「革命のさまざまな可能性」、前掲『第二インターの革命論争』、一六三頁。

＊56　**Kautsky, Die Folgen des japanischen Sieges und die Sozialdemokratie, S. 465.**

＊57　**Ebenda, S. 468.**

＊58　皮肉なことに、一九一八年にレーニンはこれとよく似た論理をとって、ブレスト講和を推進した。逆にトロツキーは、ロシアにおける革命がただちにヨーロッパ革命に火をつけると考え（その理由は言うまでもなく第一次世界大戦の惨禍である）、ドイツとの屈辱的単独講和の即時締結に反対した。後に、ブレスト講和におけるこの両者の対立から、現実主義的なレーニンと理想主義的（あるいは観念主義的な）トロツキーとの通俗的対比が安直に引き出されるようになったが、そういう個人的「性向」

の問題ではないのである。

＊59　ちなみに、マルクスとエンゲルスは、ロシアでブルジョア革命が起こっただけで、ヨーロッパで社会革命を引き起こすのに十分であると考えたが、それはまったくの幻想であり、西方における資本主義そのものの強力な支配力を過小評価するものであった。

＊60　田中良明『パルヴスと先進国革命』、梓出版、一九八九年、ix頁。

＊61　この点についてトロツキーは「総括と展望」でも、またそれ以降に書いた多くの文献で繰り返しているのだが、いまだに正しく理解されていない。段階論者は常に、社会主義革命に時期尚早に突き進むことが大衆からの離反を招き、ブルジョアジーからの反撃を強めることを恐れている。だが、一九一七年の革命を初めとして、その後の多くの革命（第二次中国革命やスペイン革命、チリ革命、等々）が示しているのはそれとは反対のこと、すなわち、権力に就いた労働者政党が大胆に社会主義的な措置をとらないことによって大衆からの離反を招き、したがってブルジョアジーからの反撃をいっそう強めたことである。

＊62　トロツキー「われわれの意見の相違」、前掲『わが第一革命』、四四二頁。この論文を十月革命後の一九二二年に『一九〇五年』の付録として収録した際、トロツキーはその第二版に次のような原注を付している――「メンシェヴィズム批判は今日でもその意義を保っている。ロシア・メンシェヴィズムは、それが実質的に形成された一九〇三～〇五年の時期に自らの宿命的な誤謬の果実を宿していたが、国際メンシェヴィズムはロシアのそれの基本的誤謬を今も繰り返しているのである。当時のボリシェヴィキの立場（プロレタリアートと農民の民主主義的独裁）への批判は今ではただ歴史的意義しか持っていない。かつての意見の相違はとっくに取り除かれた」（同前、四七五頁）。「意見の相違が取り除かれた」という曖昧な言い方は、レーニンに対する配慮である。より厳密には、レーニンがトロ

ツキーの立場に移ったのである。注意すべきは、一九二二年の時点（レーニンがまだ十分に健在な頃）で、トロツキーがこのようなボリシェヴィキ批判（しかも「反革命性」という強い言葉を使っての！）の論文を堂々と自己の論文集に収録することができたことである。そのようなことは、一九二四年以降はまったくできなくなる。

＊63　後年トロツキーは、「私はなお、新しい革命が、一九〇五年と同様、メンシェヴィキを革命の道へと押しやるだろうと期待していた。私は、準備的なイデオロギー的淘汰作業と政治的訓練の意義を十分評価していなかった。党の内部発展の問題に関しては、私は一種の社会革命的運命論に陥っていた。これは誤った立場であった」と自己批判している（前掲トロツキー『わが生涯』上、四三五頁）。

＊64　前掲トロツキー『わが第一革命』、四二七〜四二八頁、四六二頁。以下も参照。マルトフ「労働者党とわれわれの当面する課題としての『権力獲得』」、『トロツキー研究』第四七号、二〇〇五年。このような事態になった理由をマルトフは後年、次のように適切に説明している。「メンシェヴィキが以前の立場から逸脱したのは、積極的に権力を取ろうとするブルジョアジーが社会運動の最盛期に、すなわち国家体制が解体の極にあった時期に存在していなかったからである。一方、ボリシェヴィキが逸脱したのは、強力な農民政党が政治の舞台に登場しなかったことと関連している」（マルトフ『ロシア社会民主党史』新泉社、一九七六年、一七八頁）。この現実は、両分派の展望が間違いであり、パルヴス・トロツキーの展望が正しかったことを証明しているのだが、マルトフはもっぱらこれを「悲劇」として、「革命の崩壊」を運命づけるものとしてのみ理解した。本書の第二章を参照。

＊65　ローザ・ルクセンブルク「ロシア革命のために」、『ロシア革命論』論創社、一九八五年、一一一〜一一二頁。

＊66　同前、一一四頁。

＊67　同前、一一六頁。

＊68　同前、五～六頁。
＊69　パルヴス「現在の政治的状況と将来の展望」、『トロツキー研究』第一三号、一〇一頁。
＊70　同前、一〇五頁。
＊71　同前、一一六～一一七頁。
＊72　とくに、一九〇七年におけるその帝国主義論と独占資本論は、その後のヒルファディングやレーニンらの帝国主義論と独占資本論の先駆となるものだった。また、パルヴスは利潤率の傾向的低下法則と（労働者の搾取による）狭隘な市場のうちに資本主義諸国の帝国主義化の推進力を見出した点で、ローザ・ルクセンブルクの資本蓄積論の先駆をなすものでもあった（パルヴス「二〇世紀における植民地政策と資本主義」、『トロツキー研究』第六四号、二〇一四年）。またパルヴスは、民族国家の狭隘な枠組みと世界大に拡大した資本主義的生産との矛盾を帝国主義時代の資本主義の根本矛盾の一つとみなしているが、これはその後のトロツキー、およびグラムシの認識に継承されている。
＊73　前掲トロツキー「パルヴス」、『トロツキー研究』第一三号、四四頁。
＊74　「この組織重視の姿勢が第一次大戦に際して、彼を『社会排外主義者』へと転じさせる一因になる」（西川伸一「パルヴスのプロレタリアート認識」、『現代と展望』第三二号、一九九一年、六九頁）。
＊75　トロツキーは自伝の中でこう述べている。「その後、パルヴスはロシアにおもむき、一九〇五年の革命に参加した。だが、その思想の先駆性と独創性にもかかわらず、指導者としての資質はまるで発揮されなかった」（前掲トロツキー『わが生涯』上、三三二頁）。
＊76　パルヴスは晩年、スパルタクス団を批判した論文の中で、「われわれは政治的ダンスリーダーを必要としない。……われわれはもはや、専制君主も、英雄も、殉教者も望まない。彼らはみな同類である。英雄は支配への志願者であり、殉教者は自らのうちに暴君への素質をもっている」（西川伸一、「パ

ルヴスのボリシェヴィズム論」、明治大学『政経論叢』第六〇巻一・二号、一九九頁）と述べているが、これは文字通りにとるわけにはいかない。むしろ、英雄になりたくてなれなかった者の恨み節として理解するべきだろう。

＊77　この点については、前掲『革命の商人』の第八～一一章、西川伸一「パルヴスとボリシェヴィキ革命」（明治大学『政経論叢』第五九巻五・六号）を参照せよ。

＊78　パルヴスのボリシェヴィキ批判について詳しくは、前掲西川「パルヴスのボリシェヴィズム論」を参照せよ。

第二章　一九〇五年革命と永続革命論の形成

【解題】 本稿は、一九〇五年革命の一〇〇周年を記念した『トロツキー研究』第四七号に掲載されたものである。本書に収録するにあたって、節編成を少し変えるとともに、若干の加筆修正を行なった。

トロツキーの永続革命論の形成とその発展について、本書の第一章「トロツキー、パルヴス、ロシア革命」ではまずもって、その直接の起源であるパルヴスのロシア革命論、およびそこから派生ないし並行的に発展した理論であるレーニンやカウツキーらの理論との対比を通じて解明した。この第二章「一九〇五年革命と永続革命論の形成」では、今度は、これまで十分に論じられてこなかった（あるいは単なる段階革命論として片づけられていた）当時のメンシェヴィキ理論家たちの立場とその展開との対比を通じて、トロツキーの永続革命論の形成を論じたい。それによって、トロツキーの永続革命論の特質とユニークさがいっそう浮き彫りになるだろう。パルヴスやレーニンの理論との対比が、トロツキーの永続革命論を理解する上での本道だとすれば、さまざまなメンシェヴィキ理論家たちの理論と対比するのは一種の脇道を通じた解明である。

一、マルトフの「一月九日」

まず最初に紹介するのは、一九〇五年一月二七日付『イスクラ』に掲載されたマルトフの論文「一月九日」である。一九〇五年一月九日に起こった冬宮前での血の日曜日事件は、一九〇五年革命の開始を告げるとともに、革命をめぐるロシア社会民主党内部の大論戦の開始を告げるものであった。すでに一九〇二〜〇三年からロシア各地で活発なストライキ運動や農民の闘争などが繰り広げられ、亡命中のロシア社会民主党の指導層は革命の接近を予期していた。しかし、このストライキ運動の波は一九〇四年の日露戦争によって生じた愛国主義の波によっていったんは中断することになる。だが、断末魔のツァーリズムはただ内的危機を対外戦争によって数カ月先送りしたにすぎなかった。戦争によってはるかに増した物不足や物価騰貴、混乱、前線での敗北は国民の憤激を巻き起こした。一九〇四年秋から末にかけて再び各地でストライキ運動が活発になり、ロシア社会民主党の戦争反対のスローガンはさまざまな経済的・政治的諸要求と結びついて、しだいに労働者の中で共感を勝ち取っていった。しかし、この時点では、一方では、一般庶民や広範な労働者層のあいだでの皇帝に対する幻想はまだ根強く、皇帝は善良だが、皇帝を取り巻く悪辣な官僚が国をダメにしているといった認識が広く見られた。他方では、こうした幻想を利用しつつ、ツァーリ政府の警察・治安機関は、労働者の不満が革命的形態をとらないように、警察のスパイに親皇帝的で合法的な労働者運動を組織させた（警察社会主義あるいは、この路線を推進した人物の名前をとってズバトフ主義と呼ばれた）。

こうした当時の二つの傾向が交差した状況で生じたのが、一九〇五年一月九日における冬宮への労働者の請願行進である。この請願運動を指導したのは、警察社会主義の担い手の一人であった僧侶のゲオルギー・ガポンである。その請願書は、慈愛深い皇帝にお願いするという形式を取っていたが、その内容は直接・平等・秘密の普通選挙権にもとづく憲法制定議会の召集を中心とする革命的なものであった。この平和的行進に対して皇帝側は近衛兵による一斉射撃で応えた。数十人の死者と数百人の負傷者が生じ、冬宮前の広場が血に染まった。この血の日曜日事件によって皇帝に対する幻想が打ち砕かれるとともに、警察社会主義も最終的に破綻した。この衝撃の事件に応えてロシア各地でいっせいに労働者のストライキ運動、デモンストレーション運動が巻き起こった。血の日曜日事件のみならず、この壮大な労働者の決起は、亡命中の革命家たちに激しい衝撃を与えた。だがこの衝撃はすべての亡命革命家に平等に作用したわけではなかった。この衝撃からこれまでの革命論を根本的に見直して新しい展望へと飛躍した人々（パルヴス、トロツキー、レーニン）と、あくまでも旧来の結論に固執した人々（メンシェヴィキ）とに分かれた。もちろん、一月九日事件とその直後に起こった労働者の決起はメンシェヴィキの指導者家たちにも大きな影響を与えたが、それはほとんど理論の変化には作用しなかった。

一月九日事件の第一報が掲載された『イスクラ』の次の号（第八五号）に掲載されたマルトフの「一月九日」は、一月九日事件がもたらした衝撃を明らかにするとともに、ペテルブルク労働者がプロレタリアートの「階級的地位」を、すなわち「民族の解放者としての地位であり、全国民的事業において真にヘゲモニーを有した階級としての地位」を確定したと述べ、ロシア・プロレタリアートの政治意識を一気に高めるとともに、「党活動にとってかつてなかったような広範な基盤をつくり出した」と述べている。[*1] それと同時に、マルトフのこの論文は、レーニン派への批判をも意図したものだった。ロシア社会民主党によって直接に組織されたわけではない一月九日の運動の自然発生性に着目したマルトフは、この事件のうちに、レーニン派の組織フェティシズムに対する事実による強力な反論を見出した。マルトフは、この自然発生的運動に依拠しながらその中での先進分子を社会民主党に組織することを主張しつつも、次のように言うことによって、レーニン派に釘を刺したのであった。

社会民主党が主張する権利があるのは、そして社会民主党が「夢想」するべきなのは、何だろうか？　それは、自己の階級〔プロレタリアート〕の政治的ヘゲモニーであり、階級の前衛としての社会民主党の政治的に指導的な役割である。だがこの役割は、党がすべての技術的組織や行動の一挙手一投足を自己の手中に収めることによって達成されるわけではないし、そうした役割が党に確固として保証されるわけでもない。[*2]

だがこうした章句は、単にレーニン派に対する批判だけを意味したのではなく、メンシェヴィキ陣営ないしその周辺にあって、一月九日事件の衝撃のもとにメンシェヴィキ主流派から大きく理論的に離れていった人々に対する批判をも意味していた。その中心はパルヴスとトロツキーだった。まずトロツキーはすでに、一月九日事件以前に書いた小冊子の中で、ブルジョア自由主義派および民主主義派を痛烈に批判し、プロレタリアートが来たる革命の中心勢力になるだろうこと、そしてその主要な闘争形態は大衆ストライキであることを生き生きとした筆致で明らかにしていた（一月九日事件後に『一月九日以前』として出版）。一月九日事件とその後の展開はこのトロツキーの予想を完全に（あるいはそれ以上に）裏書した。トロツキーはこの小冊子に急いで「ペテルブルク蜂起以後」という「後記」を追加し、その中で、次のように述べている。

革命のためのわれわれの闘争、革命に向けてのわれわれの準備は、それと同時に、大衆への影響力、革命における指導的役割を勝ち取るための、自由主義派との仮借なき闘争となるだろう。この闘争において革命そのものの論理という偉大な力はわれわれの側にあるだろう。[*3]

革命を主観的な（「マルクス主義的」）図式にのっとって統制するのではなく、「革命そのものの論理」を最大限貫徹するというこの姿勢こそが、やがてトロツキーを永続革命論へと飛躍させるものなのだが、[*4]このような立場は、革命の発展過程でむしろ自由主義派や民主主義派を自分たちの側に接近させようと考えていたメンシェヴィキ主流派と鋭く対立するものであった。マルトフの「一月九日」には次のような章句が見られる。

自覚したプロレタリアートは、歴史発展の自然発生的過程の論理に依拠しながら、すべての組織分子、すべての動揺分子を自己の目的に利用し、「革命前夜」の瞬間をつくり出す。ただしこれらの分子はいずれも、革命そのものに対する「技術的指導」の一部をわれわれから奪い取り、こうして意識的か無意識的かにかかわらず、われわれの要求を人民大衆の最も遅れた層に持ち込もうとするだろうが、そのことにいささかも困惑してはならない。……バスチーユを攻め落とす最後の一撃を与えるのが、偏狭な民族主義的運動ないし視野の狭いブルジョア的運動であったとしても、社会民主党は正当にもそれを自分たちの活動の巨大な成功であるとみなすだろう。[*5]

この文章と、「大衆への影響力、革命における指導的役割を勝ち取るための、自由主義派との仮借なき闘争」というトロツキーの視点との対照性は明白である。マルトフ論文の執筆時期からして、マルトフはこの時点ではまだトロツキーの「後記」の見解を知らなかったと思われるが、同じ事件からまったく正反対の結論を引き出していることだけは確かであろう。

メンシェヴィキ主流派とトロツキーとの相違点はこの点だけではなかった。革命の組織化をめぐっても鋭く対立した。一月九日事件は、下からの自然発生的運動の壮大さを示しただけでなく、社会民主党の組織化の弱さをも露呈した事件であり、政治的組織化の弱さゆえに最初の闘争が一方的な殺戮に終わったことをも示した事件であった。すでに述べたようにマルトフは、この事件のうちにレーニン的組織構想に対する客観的批判を読み取ったが、逆にレーニンは、自己の構想をより徹底させる必要性を痛感し、それに抵抗してきたメンシェヴィキに対する客観的批判を読み取った。

トロツキーもレーニンと同じく、一月九日事件を総括して今後は何よりも全人民的な蜂起を、思想的のみならず技術的にも準備し組織しなければならないこと、そのためには運動の自然発生的段階から意識的・組織的段階に移行しなければならないことを強調した。

勝利するには、幻想的なプランにもとづくロマンチックな戦術ではなく、革命的な戦術が必要である。ロシア全土のプロレタリアートの一斉決起を準備することが必要である。これが第一の条件である。今やすでに、局地的デモンストレーションは本格的な政治的意義を持ちえなくなった。ペテルブルクの蜂起の後では、全ロシアの蜂起しか問題になりえない。分散的な燃

> え上がりは貴重な革命的エネルギーを成果なく焼き尽くすだけだろう。……大衆的決起の革命技術的組織化の問題が今重大な意義を持っていることは疑いない。事件は、党の集団的思想がこの問題に取り組むよう要請している。*6

この観点は、マルトフの「一月九日」論文が掲載されたのと同じ号に掲載されたパルヴスの論文「総括と展望」と完全に一致していた。同論文は、トロツキーの後記とまったく同じく全人民的な蜂起を目指して革命の組織的・技術的契機を重視するものであった。

> 決定的な勝利を獲得するためには、革命は組織されなければならない。必要なのは、反乱が全国に波及し、ある共通の瞬間に全国で最高度の緊張に達することである。ペテルブルグからどんなに急速に伝わろうとも、それでも地方は今回立ち遅れた。百万人以上の大衆が全国で蜂起の準備を整えたとしても、……いっせいに立ち上がるためには組織が必要なのである。現在の政治的条件下においては、この何十万もの人々を組織することは不可能である。しかし、今後全体を結びつける酵素となり、そして革命の瞬間には自己の周囲にこの数十万の人々を結集させるであろう組織をつくることはできる。われわれのなすべきことは革命を組織することである。……われわれはこれまで、労働者をその階級闘争のために組織してきた。今やわが国には特殊な課題がある。……それはすなわち、労働者の革命的カードルを組織することである。大衆に蜂起の準備をさせ、蜂起時に自己の周囲に彼らを結集し、特定のスローガンのもとに蜂

起に立ち上がらせるという当面する明確な課題をもった、組織された労働者グループが必要である。[*7]

この論文の立場は『イスクラ』編集部によって是認されなかった。それゆえ、同論文の掲載にあたってはわざわざ「『一月九日』という論文を見ればわかるように、同志パルヴスの考えのすべてが『イスクラ』編集部によって共有されているわけではない」という但し書きが冒頭に添えられることになった。マルトフの「一月九日」論文は、このような「ボリシェヴィキ的」理論[*8]に対するアンチテーゼをも意図したものであった。マルトフは同論文の最後の方ではっきりとパルヴス論文を念頭に置いて、次のように書き記した。

現時点における社会民主党の課題は、人民革命を「組織する」ことではなく、それを「解き放つ」ことである。[*9]

もちろんマルトフも組織化の課題を無視していたわけではなく、この文章に続いて「アジテーションと大衆の組織化」が語られている。とはいえ、マルトフが「革命を組織する」ことと「革命を解き放つ」ことを象徴的に対置したことは、この時点でのマルトフおよびメンシェヴィキ主流派の姿勢をよく示していた。

以上見たように、革命過程におけるブルジョア自由主義派および民主主義派の発展傾向および両者に対する社会民主党の立場という戦略的問題と、現時点における革命の技術的組織化という戦術的問題とが、一月九日事件直後にすでにロシア社会民主党内部で重要な分岐点として浮上してきたのである。もちろん両者は相互に関連している。それはたとえば、今後、第二、第三のガポンが現われるかどうか、現われたとして、それはどのような意義を持つのかという問題に対する見解の相違にも現われている。トロツキーは「ペテルブルク蜂起以後」の中ではっきりと次のように述べている（パルヴスも基本的に同じ立場）。

第二のガポンの出る幕はない。なぜなら、今必要とされていることは幻想ではなく、明瞭な革命意識であり、はっきりとした行動計画であり、大衆にスローガンを与え、大衆を行動の場に呼び出し、全戦線で攻撃を加え、そして事態を勝利的終結にまで導く能力を持った、弾力的な革命組織であるからだ。[*10]

トロツキーが「第二のガポンの出る幕はない」と明言したのは、ここで述べられているように、革命が今や自然発生的段階からより明確な組織的段階へと移行しつつあるという認識にもとづいていたわけであるが、それと同時に、ガポンのような、農民出身の神秘的僧侶という形象に表現されているブルジョア革命の「国民的広範さ」と「無定形さ」からより明確な自覚的プロレタリア主導の段階へと移行するだろうとの認識にももとづいていた。[*11]

革命の戦略的問題と組織的・技術的問題という両者のうち、もちろん、より重要であったのは前者であり、この問題はやがて、革命の展望と臨時革命政府の構成をめぐる大論争へと結びついていく。他方、後者の問題をめぐる分岐は、次に紹介するプレハーノフ論文によって、メンシェヴィキ主流派内部でもある程度収束していく。

二、プレハーノフの「別個に進んで、ともに撃て」

「革命を『組織する』のではなく、『解き放つ』」という命題は、レーニンの指導するボリシェヴィキ派の機関紙『フペリョート』からの厳しい批判にさらされただけでなく、パルヴスをはじめとする内部からの批判にもさらされた。そしてロシア現地で実際に着々と技術的・組織的過程が「自然発生的に」進行していたことを受けて、問題の技術的・組織的側面をメンシェヴィキ主流派も重視しないわけにはいかなかった。マルトフ命題は修正される必要があった。この転換のイニシアチブをとったのは、この時点ではまだきわめて戦闘的であった老革命家プレハーノフである。

プレハーノフは、『イスクラ』第八七号（二月一〇日付）の巻頭大論文「別個に進んで、ともに撃て！」の中で、事態の発展が不可避的に全人民的な蜂起に向かっていることを指摘するだけでなく、それに向けて社会民主党の側が意識的に準備しなければならないことを力説した。

問題はもはや、蜂起が不可避的であるかどうかにあるのではなく、その瞬間が近づいているのかどうか、始まっているのかどうか、さらには、それに向けた準備が――革命家気取りの青二才のくだらない遊戯ではなく――真面目な革命家の真面目な事業となっているのかどうかである。現在、この点に関して議論の余地はない。……われわれが配慮すべきなのは、このような衝突において人民が教会の旗や十字架で武装しているのではなく、何らかのより真剣で実際的な手段で武装するようにすることである。わが国のプロレタリアートとツァーリ政府との武装衝突の問題は、歴史の避けがたい論理によって日程にのぼりつつある。われわれの側がなしうるのはたった一つである。その衝突がプロレタリアートの利益になる形で決着がつくよう努力することである。[*12]

プレハーノフはさらに、この準備のさまざまな「技術的」モメントを具体的に指摘し、敵に対する組織解体活動としてテロリスト的行動の必要性さえ公然と肯定した。この思想は後にレーニンによってしっかりと受け継がれることになる。プレハーノフは論文の最後で、明らかにマルトフ論文の修正を意図して次のように総括している。

大衆の中での広範で倦むことのない革命的アジテーションは、一方では論理必然的に政府との決定的な衝突へと導くとともに、他方では、先に指摘したようにこの衝突において勝利を収めるための必要不可欠の条件をも準備するものである。このように二重の課題が、現在の歴史的瞬間においてわれわれの前に立ち現われている。われわれがなすべきは革命を解き放つことだと、すでにわれわれは述べた。そして勝利を準備することをそこにつけ加えよう。[*13]

このように、プレハーノフの論文は、蜂起ないし革命の勝利の条件の技術的・組織的準備という戦術的課題に関しては、メンシェヴィキ主流派とレーニン・パルヴス・トロツキー派との対立を緩和する役割を果たした（マルトフやマルトゥイノフはその後も「解き放つ」命題に固執したとはいえ）。しかしながら、革命過程におけるブルジョア自由主義派および民主主義派の発展傾向および両者に対する社会民主党の立場という戦略的問題に関しては、溝を埋めるものではなく、むしろ広げるものであった。プレハーノフはこの論文の中で、プロレタリアートの蜂起が成功する条件として二つを挙げ、その第一として、ブルジョア社会（論文の中では一貫して「社会」と表記されている）からの同情と共感を確保しつづけることを指摘している。

武装闘争の成功の程度は常に、それに対する〔ブルジョア〕「社会」の側からの同情と共感に依存していた。……われわれにとって、「社会」の側からの支持が有用であるというだけでなく、直接に必要であるとすれば、われわれは、「社会」の側がプロレタリアートの革命運動に対する同情をなくさないようにするために、プロレタリアートが現在置かれている状況によって必要とされているいっさいのことをしなければならない。*14

もちろんプレハーノフは、社会民主党が社会主義的観点を放棄する必要はないとことわっていたが、しかしながら、この同情を確保するためには、ブルジョア自由主義派や民主主義派に対する厳しい批判を差し控えなければならないとみなした。

しかし、われわれの社会主義的立場の高みから見て明らかなのは、現時点で、問題になっているのが社会主義的変革ではなく、われわれが堂々と大衆の社会主義的教育の事業を推進することを可能にする自由で民主主義的な制度を獲得することだということである。このことは、革命闘争に同情している「社会」のすべての進歩的分子によって理解されている、あるいは少なくとも本能的に意識されている。それゆえ、プロレタリアートの党は、自分自身を微塵も変えることなくこの支持を自らに確保しなければならない。われわれに必要なのは、すべての者に次のことをはっきりと明確な形で示すことだけである。すなわち、われわれが自らに設定しているのは当面する直近の政治的課題だけであり、極端な社会主義的急進主義を発揮するというような無作法で非常識な行動――実際にはこのような行動はまさにこの社会主義的急進主義にとって最も有害なものなのだが――は断固として差し控えるということである。たとえば、「社会」からの支持を自らに確保しようとしながら、同時に、それに日和見主義の烙印を捺したり、「社会」のあれこれの分子によって着手された解放「カンパニア」に与えられた支持をプロレタリアートに対する裏切りとして声高に非難したりすることは、最も惨めな矛盾に陥ることであり、右手が行なおうとしていることを左手が台無しにすることを意味するだろう。[*15]

この文言は、まさにレーニン派に対する批判を意図したものであったが、同時にパルヴス＝トロツキーの路線とも深刻に対立するものであった。たとえばパルヴスはトロツキーの『一月九日以前』への序文ですでに次のように述べていた。

〔ブルジョア〕民主主義派を前へ駆り立てるということは、彼らを批判することを意味する。しかし奇妙な頭の持ち主には、それは愛玩用の小犬を砂糖で釣るように、甘言で彼らを誘惑することを意味するようだ。民主主義派はいつも中途で立ちどまる用意をしているのであって、たとえわれわれが彼らのたどってきた道程の一つ一つを賞賛したとしても、彼らはやはり立ちどまるであろう。*16

プレハーノフは、ブルジョア自由主義派やブルジョア民主主義派に対する厳しい批判を差し控えることで、彼らの支持を確保することができるだろうし、その支持なしにはプロレタリアートの武装闘争は、過去の革命の教訓(一八四八年におけるフランス六月事件)が示すように、絶望的であろうと考えた。これは、当時におけるフランスの階級的諸関係と、一九〇五年におけるロシアの階級的諸関係との根本的相違を完全に無視するものだが、いずれにせよプレハーノフとともにメンシェヴィキ主流派は、革命の進展とプロレタリアートの決起によってしだいにブルジョア自由主義派・民主主義派が急進化し、プロレタリアートと並んで革命の主要勢力となって登場することに期待をかけていた。当面する革命が専制の打倒とブルジョア社会の自由な発展条件の実現を課題とするブルジョア民主主義革命なのだから、ブルジョア勢力ないし小ブルジョア勢力が革命の主要勢力として台頭してくるにちがいないし、革命の勝利の暁には彼らが権力を取るに違いない、したがって、プロレタリアートの党は、革命前においても革命の真っ只中においても革命の勝利後も急進的野党としての地位を維持し、革命を下から推進していかなければならない、それがマルクス主義的に正しい戦術であると信じてやまなかった。この点の対立こそ、その後の大規模な党内論争の主要テーマとなるのである。

三、マルトゥイノフの「革命の展望」I

この時期に『イスクラ』に三回にわたって連載された「革命の展望」というマルトゥイノフの長大な論文（論文それ自体には署名はないが、筆者がマルトゥイノフであることは、レーニンをはじめ当時の論争参加者から当然視されていた）は、先に指摘した戦略的問題をめぐっても戦術的問題をめぐっても、メンシェヴィキ主流派のトータルな見解を披瀝したものである。

『イスクラ』第九〇号（三月三日付）に掲載された「革命の展望」の第一回は、『フペリョート』派の組織信奉に対する遅ればせの批判から始まっている。マルトゥイノフは、プレハーノフ論文と一致して全人民的蜂起を目標に掲げ、それに対する組織的準備に着手することに同意しながらも、それが事前の計画と日程にもとづく自足的課題ではないと強調することによって、ボリシェヴィキとの違いを強調することに意を用いている。

革命の時代においては、古い政治的・法律的形態の破壊および新しいそれの創設と並行して、そしてそれと密接な相互関係において、急速に社会的諸階級の政治意識が成長し、人民の蜂起も大規模に発展していくということが本当ならば、武装蜂起の準備が自足的な戦略計画に沿って実行することができないことは明らかであり、それが大衆の中での複雑で多面的な政治活動と密接に結びついてなされなければならないことは明らかであろう。このような条件がなければ、人民蜂起の規模が政治的変革のしかるべき規模をいささかも保証しないことは言うまでもない。……その着実な政治的歩みを通じて人民大衆の半自然発生的な運動と密接に結びつくことのできないような党に武装蜂起を多少とも成功的に準備することはできないし、また、その思考が完全にサークル的偏見に支配され、その行動方法が狭い陰謀的枠組みで鍛えられているような党には蜂起を準備することはできない。[*17]

しかし、この点での意見の相違はまったく二次的なものであり、ボリシェヴィキの側からのメンシェヴィキに対する「組織軽視主義」攻撃と同じく、セクト主義的・サークル主義的意図にもとづくものであった。より根本的な意見の相違は、やはり革命過程におけるブルジョア自由主義派・民主主義派の発展過程をどう見るか、それに対する社会民主党の立場はいかなるものであるべきかという点にあった。マルトゥイノフは、一月九日事件とその後のプロレタリアートの力強いストライキ運動が一部の同志たちを誤らせ、当面する革命のブルジョア的性格という伝統的な党の見解から離れる傾向が党内にあることを敏感に察知し、それに対する厳しい警告を発することを自己の課題とした。

実際、歴史の表面に浮かび上がってきた最近の偉大な事件は、現在われわれが経験しているブルジョア革命とあまり一致していないように見える。プロレタリア運動の巨大な爆発は、わが国のブルジョア民主主義派の弱々しい声をかき消してしまったのではないのか？　決起したロシア・プロレタリアートの強力な運動に比べて、小心で断固としていないわが国ブルジョアジーの運動はあまりに惨めなものではないのか？　鮮やかで嵐のような一月事件を前にすれば、とっくに過ぎ去った政治的「春」の自由主義派と民主主義派のパーティはすっかり精彩を失っているのではないのか？　以上のことは疑いもなく事実であるが、しかしこのことはまたしても、現在のロシア革命がブルジョアジーの革命であるということにいささかも矛盾しないし、われわれの同志たちの一部が軽率にも成し遂げようとしている思考の飛躍をいささかも正当化するものではない。[*18]

たしかに、プロレタリアートはこの革命において中心的役割を果たしているが、「このことはまだ、革命の社会的性格を規定するものではないし、それ自体としては革命におけるプロレタリアートの政治的役割を規定するものでさえない[*19]」とマルトゥイノフは断言し、過去のどのブルジョア革命でもプロレタリアートが推進的役割を果たしたではないかと言って、ロシア革命の特殊性を否定することに躍起となる。さらにマルトゥイノフは、革命のブルジョア的性格を絶対的前提とした上で、現在の革命に見られるどの現象もこの性格と十分両立するものであることを「論証」し、一見、革命のブルジョア的性格と矛盾するように見えるプロレタリアートの独自の立場も、ブルジョア革命の矛盾した性格ということであっさりと片づける。

さらに重要なのは、マルトゥイノフが、革命の今後の発展とプロレタリアートによる闘争の展開によってブルジョア反政府派がむしろより戦闘的になり、より革命的になり、ますます有力な存在として台頭してくると予測していることである。これはまさに、本論文の表題となっている「革命の展望」をめぐる先鋭な分岐点となる認識であった。

まさにそれゆえわれわれは、〔ブルジョア〕社会の最も民主主義的な部分がついには好意的中立の状態から抜け出して、蜂起したプロレタリアートを支援するようになると想定することができる。まさにそれゆえわれわれは、ブルジョア民主主義派が革命化することを想定することができる。……わが国では、プロレタリアートの反乱の最初の波が通過したばかりであり、しかも物理的にはその波は鎮圧された。だがその波に続いて、別の波が、しかもより大きな波がやってくるだろう。農民大衆はこの内乱に引き込まれるだろうし、すでに引き込まれつつある。……こうした条件のもとで、政治の舞台に、都市小ブルジョアジーや農民や意識は低いが革命的気分を持ったプロレタリア層に立脚した新しい革命的ブルジョア民主主義分子が登場しないなどと予想することができるだろうか？　すでに現在一人のガポンが登場しているとすれば、将来には多くのガポンが登場することだろう。[*20]

トロツキーが「第二のガポンの出る幕はない」と明言していたのに対し、マルトゥイノフは「将来には多くのガポンが登場するだろう」と期待を込めて述べている。もちろん、マルトゥイノフが期待した「多くのガポン」は結局その後登場しなかった。しかしいずれにせよ、こうした展望の根本的相違が、その後ただちに、革命の勝利的過程で出現するであろう臨時革命政府の性格と社会民主党による権力獲得の問題というより実践的な問題をめぐる分岐へと結びついていくのである。

四、パルヴスの序文とマルトゥイノフの「革命の展望」Ⅱ

この臨時革命政府と社会民主党による権力獲得の問題をめぐっては、すでにマルトゥイノフは、一月九日事件の直前に執筆し事件後に出版された『二つの独裁』という小冊子の中で、フランス革命との比較から、急進的野党の路線を唯一許しうるものとして提唱しており、この路線はメンシェヴキ主流派から是認されていた。しかし、一月九日事件の衝撃は、この「伝統的」展望をも大きく揺るがした。すでに本書の第一章で明らかにしたように、パルヴスが真っ先に、トロツキーの『一月九日以前』への序文の中でまったく新しい、きわめて大胆な構想を示していた。それは、当時、誰もがまったく想像もしていなかった壮大なスケールを持った構想であった。パルヴスは、ロシアのブルジョア自由主義派と民主主義派の小心さと臆病さを痛烈に批判したトロツキーの政治的認識に社会的・経済的土台を与えた。ロシアにおける資本主義的発展の特殊性（外部からの資本の輸入とそれによるマニュファクチュア段階の飛び越え）ゆえに、ロシアにはヨーロッパの過去のブルジョア諸革命で中心勢力となったような都市小ブルジョアジーという社会的基盤が存在せず、逆に、プロレタリアートの大工場への集中と西欧社会主義思想の影響によってロシア・プロレタリアートの階級闘争はきわめて強力な発展を遂げた。この二つの事情は当然、現在始まっているロシア革命の性格に影響を与えないわけにはいかない。それでもロシア革命の性格は変わらないと絶叫したマルトゥイノフとは対照的に、パルヴスはこの特殊性からきわめて大胆な結論を引き出した。パルヴスは、ロシア革命がプロレタリアートのヘゲモニーによって推進されるだけでなく（それだけならばメンシェヴィキ主流派も形式的には認めていた）[*21]、そもそもこの革命を成し遂げることができるのは労働者だけであり（他の諸階級はその協力者となることができるだけである）、したがって革命の勝利の暁には、プロレタリアートに政治権力が委ねられ、そして社会民主党がプロレタリアートを指導している場合には社会民主党の手に政府権力が落ちるだろうと予言したのである。[*22]

ブルジョア革命においては、あるいはブルジョア社会においては社会民主党は急進野党的立場をとらなければならないという点については、もちろんパルヴスは熟知していたし、ジョレス主義についてもミルラン主義についても百も承知であった。しかしパルヴスはひるまなかった。

われわれはみな、西欧において社会民主党の個々の代表者がブルジョア政府に参加することに反対して闘ってきたが、それは、社会民主党の大臣は社会革命以外には何もすべきではないということを根拠にしていたのではなくて、政府内で少数派としてとどまるかぎり、そして国内に十分強力な政治的支持がないかぎり、彼はそもそも何もすることができないのであって、われわれの批判を回避する避雷針として資本主義政府に奉仕するだけである、ということを根拠にしてきたのだ。

しかし、ロシアの社会民主主義的臨時政府は、これとはまったく異なった立場に置かれる。それは、政府の権力が非常に大きくなる革命の時点で形成され、社会民主主義的多数派をもつ全一的な政府となるだろう。そしてその背後にいるのは、政治的変革をなし遂げ、歴史上類例を見ないような政治的エネルギーを発揮した革命的労働者軍なのだ。[*23]

この序文がロシア社会民主党各派の亡命指導者の目に触れるのは、それが書かれた時点（一九〇五年一月一八日）よりもかなり遅く、ようやくマルトゥイノフの「革命の展望」の第二回分が掲載された『イスクラ』第九三号（三月一七日）が発行された直後、すなわち三月後半であったと思われる。というのは、マルトゥイノフの「革命の展望」の第二回にはパルヴスに対する直接の言及はなく、同じ号に掲載されたマルトフの「労働者党とわれわれの当面する目標としての『権力獲得』」（後述）にもパルヴスの「ツァーリ打倒、労働者政府を」というリーフレットには言及されているが、やはりパルヴスの序文には言及されていないからである。他方、パルヴスの序文がマルトゥイノフの論文にはじめて登場するのは、三月三一日発行の『イスクラ』第九五号においてであり、レーニンがパルヴスの序文にはじめて言及するのは、三月三〇日に発行された『フペリョート』第一四号においてである。したがって、マルトゥイノフの「革命の展望」の第二回は、パルヴスの大胆な構想のことを知らずに、かつ、将来の臨時革命政府における社会民主党の参加の問題を取り上げたものであると考えられる。

この論文の中でマルトゥイノフは、この政府問題におけるメンシェヴィキ主流派の原則的立場、マルクス主義の伝統的立場と称されるものを定式化している。それは、革命のどの段階においても急進的野党としての立場を堅持し、下からの批判と圧力によって、権力を握ったブルジョアないし小ブルジョア勢力をますます左に追いやり、そのブルジョア的限界を暴露することによって、今後の階級闘争をより有利なものにするという戦略である。

このことを言うために、マルトゥイノフは、『ドイツ農民戦争』におけるエンゲルスの有名な章句を引用して、次のように述べている。

この言葉の意味していることは、権力に就く羽目になったプロレタリアートの党は、たとえそのための条件が成熟していなくても、社会の根本的な社会主義的変革に着手せざるをえない、ということである。プロレタリアートの党はそうせざるをえない、自分の代表する階級と最初の一歩から対立したくないのであれば、だ。……プロレタリアートの独裁は、ブルジョア社会の根本的な社会問題を、失業の根絶の問題、労働の搾取の廃絶の問題、等々を日程にのぼせないわけにはいかないし、権力に就く羽目になったプロレタリアートの党は、善良な願望や賢明な判断力によってこれらの要求から距離をとっておくことはできない。状況が命じるのである。[*24]

まさに革命的「状況が命じる」のである。しかしこのことからマルトゥイノフは、今回の革命でもプロレタリアートは権力を取ってはならず、最小限綱領の実現に自己を限定し、ブルジョア民主主義派に権力をとらせなければならないのだと結論した。この議論の最大の欠陥は、レーニンが熱心に批判したような「民主主義的変革と社会主義的変革とを混同していること」[*25]にあるのではない。むしろマルトゥイノフはこの両変革を完全に区別していた。だからこそ、民主主義的変革が課題となっている政権に、社会主義革命を本来の課題とするプロレタリアートの階級政党は入るべきではないし、ましてや独自に権力を取るべきではないと言っているのである。もしプロレタリアートの党による政権ができれば、その政権は自己の課題をブルジョア的課題に限定しておくことはできないだろう、なぜならプロレタリアートの先進部分がそのような「自制」を望まないからである。この論理は実は、後にトロツキーが自己の永続革命論を正当化する際に用いた論理そのものである。トロツキーが後に積極的に肯定した展望を、マルトゥイノフは是が非でも避けなければならない否定的展望として描き出し、今次の革命において権力を取るべきでないことの最大の論拠としたのである。

マルトゥイノフの先の議論の最大の欠陥は、そもそも、ロシアにおいては、プロレタリアート以外に、独自の階級的基盤にもとづいて革命的権力を能動的・指導的に獲得する政治勢力など存在しないことを完全に見落としている点にある。だが、マルトゥイノフはあくまでも、プロレタリアートの闘争の成長と共に、ブルジョア民主主義派も成長し、革命権力を担えるような「高み」にまで登りつめるだろうと想定していた。

ブルジョア民主主義派がわれわれの闘争に一定の政治的計算から参加する見込みは、プロレタリアートが自分たちの利益に対する明確な理解を露わにすればするほど……増大するであろう。ロシア・プロレタリアートが、ブルジョア民主主義派のイニシアチブを受動的に待っていてはならないとしても……それでもやはり、プロレタリアートは、ブルジョア民主主義派に働きかけて、彼らをある程度まで自分たちの政治闘争へと引き入れ、彼らの闘争をある程度まで自分たちの政治的計画に従属させることはできるだろう。しかし、まさにそのことによって、プロレタリアートの党にとっては、革命の全時期を通じて急進的野党としての地位を維持する可能性がつくり出されるのである。[*26]

かつてマルクスは『共産党宣言』において、ブルジョアジーが封建支配層との闘争においてプロレタリアートに助けを求め、彼らを政治活動に引き入れると言ったが、ここではその関係がひっくり返っていて、プロレタリアートが帝政との革命闘争を通じてブルジョアジーを自分たちの政治闘争へと引き入れなければならないとされている。しかし、このような想定に根拠がなかったことは、その後の革命の全展開によって証明された。それは、後年マルトフが「メンシェヴィキが以前の立場から逸脱したのは、積極的に権力を取ろうとするブルジョアジーが社会運動の最盛期に、すなわち国家体制が解体の極にあった時期に存在していなかったからである」と告白している通りである[*27]。

たしかに、プロレタリアートの闘争の力強い発展は、当初はブルジョア反政府派も勇気づけ、一時的に彼らをより戦闘的にしたが、プロレタリアートの運動がブルジョアジーの許容範囲を越えて発展していくと共に逆に革命から退きはじめ、専制の側が譲歩するやいなやそれに飛びついて、革命を終息させようとした。彼らは、マルトゥイノフやマルトフの予想とはまったく反対に、その後ますます反動化していき、反動期には完全に専制の付属物と化していくのである。

そして、このようなブルジョア「反政府派」しかいない状況のもとで、社会民主党がわざわざ野党にとどまって彼らに政権を委ねたとすればどうなるのか？　この政権は、ブルジョア革命を貫徹するどころか、ぐずぐずと課題を先送りするだろう。下からの社会民主党の圧力を受ければ受けるほど逆に右傾化し、革命そのものを抑圧しようとするだろう。そして、ついには、より強力な意志と力を持った君主主義勢力と協力するか、彼らに権力を譲ろうとするだろう。これは、ブルジョア民主主義革命を達成する道であるどころか、それを清算する道に他ならない。そしてこれこそ、一八四八年においてすでに萌芽的に生じ、一九一七年の二月革命以降の数ヵ月間に再び、そしてより明確な形で生じた事態なのである。

他方、レーニンは、パルヴスの序文における権力獲得論とマルトゥイノフらの議論に刺激されて、独自の「革命の展望」を、すなわち「労農民主独裁論」を展開した。レーニンは、臨時政府への参加問題が他ならぬ新『イスクラ』の派の議論（とくにマルトゥイノフのもの）によって刺激を与えられたことを認めている。

> 臨時革命政府への社会民主党の参加の問題が日程にのぼせられたのは、諸事件の行程によるものよりも、むしろある傾向の社会民主主義者〔いわゆる新『イスクラ』派〕の理論的考察によるものである。*28

しかし、レーニンは、マルトゥイノフの否定的展望をトロツキーのように前向きに突破していくのではなく、革命の発展を自覚的にブルジョア民主主義段階で静止させることができるとみなした。ここからレーニンは、マルトゥイノフ（およびメンシェヴィキ主流派全体）の「急進的野党」路線に「プロレタリアートと農民の民主主義独裁」という戦略的路線を対置した。レーニンによれば、権力を握る政治党派が、「民主主義的変革と社会主義的変革とを混同」せず、その歴史的使命の限界をしっかりと自覚して、その範囲にとどまるよう政治的に自制すること（主体的要因）、そしてプロレタリアートが単独で権力を握るのではなく農民を基盤とした革命的民主主義派による制約を権力内で受けること（客観的要因）という二つの理由からして、マルトゥイノフの懸念には根拠がなく、したがって、プロレタリアートの党は、ブルジョア革命においても革命臨時政府に積極的に参画し、上からもブルジョア革命を貫徹するべきであると主張したのである。

五、トロツキーの「政治的書簡」

トロツキーもまた、パルヴスの序文に刺激を受けて、これまでのブルジョア民主主義派批判を発展させて、パルヴスとほぼ同様の革命的展望を展開した。それは、マルトゥイノフの「革命の展望」第二回が掲載されたのと同じ『イスクラ』第九三号に掲載された論文「政治的書簡」（Ⅱ）である（「Ⅰ」は『イスクラ』第九〇号に掲載）。この論文には「T」という署名だけがつけられていたので、「同志Tの書簡」とか「同志Tの論文」などと称された。

トロツキーはまず冒頭で、プレハーノフの論文「別個に進んで……」に同意する体裁をとって、マルトフ命題に対する批判から議論を始める。

かくして、われわれの課題は革命を「解き放つ」ことだけでなく、その勝利の条件を準備することでもある。『イスクラ』第八七号の論説〔プレハーノフの「別個に進んで、ともに撃て」〕は問題をこのように立て、しかもまったく正しく立てている。あるいはさらに進んで次のようにさえ言ってよいだろう。革命を「解き放つ」必要はない。けだしそれはすでに「解き放たれ」ているのだから、結局、革命の勝利を準備することに全課題は帰着する、と。では、いかにして？「解き放たれた」革命の自然成長性の中に政治的および技術的組織性の要素を組み込むことによってである。簡単に言えばこれは革命を組織するということだ。[*29]

続いてトロツキーは、「革命の当面する段階は人民蜂起」なのだから、「われわれは蜂起を組織しなければならない」のだと議論を進める。[*30] ここまではプレハーノフの議論と共通である。しかし、パルヴスの薫陶を受けたトロツキーは、プレハーノフよりも議論を先に進める。

もちろん、われわれは、いくら「不寛容」だと言っても、蜂起の準備と実行を独占するつもりはまったくない。軍事活動の何らかの部分を引き受けようと望むすべての革命家やすべての革命的部隊に対して、われわれは座席を差し出して、どうぞお掛けくださいと言うであろう。[*31]

これは、マルトフが「一月九日」論文で「ロシア社会民主党が迫り来る反乱において能動的役割を独占するだろうと夢想するのはナンセンスで有害であろう」[*32]と言っていたことに皮肉に答えたものでもある。トロツキーは続けてこう述べる。

この点、第八七号の論説は無条件に正しい。ただ残念なことに、この論説は革命の戦場にはわれわれ以外には誰もいないのだということを忘れている。まさにこの悲しむべき事実こそ、革命的に客を歓待するという性質を多少なりとも明確に発揮する可能性をわれわれから完全に奪っているのだ。[*33]

トロツキーは、プレハーノフ論文の根本的弱点を的確に把握していた。ブルジョア自由主義派と民主主義派に対する批判を差し控えれば、彼らを有力な協力者として確保できるというプレハーノフの展望には根拠がなかった。さらにトロツキーは、パルヴスにならってこうした認識を拡張し、次のように述べる。

わが国には、独自のジャコバン民主主義のための社会的基盤はない。このことをわれわれは常に理解していたし、われわれ自身、この事実の所産なのである。[*34]

「常に理解していた」というのはいささか誇張であろう。この点の認識が必ずしも明確でなかったからこそ、実際に革命が勃発した時に、社会民主党内部で先鋭な認識の対立が生じたのである。トロツキーは、こうした議論をいっそう展開して、ついに臨時革命政府の問題へと至る。

憲法制定会議は蜂起によって達成され、臨時政府によって召集されるであろう。……官僚機構・警察機構・軍事機構を再編成し、血に飢えたすべての無頼漢どもを放逐し、それを人民の友にとり換え、国家負担で人民を武装する――こうしたことこそ臨時政府によってまず実行に移さるべき措置であ……る。簡単に言えば、反動の武装解除と革命の武装が憲法制定会議の召集に先行しなければならない。……軍事力を手にした反動に対して真正面から対決する革命的人民の政府、これが臨時政府である。もう一度言おう。われわれがロシアの革命的再生が不可避であることを信じてそれを意識的にめざすなら、また、この蜂起の勝利を欲するなら、われわれは臨時革命政府の樹立を欲しているのである。……われわれの直接かつ緊急の義務は臨時政府万歳！のスローガンを掲げることである。[*35]

だが、この臨時政府を構成するのは誰なのか、どの階級なのか、どの党なのか？　この問題がただちに提出されるだろう。トロツキーはそれに対して、パルヴスと同じ回答を断固として与える。

誰が臨時政府を形成するのか？　それは革命の決定的時点で大衆が「かつぎ上げる」であろう者、すなわち大衆を指導するであろう者である。奇蹟を信じる人、革命が今日や明日にもジャコバン民主主義を振り落とすことはないと思う人には、臨時政府とはジャコバン民主主義の所有物だと考える権利もある。しかし「臨時政府万歳！」のスローガンに反対できる人は反革命的偏見の持ち主だけである。……革命の絶頂点にまで到達できる意識的革命勢力はプロレタリアートを除いてどこにいるか。それは存在しないし――自分を欺かないようにしよう！――、今後も存在しないだろう。……革命はプロレタリアートを最重要の地位に押し上げ、ヘゲモニーを彼らに渡す。……蜂起の勝利も、革命全体の勝利も、プロレタリアートだけがこれを保証することができる。都市住民の他の集団と農民は、プロレタリアートを支持しつつ、その仕事を楽にさせ、その後ろからついて行くかぎりにおいて革命の中で自らの役割を演ずるであろう。プロレタリアートの役割といくらかでも同等の独自の革命的役割を、農民も都市小ブルジョアジーもインテリゲンツィアも果たさないだろう！……したがって、臨時政府の構成は主としてプロレタリアートにかかっているだろう。より正確に言えば、蜂起の決定的な勝利の際には、プロレタリアートを指導した者が権力を握るであろう。このことはとりもなおさず、革命の発展はプロレタリアートを、またそれとともにわが党を臨時的な政治的支配に導くことを意味する。[*36]

この結論は、一個人の小冊子への序文としてでもなければ、個人的なリーフレットの形で出されたのでもなく、他ならぬメンシェヴィキの機関紙（形式的にはロシア社会民主労働党の中央機関紙）である『イスクラ』で堂々と主張されたのである。この論文に対して、編集部が次のような但し書きをつけなければ掲載できないと考えたのも無理はない。

以前の論文（「革命の展望」）や本号掲載の論文「当面する問題」〔後述するマルトフの「労働者党と『権力獲得』」のこと。この論文はマルトフが「当面する問題」と題した一連の囲み論文の一つ〕から読者にもわかるように、われわれは、本紙の常連寄稿者である同志Tのこの書簡と見解を共にするものではない。[*37]

ただしこの時点ではトロツキーはまだ、パルヴスの射程から出てはいなかった。革命の勝利がプロレタリアートとそれを指導する社会民主党による権力獲得に必然的に導くことを主張したが、この革命権力がなす変革の課題に関しては、あえて踏み込んだ発言を行なわず、ブルジョア民主主義革命の限界内での諸課題を明言しただけであった。しかしながら、パルヴスが「社会民主主義的臨時政府は、ロシアで社会主義的な変革をなし遂げることはできないだろう」[*38]と断言していたのに対し、トロツキーはこのような制限については何一つ述べていない。この問題についてトロツキーは未回答のままで残しておいたのである。

さて、こうして、この時期に、革命の展望と臨時革命政府の問題に対するロシア社会民主党指導者たちの主要な見解が出そろったことになる。[*39]それゆえ、本格的な論争はここから始まるのである。

六、マルトゥイノフの「革命の展望」Ⅲ

マルトゥイノフの「革命の展望」の第三回分（最も長文のもの）は、『イスクラ』第九五号（三月三一日付）に掲載された。すでにレーニンの「プロレタリアートと農民の革命的民主主義独裁」論も、パルヴスの「社会民主主義的臨時政府」論も、トロツキーの権力獲得論も出そろっていた。マルトゥイノフは同論文で、これら三者の意見に、ブルジョア革命における社会民主党の権力獲得を認めている点で重大な共通項があることを見出し、それらに対する正面切っての論争を挑んだ。

マルトゥイノフはまず、ロシアにおいてブルジョア革命を主体的かつ指導的に担うことのできる社会階級はプロレタリアート以外に存在しないというパルヴスとトロツキーの基本命題に挑戦する。

わずか一〇〇〇万人のプロレタリアートしか含まない一億三〇〇〇万人の人口をもった半農奴制的ロシアにおいて、小ブルジョア的民主主義運動が発展しないという同志パルヴスの確信はいったいどのような根拠にもとづいているのだろうか？　ただ、ロシアが手工業とマニュファクチュアの段階をその古典的な形態では通過していないというだけの根拠にである。今われわれの眼前で革命化しつつある職員〔ホワイトカラー〕の膨大な層はどこへ行ったのか？　一八八〇年代にその思想的覚醒が確認された数百万人の手工業者はどこへ行ったのか？　両手両足を国家と地主のくびきによって縛られている数千万の農民はどこへ行ったのか？　自由主義的職業の代表者たちは？　雑階級知識人は？[*40]

マルトゥイノフはこれらの階級の存在を列挙するが、それらが独自に革命を指導する政治勢力として凝集化しうることを何ら証明しえていない。ただ、学校教師の全国大会での決議を出すことができただけである(しかも、学校教師は小ブルジョアジーではなく、労働者階級の一翼である)。大会で民主主義的決議を挙げることと、頭から足まで武装した専制政府と対決して革命を遂行し勝利させることとの間には、無限の距離があった。しかし、マルトゥイノフは、確信の表明を理論的証明の代わりに用いるかのごとく、次のように宣言するのみである。

ブルジョア革命の状況下では、ブルジョア民主主義運動はまさに社会民主党の発展ゆえに強化されるにちがいないし、労働者階級の運動が革命的になればなるほど、自覚的になればなるほど、自立的になればなるほど、ますます強化されるだろう。[*41]

すでに述べたように、事態はまったくこれとは正反対の形で進むことになり、マルトゥイノフ自身も、マルトフが後に慨嘆するように、メンシェヴィキの伝統的理論から「逸脱」して、一九〇五年一〇~一一月には一時的に永続革命に支持を与えることになるのである。

マルトゥイノフの、またメンシェヴィキ主流派の最大の弱点は、ロシアのブルジョア自由主義派・民主主義派に対するその途方もない過大評価にあった。この弱点ゆえに、マルトゥイノフらはこの時期、完全に誤った「革命の展望」に固執し続けたのである。しかしながら、論争がこの分野から先に進み、臨時革命政府への社会民主党の参加問題に至ると、マルトゥイノフの筆致は俄然冴えてくる。彼は、レーニンやパルヴスの革命的展望を、そしてこの時点でのトロツキーの理論の限界を見事に批判し、それらの理論に共通して内在する根本的弱点をはっきりと指摘している。
その弱点とは何か？　それは、すでにマルトゥイノフが「革命の展望」の二回目で指摘したことと も重なるが、プロレタリアートの党が政権に参加した以上、ブルジョア民主主義的課題に自己を限定 することはできないし、もしあえてそうしようとすれば、自己を権力に担ぎ上げた階級の先進的部分 と対立することになるだけでなく、ブルジョア社会を維持するための「保守的」措置をも取らざるを えなくなり、こうして、プロレタリアートの党ではなく、自己の意思に反して小ブルジョア政党に転 落してしまうことになるだろう、というものである。

われわれが臨時政府に参加しても、革命的措置がより容易になることはないだろう。それど ころか、それは、革命と何の共通性もないような措置を実行することをわれわれに余儀なくさ せるだろう。同志T〔トロツキー〕はこのことを見ていない。この点は『フペリョート』の評論 家たち〔ボリシェヴィキ〕によっても無視されている。彼らが臨時政府について語るとき、「旧体 制」の清算にかかわる革命的課題のみを見る方が彼らには都合がよく、ブルジョア社会をその 階級的矛盾の「危険な」結果から守るという保守的課題を見るのは都合が悪いのである。彼ら はブルジョア革命の対立的性格に目を閉じている。彼らはこの対立を「臨時に〔一時的に〕」考 えないようにし、そこから、この対立は、彼らの課題を容易にするために「臨時に〔一時的に〕」 存在することをやめるのだと結論づける。……同志パルヴスと同志トロツキーは、臨時独裁の 時期にプロレタリアートとブルジョア社会との、とりわけプロレタリアートと革命的小ブルジョアジーとの階級対立が消えてなくなると主張するつもりなのか？　彼らは、あらゆる種類の搾取者、ありとあらゆる種類の侮辱に対するプロレタリアートの感受性が、自分が勝利者になったと感じた瞬間に、二倍にも一〇倍にも敏感になるということを否定するつもりなのか？[*42]

この主張はきわめて説得力があり、まさに一九一七年に「臨時政府」に入閣したメンシェヴィキ自身に向けられた鋭い攻撃の矢にさえ見る。マルトゥイノフはここでは、主観的には日和見主義的動機にもとづいていたとしても、理論的には明白に左翼的立場から、プロレタリア社会主義の立場から、パルヴス、トロツキーを批判していたのである。マルトゥイノフは、革命権力の側の「民主主義的」自制によって独裁を救おうとするレーニン派の「プロレタリアートと農民の革命的民主主義独裁」論にも容赦がない。パルヴス＝トロツキーに向けたのと同じ論理を彼らにも向ける。

革命的独裁の状況というのは、あらゆる社会的ユートピアにとってきわめて有利である。わが「独裁官」には、どこで無邪気な幻想が終わり、どこから「無意識的な挑発」——あるいは意識的なそれでさえ——が始まるのかを決定する物理的可能性はいっさいない。たとえば、エドゥアルト・ベルンシュタインは、パリの六月事件に先立つあらゆる革命的アジテーションのうちに、ほとんど「意識的な挑発」を見る傾向にあった。わが「独裁官」は多くの点でベルンシュタインと意見が一致しないだろうが、猜疑心の点では、おそらくベルンシュタインをも凌駕する。共和制を脅かす「無意識的な挑発」の蔓延を防ぐのに彼らの言葉の上での論拠が役立たないとすれば、そのとき彼らはどのように行動するだろうか？　彼らは、ミルランの「社会主義」内閣が、労働者シャロンとマルティニクを殺害したときに頼ったのと同じ、権力という「説得力のある」議論に頼るのか？[*43]

これも反駁の余地のない論理である。レーニンは、民主主義的変革と社会主義的変革との理論的区別によって独裁の直面する困難を乗り切ることができると考えたのだが、しかし、革命の盛り上がりの中で下から社会主義的変革を求める声が増大し、実際にここかしこで自然発生的にそうした行動が起こったときに、その「民主主義独裁」政権はいったいどのように行動するのか？　それは「民主主義的変革と社会主義的変革とを混同する」挑発行為だとして弾圧するのか？　その場合には、その政権は反労働者的ブルジョア独裁になるだろう。しかし、こうしたマルトゥイノフの鋭い指摘に対してレーニンは何らまともに答えることができなかった。彼にできたのは、次のように叫ぶことだけだった。

否、千度も繰り返して、否だ。同志諸君！　革命的ブルジョア民主主義派とともに、最も精力的に、何ものにもためらわずに共和主義的変革に参加することで身を汚すのを恐れるな。こういう参加の危険性を誇張するな。わが組織されたプロレタリアートはそうした危険に完全に対処することができるのだ。[*44]

ここでも確信の表明が理論的証明の代わりをしている。だがどんな絶叫も、マルトゥイノフの冷徹な論理を覆すことはできない。マルトゥイノフは見事な皮肉をきかせて、こう述べている。

もし諸君が現在の状況のもとで権力に就くことになれば、諸君は完全に社会民主主義者からブルジョア的ジャコバン派に変質してしまうだろうし、その時には、「わが国のどこにジャコバン的なブルジョア民主主義派がいるのか」という同志Tの問いかけに答えて、ただ諸君を指させばすむことになるだろう。*45

本来プロレタリアートに依拠する社会主義的政治勢力がブルジョア革命の中で逆に労働者運動を弾圧する「ジャコバン的ブルジョア民主主義派」に転化するという展望は、この時のマルトゥイノフにとっては単なる皮肉にすぎなかったが、後に一九一七年の二月革命後にメンシェヴィキによって、一九一八年のドイツ一一月革命後にドイツ社会民主党によって、一九三六〜三七年のスペイン革命後にアナーキストとスペイン共産党によって、それぞれ実践されるのであり、*46 二〇世紀における諸革命の一つの典型的な（ある意味で法則的な）パターンになるのである。

さて、マルトゥイノフのこの鋭い指摘に対し、本当の意味で回答を示しえたのはトロツキーだけであった。そしてそれこそ、永続革命論だったのである。しかり、権力を取ったプロレタリアートは、ブルジョア的課題に自己限定することはできない。そんなことをすれば、農民や小ブルジョアジーと衝突する前に労働者自身と衝突し、崩壊を遂げるだろう（あるいはブルジョア反革命勢力に変質することになるだろう)。それゆえ、まさに革命のブルジョア的限界を乗り越えて、革命を永続化させなければならない。それは何よりも国内における先鋭な階級対立の必然的帰結なのである。[*47] だがこの革命はロシアの遅れた経済を前提とすればロシア国内で完結することはできない、それは西方の社会主義革命へと第二の永続化を果たさなければならない、これがトロツキーの与えた回答であり、そして、唯一可能な回答であった。だが、この回答が出されるのはもっと先のことであり、この時点では、マルトゥイノフが自らの問いかけから出した正反対の結論――それゆえ社会民主党は権力を取ってはならず、野党にとどまらなければならない――がなお有力なものであり続けたのである。

しかし、マルトゥイノフの議論はここで終わるものではない。マルトゥイノフは、一瞬、トロツキーの永続革命論へと直接つながるような仮定的議論もわずか数行だけだが展開している。

しかし、われわれの意志に反して、革命の内的弁証法が、結局やはり、社会主義実現のための国民的条件がまだ成熟していないときにわれわれを権力に引き上げたとすれば、われわれは後ずさりはしないだろう。われわれは革命の狭い国民的枠を突破するという目的を自らに立て、西方を革命の道へと駆り立てるだろう。[*48]

しかし、これはあくまでも、マルトゥイノフにとって、「われわれの意志に反し」た事態であり、可能性もきわめて低く、したがって本格的に論じる必要のないものであった。この論点を本格的に展開させ、それを意思に反した事態としてではなく、はっきりと革命党がめざすべき積極的展望として把握したのが数カ月後のトロツキーであった。しかし、実を言うと、それに先んじて、そうした議論を（マルトゥイノフと同じくやはり意思に反した避けるべき事態としてだが）展開していた人物がいた。メンシェヴィキ主流派の最も中心的な理論家にして指導者、マルトフその人である。

七、マルトフの「労働者党と『権力獲得』」

トロツキーの「政治的書簡」（Ⅱ）が掲載されたのと同じ号の『イスクラ』に掲載されたマルトフの「労働者党とわれわれの当面する目標としての『権力獲得』」は、マルトゥイノフよりもやや早くレーニン、パルヴス、トロツキーの権力獲得論に本格的な批判を展開している。その主要な論点はマルトゥイノフの「革命の展望」と同じであり、一月九日事件以降も革命の基本性格（ブルジョア革命）には何の変化もないし、したがって党の戦術にも変化はないという原則的立場の確認、革命の発展によってブルジョア民主主義派が台頭してくるだろうという楽観的展望、それにもとづいて、ブルジョア革命の権力をブルジョア派ないし小ブルジョア派主導のものとみなし、社会民主党には急進的野党としての地位をあてがうというものであった。したがって、その基本枠組みは完全にメンシェヴィキ主流派と共有されている。たとえば、マルトフは次のように述べている。

わが党の戦術的課題の複雑な……設定は、プロレタリアートがそれ自身の運動によって、これまで政治的無関心状態にあった多くの社会階層を政治生活に、革命的役割に目覚めさせるという前提にもとづいていた。「旧秩序」が解体すればするほど、これらの社会階層は政治的に自覚を強めていき、階級社会におけるそのより「特権的な」地位に潜在的に含まれている、プロレタリアートに対するあらゆる優位性を自らの利益のために利用するようになるだろう。それゆえ、プロレタリアート以外に他の大規模な組織された社会勢力が「不在」であるということから、ツァーリズムの打倒の瞬間には「われわれがいっさいをなしうる」などと結論づけることは、最も純粋な合理主義とユートピア主義の産物なのである。……わが国がブルジョア革命に向かっているというわれわれの言葉が単なる空文句でないとするならば、分厚いメガネをかけて長い間ブルジョア革命の主体的要因を探しまわる必要はない。一億人の農民、優に一〇〇〇万人にはなる工業の小生産者――これらは、ロシアの「ジャコバン派」にとって十分広範な人民的基盤であり、革命にとって十分な発火燃料である。ツァーリズム解体の一歩一歩が彼らを、今はまだかなり弱い民主主義派のイデオロギー的代表者と密接に結びつける瞬間を近づけるだろう。[*49]

だがこのような展望は、すでに述べたように、歴史の検証にまったく耐えええないものであった。その後の事態が示すように、ブルジョア階層の有する「特権的」地位は革命を推進するために用いられたのではなく、革命にブレーキをかけるために用いられたのである。とはいえ、マルトフのこの論文は、マルトゥイノフが数行だけで展開した例のもう一つの（否定的な）可能性をより積極的に考察し、より大胆な結論を与えている点で、ロシアにおける永続革命論形成史にとって独自の意義を有している。マルトフは、先にあげた引用文に続いて、次のようなもう一つの可能性を提示する。

だが、ロシア革命においてプロレタリアートが現在および将来において果たす大きな役割は、革命のさらなる強化と発展のためのプロレタリアートの闘争が政治権力の直接的獲得のための闘争と一致するような状況を完全に可能としている。このような瞬間の到来は、言うまでもなく、すべての強力なブルジョア革命政党が十分開花せぬうちに咲き終わるようなことになった場合にはなおのこと促進されるだろう。[*50]

こうなった場合、プロレタリアートはどうするべきなのか？　マルトフの回答は明瞭である。

そしてこの場合、プロレタリアートは政治権力を拒否することはできないだろう。しかし、同じく言うまでもないのは、社会的闘争の道程でそのような事態に至ったプロレタリアートは、ブルジョア革命の枠組みの利用に自己を制限することはできない、ということである。もしプロレタリアートが階級として権力を獲得したならば（そしてわれわれは同志Tと同じくこのような場合の権力獲得についてのみ語っている）、革命をさらに先に進めないわけにはいかないし、永続革命（**Revolution in Permanenz**）を、全ブルジョア社会との直接的な闘争を目指さないわけにはいかないだろう。具体的にこのことが意味するのは、パリ・コミューンの新たな繰り返しか、「西方における」社会主義革命の開始とロシアへのその波及であろう。そして、後者の方を目指すのがわれわれの義務である。[*51]

マルトフがここで「永続革命」という言葉を使っていることに注目しよう。目の前で展開されているロシア革命の展望と直接結びつけてこの名称を最初に使った人物は、レーニンでもなければトロツキーでもパルヴスでもなく、マルトフだったのである。しかもマルトフは、この展望をマルトゥイノフよりも可能性の高いものとみなし、「このような展望に対して、われわれはいずれにせよ、準備をしておかなければならない」とさえ述べている。[*52] しかし、ここまで論理を進めながら、マルトフはただちにきびすを返し、伝統的メンシェヴィキ理論へと脱兎のごとく戻る。もし、そのような事態になるとしたら、当面する革命がブルジョア的なものであるとする党綱領の立場が根本的に間違っていたことになるではないか、と。

しかし、その場合にはすでにプロレタリアートは事実上、「ブルジョア革命」の限界に至っていたことになる。この場合、ロシア・プロレタリアートの歴史的地位とその課題に関するわれわれ――社会民主主義者――の全分析は間違っていたことになるし、事業を放棄しないよう、わが党の綱領を根本的に見直さなければならないだろう。……あれかこれかだ！　最も俗悪なジョレス主義か、当該革命のブルジョア的性格の否定か。[*53]

「あれかこれか」という機械論的思考こそ、マルトフにとって常に致命的なものであった。すでにロシアがブルジョア革命の限界に至っていないかぎり、その枠を突破することはできないし、もし突破することができるとすれば、当面する革命がブルジョア革命ではないということになるはずだ、あれこかこれかだ！　こうしてマルトフは、ロシアにおける永続革命論の創始者としての地位にほとんど体半分以上のぼりながら、そこから一気に伝統的メンシェヴィキ理論へと飛び降りたのである。

マルトフによって復活された「Revolution in Permanenz」という、マルクスが最も急進的であった一八五〇年代に使った言葉は、その後すぐにプレハーノフの論文「権力獲得の問題によせて」の中で熱心に、しかもきわめて肯定的に取り上げられ、それこそ『イスクラ』の基本路線であるとさえ言われるようになる。しかし、そのときにはすでに「永続革命」の意味は完全に組みかえられており、より単線的な二段階連続革命を意味するものとなっていた。

八、プレハーノフの「権力獲得の問題によせて」

ロシア・マルクス主義の父、プレハーノフはすでに「労働解放団」の時代から、ロシアにおける二段階（不連続）革命を定式化していた。しかし、プレハーノフは、一月九日事件以後に、ロシア社会民主党内部で繰り広げられていた大論争に、遅れて参加した。彼は自分の伝統的見解を現在進行中の事件および論争に適合させせなければならなかった。

『イスクラ』の第九六号（四月五日付）に掲載されたプレハーノフの論文「権力獲得の問題によせて」は、そうした任務を果たすことを意図したものだが、ロシアの現実に対する具体的な分析にもとづいて自らの見解を展開するのではなく、ほとんどもっぱら一八五〇年三月のマルクスとエンゲルスの有名な「共産主義者同盟中央委員会の回状[*54]」に依拠して自己の見解を論じている。この「回状」の中でマルクスとエンゲルスは、労働者党は、大ブルジョアジーや封建勢力に代わって権力をめざす小ブルジョア党派を（それが大ブルジョアジーや封建勢力と闘っているかぎりは）支持しつつ、常に独自の利益、独自の見解、独自の組織、独自の武装を固く維持し、小ブルジョア党派が権力をとった後は、急進的野党（反政府派）としての地位を維持して下から圧力をかけて、できるだけ小ブルジョア党派に急進的措置をとらせ、それを通じてプロレタリアートの権力獲得と社会主義革命（さらには国際革命）をめざすという「連続革命」の路線を定式化していた。

このマルクスとエンゲルスの「回状」には、ブルジョア革命期において労働者党が堅持すべききわめて重要な諸原則、諸行動方法が定式化されており、プレハーノフがまさにロシア革命の最初の段階においてこの「回状」に注目したのは当然であり、かつ正当なことであった。その名前は出さずとも、パルヴスにしてもトロツキーにしても、この「回状」の諸原則を十分に理解していたことは、その書いたものを見れば明らかである。とくにパルヴスの「『一月九日以前』への序文」には、まさにこの革命的「回状」の精神が脈打っている。

しかしながら、ロシアの革命家は一八五〇年のドイツに生きていたのではなく、一九〇五年のロシアに生きていた。一八五〇年のドイツの小ブルジョアジーよりもはるかに脆弱で無定形なロシアの小ブルジョアジー、一八五〇年のドイツの労働者よりもはるかに量的にも質的にも成長を遂げ、マルクス主義で武装したロシアのプロレタリアート、そして一八四八年当時のヨーロッパよりもはるかに資本主義的生産力が発展し、社会主義勢力が成長している「西方」。一八五〇年当時でさえ、小ブルジョア党派が権力を獲得してブルジョア民主主義革命を成し遂げうる（もちろん労働者党の圧力を受けてだが）と想定していたことは、明らかに小ブルジョア党派に対する過大評価であった。歴史はそのことを十分に証明した。マルクスとエンゲルス自身、この「回状」の中で、「ドイツの自由主義ブルジョアが一八四八年に人民に対して演じた役割、このはなはだしい裏切り的な役割は、来るべき革命では、民主主義的小ブルジョアによって引き継がれるだろう[*55]」と述べていたのだから、小ブルジョア党派が大ブルジョアジーや封建勢力を押しのけて権力を取るという想定は非現実的だったのである。

しかしプレハーノフは、せっかくマルクスの「回状」を参照にしながら、先に引用した、小ブルジョア党派に対するマルクスの厳しい評価を、一九〇五年のロシアという新しい歴史的状況を踏まえて発展させるのではなく、一八五〇年当時でさえ誤っていた小ブルジョア党派による権力獲得という展望をそのまま一九〇五年のロシアにも適用したのである。こうして、プレハーノフは、「永続革命」ないし「連続革命」という言葉を、小ブルジョア党派による革命的権力の獲得とそのもとでのブルジョア民主主義的変革の実現という決定的な一段階を間にはさんだ「二段階連続革命」として解釈した上で、『イスクラ』の路線として提示したのである[*56]。

この意味での「永続革命」はたしかに、自分の伝統的見解およびメンシェヴィキ主流派の路線とそれほど矛盾するわけではなかった。ただ、ブルジョア民主主義革命の段階とその次の社会主義革命の段階とがいささか予定より接近することになっただけのことであった。しかし、この「より接近」というのは曖昧であり、常に伸縮自在なのである。

それ以降、「永続革命」ないし「連続革命」という言葉はおおむねこのプレハーノフ的意味において理解されるようになり、後にトロツキーがそれとは相当に異なった意味で「永続革命」ないし「連続革命」の概念を定式化したときでさえ、プレハーノフ的「永続革命」論は理論家たちの頭から払拭されることはなく、時にトロツキー的「永続革命」論と混同され、時にトロツキー的概念との区別が曖昧なまま使用されるようになる。

九、トロツキーの「ラサール『陪審裁判演説』への序文」

マルトゥイノフが、レーニン、パルヴス、トロツキーの権力獲得論に向けた鋭い批判に対して、すでに述べたように、唯一可能な前向きの回答を提出したのはトロツキーだけであった。トロツキーがそれを最初に定式化したのは、弾圧を一時的に逃れてフィンランドで思索をしていた一九〇五年七月に書いた「ラサール『陪審裁判演説』への序文」においてだった。この序文は、一八四八年革命の際に武装蜂起煽動の罪で逮捕されたドイツの革命家ラサールの陪審裁判での演説（実際には、トロツキー自身が説明しているように、裁判では読み上げられなかった）に付したものであるが、これはけっして偶然ではない。現在展開されているロシア革命が、一七八九年型の革命（成功したフランス大革命）になるのか一八四八年型の革命（失敗したドイツのブルジョア革命）になるのかというのは、当時よく論じられたテーマであった。レーニンは一九〇五年三月末に書いた覚書の中で、この二つの革命を対置させ、「われわれは、一七八九年型の革命をやるべき運命にあるのか、それとも一八四八年型の革命をやる運命にあるのか」という問題を設定した上で、「社会民主主義者は前者を望み、それを勝ち取るよう努力しなければならない」と断言している。[*57] 一九〇五年のロシアにおいて、一〇〇年以上前のフランス革命の「型」が追求可能であるというのは、驚くべき見解である。もちろん、レーニンは当時と異なる諸状況について合計一二もの要因を列挙しており、とくに最後の要因は最も重要で、「プロレタリアートとブルジョアとの対立は、わが国においては一七八九年、一八四八年、一八七一年よりもはるかに深刻である。このためブルジョアジーは、プロレタリア革命を恐れることがより多く、反動の抱擁により速やかに身を投じるだろう」というものであった。[*58] この考察からレーニンは、数日後には「プロレタリアートと農民の革命的民主主義独裁」という新しい「型」を提起するのである。

トロツキーもまた、過去の革命の経験を詳細に研究し、そこから現在のロシア革命における重要な教訓を引き出そうとした。トロツキーは、マルクスが一八四八年革命の際に同時進行的に『新ライン新聞』に執筆掲載した多くのルポルタージュを詳細に読み込んだ（このルポはちょうど、一九〇五年初頭にロシアで翻訳出版されていた）。彼はとくに、マルクスが一八四八年一二月に書いた「ブルジョアジーと反革命」という論文に注目した。そこでは、ドイツ・ブルジョアジーの裏切り的役割が生き生きとした筆致で書かれていた。トロツキーはこの序文でも、またその後においても、繰り返しこの論文から引用を行なっている。一八四八年の段階ですでにここまでブルジョアジーが裏切り的になっているとしたら、ブルジョアジーとプロレタリアートとの対立がはるかに深刻になっている一九〇五年のロシアで、ブルジョアジーないし小ブルジョアジーの革命的役割を想定することができるだろうか。これが根本的な出発点である。もちろん、すでにトロツキーは、『一月九日以前』において、ロシア自由主義派および民主主義派の主張や行動の詳細な分析を通じて、事実上同じ結論に達していたのだが、それはより広い歴史的視野のもとで一般化されるに至った。
トロツキーは、一八四八年革命の道程とそこでのラサールの役割（および裁判でのラサール）について「I」および「II」で詳細に論じた後、「III」でドイツ革命を理論的に総括する。あたかもレーニンの覚書を知っているかのように、一七八九年型の革命と、今はまだ存在しない可能性としての新しい革命の型（一九〇五年革命）とを対比し、一八四八年のドイツ革命がその中間物であり、それゆえ最悪の型であったことを指摘する（そこで書き記された文章の多くが後に一九〇六年の著作『総括と展望』にそのままに移し入れられている）。この総括を踏まえて、トロツキーは現代ロシアに話を移し、まさに永続革命論へとまっすぐにつながっていく分析を展開する。

それから半世紀以上が経った。ブルジョア革命の舞台にはロシアが立っている。今ではブルジョアジーからイニシアチブと断固とした姿勢を期待することは一八四八年当時よりもずっと不可能である。一方では、障害がはるかに巨大なものとなっており、他方では、国民の社会的・政治的分裂は不可避的にいっそう深く進行した。民族ブルジョアジーと世界ブルジョアジーとの暗黙の結託は、封建制解体の困難な過程に恐るべき障害を設け、この過程が有産階級と旧秩序の代表者たちとの協定――人民大衆を抑圧するためのそれ――以上に先に進まないように努力した。実際、民主主義的戦術は、こうした状況のもとでは、自由主義ブルジョアジーとの闘争の中でのみ発展しうる。このことをはっきりと理解しなければならない。敵に対する国民の虚構の「統一」ではなく、国民内部の階級闘争の深い発展こそが、われわれの取るべき道である。[59]

トロツキーは、プロレタリアートの闘争によってブルジョア民主主義派がより革命的になり革命の主要勢力に成長するだろうというマルトゥイノフ＝マルトフ流の議論を念頭に置きつつ、実際には、そのような「ブルジョア民主主義派の発展」には限界があり、それは逆に革命発展にとっての障害物になるだろうと指摘する。そして、この障害物を克服することができるし、克服しなければならないのはプロレタリアートであるとして、次のように述べている。

> この障害物を克服することのできる階級は、実際にそうしなければならないし、そうすることによってヘゲモニーの役割を自らに引き受けなければならない——そもそもわが国が抜本的な民主主義的復興を運命づけられているとすれば、だ。このような状況のもとでは、「第四身分」「プロレタリアート」の支配が訪れるだろう。言うまでもなく、プロレタリアートは、かつてのブルジョアジーと同じように、農民と小ブルジョアジーに依拠しながら自らの使命を果たすだろう。彼らは農村を指導し、農村を運動に引き入れ、自らの計画の成功に関心を持たせるだろう。しかし、指導者として残るのは不可避的にプロレタリアート自身である。これは「農民とプロレタリアートの独裁」ではなく、農民に依拠したプロレタリアートの独裁である。その仕事はもちろんのこと、国家の枠に限定されない。その状況の論理からして、それはただちに国際的舞台に投げ出されるだろう。[60]

トロツキーはここで、パルヴスの「社会民主主義的臨時政府」という表現を越えてはっきりと「農民に依拠したプロレタリアートの独裁」という新しい定式を提出している。合法的出版物に書かれた序文であったため、社会主義的変革への移行という永続革命論の決定的な「環」についてはまだここでは書かれていないが、トロツキーの『わが生涯』からも明らかなように、この時期に永続革命論の全体像が形成されたとみなしても間違いではないだろう。

こうしてマルトゥイノフが提起した批判に対する唯一可能な建設的回答が出された。マルトゥイノフが避けようとした否定的な展望は、トロツキーにあっては、壮大な世界革命への道を切り開く積極的な展望へと転換された。それは、マルトフの主張とは異なって、当面する革命がブルジョア的なものではないからでもなければ、ブルジョア革命がすでに限界に達したからでもない。すでに限界に達していたのは、ロシアにおけるブルジョア革命そのものではなく、ブルジョアジーの革命性であり、ブルジョア革命の自足的性格なのである。世界史の発展水準とロシアにおける資本主義発展の特殊性は、ロシアで始まったブルジョア革命がその限界に達する以前に、革命そのもののブルジョア的枠組みを突破することを不可避としたのである。

十、一九一七年による歴史的検証

以上、一九〇五年革命当時における「革命の展望」をめぐる大論戦の第一ラウンドについて概観した。

この論戦はその後、一〇月ストから一二月蜂起にいたる革命の頂点での論戦（第二ラウンド）、そして一二月蜂起敗北後の革命の引き潮期における論戦（第三ラウンド）へと展開していき、その中で各論者の主張もそれなりの変化を見せるが、[*61] 紙幅および資料の制約上、ここでは論じることはできない。

いずれにせよ、結局一九〇五年革命は敗北に終わったため、この「革命の展望」をめぐる大論争には決着がつけられないままになった。[*62] しかし、この論争の一二年後についに決着がつけられる時がやってきた。だがそれは、一九〇五年のときと違い、専制政府が自然発生的な蜂起によって一気に崩壊し、革命家たちはすでに革命の第一段階が終了した状況から出発することになった。

驚くべきことに、一九一七年に論争当事者（ないし彼らが属する党派）が取った戦略は、トロツキーを除いて、一九〇五年当時に主張していたものとちょうど正反対のものであった。まず、一九〇五年革命当時、急進的野党の戦術をあれほど推奨し、政権に入ることはあらゆる災厄を招くであろうと厳しく警告していたメンシェヴィキは、最初はソヴィエトの与党にのみとどまり、ブルジョア臨時政府に入らないようにしていたが、上から落ちてきた権力を拾っただけの、ブルジョア革命を貫徹する気もなければ確固たる階級的基盤も持たないブルジョア政治家たちの砂上の楼閣的政権に、ただ外部から圧力を加える立場にいつまでもとどまることはできなかった。この外部からの圧力戦略の有効性は、政権当事者がそれなりに確固とした力と意志を持っている場合にかぎられる。一突きで簡単に倒れる紙の政権に、プロレタリアートと農民兵士の鉄の圧力を――その政権が倒れない範囲で――加えるというのは、実に滑稽で困難なことだった。結局、メンシェヴィキは数カ月しか「急進的」野党の路線を維持することができず、早々にブルジョア政権に、しかもその人質として入ることを余儀なくされた。だが、ブルジョア民主主義派の影法師のようなブルジョア政治家といっしょに政権に就いても、何ら困難は解決されなかった。もしその中で本気でブルジョア民主主義革命の課題を遂行しようとすれば、たちまちブルジョア政治家たちを蹴散らし、単独で権力を握らなければならないはめになったからである。彼らは、アクセルとブレーキを同時に踏むことを余儀なくされたが、しだいにアクセルを踏む力よりもブレーキを踏む力の方が大きくなっていった。結局、ブルジョア臨時政権の社会主義者たちは、かつてマルトゥイノフが「権力に就く羽目になったらわれわれは後ずさりしないだろう」と明言し、マルトフが「革命を先に進め永続革命をするだろう」と明言していたにもかかわらず、ブルジョア革命の枠を乗り越えて社会主義的課題に着手するどころか、ブルジョア民主主義的課題も貫徹することができず、それでいて、この政権を維持するのに必要な「保守的」措置は次々と取ることを余儀なくされた。まさにマルトゥイノフの予想通りの不吉な事態が、ただしメンシェヴィキ自身の経験として生じたのである。マルトゥイノフは正しかった！ 労働者階級の革命党は、ブルジョア的課題に自己限定した上で臨時革命政府に入ることはできず、もしそうしようとすれば、自ら労働者を弾圧する「小ブルジョア民主主義」派に転落するはめになるのである。

他方、一九〇五年革命当時、断固として革命的民主主義派とともに政権に入って、上からも下からも圧力を加えて、ブルジョア民主主義的課題を貫徹するべきであると主張していたレーニンは、その教えに忠実に臨時政府に対する批判的支持の立場をとろうとした他のボリシェヴィキたちを激しく非難して、むしろ一九〇五年革命当時にマルトゥイノフやマルトフやプレハーノフが主張していたような急進的野党の戦略をとった。まさにお互いの剣を入れかえたかのごとくであった。レーニンは、断固として野党の立場にとどまり、ブルジョア臨時政府を、そこに入った社会主義者ともども徹底的に批判し、その限界と犯罪性を暴露し、もっぱら下から圧力を加え、ソヴィエトの中で一歩一歩多数派を獲得する路線をとったのである。

自分の主張を一九〇五年革命当時から変える必要がなかったのはトロツキーだけであった（すでに極右派になっていたパルヴスは論外）。ただ違ったのは、トロツキーの予想に反して、革命の事前の組織化と高揚の中で専制が崩壊するのではなく、戦争によって完全に疲弊していた専制政府が下からの最初の一撃あっさりと崩壊したことであった（レーニンは一九〇五年に専制政府は一撃で打倒されることもありうると予言し、マルトゥイノフはそれを嘲笑したが、レーニンが正しかったことが明らかになった）。最初の出発点としての状況は予想と異なったとはいえ、それはトロツキーの戦略路線をいささかも変更するものではなかった。すでにトロツキーは、一九〇五年当時、そうした場合のことも予想して次のように述べていたのだからなおさらである。

もちろん、われわれの前にツァーリ政府がすでになく、ブルジョア的臨時政府があるという場合には、人民の前にその限界性を容赦なく暴露するであろうし、プロレタリアートはそれを護衛しつつ前へ進め、反動の攻撃からそれを守り、そして動揺する場合にはその義務を履行するよう強いるであろう。[*63]

ただしトロツキーはこのような事態になる可能性はほとんどないとみなしていたが、この予想はけっして間違っていなかった。なぜなら、一九一七年に権力を握ったブルジョアジーは自らの革命闘争によってそれを下から奪取したのではなく、プロレタリアートが自己を組織する前に専制があまりにもあっさりと崩壊したために、目の前に落ちてきた権力をただ拾ったにすぎないからである。トロツキーは、一九〇五年革命のときに定式化した路線を一九一七年においても固く堅持した。ブルジョア民主主義的課題さえ遂行できないブルジョア政権を、事前に準備され計画された武装蜂起を通じて打倒し、「農民に依拠したプロレタリアートの独裁」を実現すること、そしてブルジョア革命的課題を完遂するとともにその枠を突破して社会主義的変革の課題に着手し、それによって国際革命のプロローグとなること、これであった。

レーニンは急進的野党というかつてのメンシェヴィキ的戦略をその後すみやかにトロツキーの永続革命の戦略に結びつけた、あるいはより正確に言えば「成長転化」させた。[*64] こうして、一九〇五年革命当時における大論争に最終的決着がつけられたのである。

だが、すでに一九〇五年革命当時に論争の対象とされ、当時のトロツキーも十分に答えていなかった問題がまだ残っていた。それは憲法制定議会の問題である。慧眼なマルトゥイノフは一九〇五年の「革命の展望」の中ですでに、トロツキーの主張する臨時革命政府と憲法制定議会との間に深刻な矛盾があることを見抜いていた。マルトゥイノフの言うことに耳を傾けよう。

同志T〔トロツキー〕は、「革命の戦場にはわれわれ以外に誰もいない」と主張している。もしそうだとすれば、わが国の革命の足もとに広範な国民的基盤がないとすれば、当然のことながら、国民の意思を表現する憲法制定議会は、プロレタリアートのみによって推進される臨時政府に比べて、かなりの後退を意味するだろう。[*65]

このマルトゥイノフの指摘を敷衍すれば、次のような問題を提起することができるだろう。もし成立した憲法制定議会において、多数派が小ブルジョア派であったなら、そしてそれが臨時革命政府のとった急進的措置に反対し、この政府を「不信任」したとしたら、いったいこの臨時革命政府はどうするのか？　トロツキーは一九〇五年当時も一九一七年革命においてもけっしてこの問題を提起することはなかったし、したがって答えることもなかった（もっとも、一九〇五年よりもはるか以前にプレハーノフは「その場合は憲法制定議会を解散させる」という回答を与えていたのだが）。

しかし、この問題は、プロレタリアートが圧倒的少数派である農民国におけるプロレタリア革命に内在する本質的矛盾の現われ以外の何ものでもなかった。そして、歴史は、マルトゥイノフの予想が正しかったことを明らかにした。都市プロレタリアートの革命的意志の集中的表現であったソヴィエトよりも、全国の平均的な政治的水準を反映する憲法制定議会の方がはるかに保守的な議員構成を示したのである。多数派となったのはエスエルであり、ボリシェヴィキは四分の一程度でしかなかった。革命的ソヴィエト政権と保守的憲法制定議会との新たな「二重権力」危機が生じた。ソヴィエト政権は、成立したばかりの憲法制定議会を武力で解散するという「平民的方法」を取ることでこの新しい「二重権力」危機を一日で切り抜けたが、このような措置が、対外的にソヴィエト政権の正当性を著しく傷つけることになったのは疑いない。

注

＊1　ロシアではプロレタリアートが反帝政闘争や民主主義革命のヘゲモニーを取らなければならないという思想は、ロシア・マルクス主義の父であるプレハーノフに由来するものである。拙書『ヘゲモニーと永続革命』（社会評論社、二〇一九年）の第一章を見よ。

＊2　マルトフ「一月九日」、『トロツキー研究』第四七号、五六〜五七頁。レーニンはこの章句に自派への批判を見て取り、ただちに反論を試みている。参照、レーニン「われわれは革命を組織すべきか」、邦訳『レーニン全集』第八巻、一六七〜一六九頁。

＊3　トロツキー「ペテルブルク蜂起以後」、『わが第一革命』、現代思潮社、八〇頁。強調はママ。

＊4　そして、これは後にローザ・ルクセンブルクが「革命的自然発生」というより一般的な形で論理化するものと通底するものでもある。トロツキーとローザ・ルクセンブルクとのあいだには、この点で深い革命的共鳴性が存在していた。ローザにおける「自然発生性」の称揚は、前衛的プロレタリアートによる組織化や指導性を軽視するもの、あるいは否定するものとさえとみなされているが、それはまったくの誤解である。

＊5　前掲「一月九日」、『トロツキー研究』第四七号、五七頁。レーニンも前掲論文「われわれは革命を組織するべきか」でこの文章を引用して追随主義として批判している。

＊6　前掲トロツキー「ペテルブルク蜂起以後」、八一〜八二頁。

＊7　パルヴス「総括と展望」、『トロツキー研究』第一三号、八五〜八六頁。

＊8　レーニンは前掲論文で、パルヴス論文がきわめてボリシェヴィキ的であることを皮肉な喜びも露わに指摘している――「組織せよ、また組織せよとパルヴスは、まるで突然ボリシェヴィキになったか

のように繰り返している」（前掲レーニン「われわれは革命を組織すべきか」、一六二頁）。

＊9　前掲「一月九日」、『トロツキー研究』第四七号、五七頁。レーニンもこの「解き放つ」云々を嘲笑的に批判している。

＊10　前掲トロツキー「ペテルブルク蜂起以後」、八八頁。

＊11　ちなみに、メンシェヴィキ主流派とレーニンは、トロツキーやパルヴスと違って、第二、第三のガポンの出現を予期し、そこに革命の「ブルジョア性」（メンシェヴィキ）ないし「人民性」（レーニン）を見出したのだが（邦訳『レーニン全集』第八巻、二八九頁）、正しかったのはトロツキー＝パルヴスの側であった。

＊12　プレハーノフ「別個に進んで、共に撃て」、『トロツキー研究』第四七号、六三頁。

＊13　同前、七二頁。レーニンはただちにこの論文に飛びついて、皮肉な喜びを爆発させている――「プレハーノフは『イスクラ』第八七号の主張で、柔和に、優しくマルトフに会釈しながら、ほめ殺し戦術を見事にやってのけている。プレハーノフは、第八五号の主張の筆者（マルトフ）に敬礼しているが、本質的には彼を完全に論駁しており、『フペリョート』が常に取ってきたまさにその見解を主張している。しっかりやりたまえ！」（レーニン「新イスクラ派の陣営から」、邦訳『レーニン全集』第八巻、一七四頁）。

＊14　同前、六五～六六頁。

＊15　同前、六六～六七頁。

＊16　パルヴス「『一月九日以前』への序文」、『わが第一革命』、四五二～四五三頁。

＊17　マルトゥイノフ「革命の展望」、『トロツキー研究』第四七号、八〇頁。

＊18　同前、八一頁。

＊19　同前、八二頁。

＊20　同前、八八〜八九頁。

＊21　すでに引用したマルトフの論文にも現今の革命における「プロレタリアートのヘゲモニー」のことが触れられているし、マルトゥイノフの「革命の展望」のⅡの冒頭でも次のように書かれている――「過去の世紀のブルジョア革命は、ブルジョア民主主義派のヘゲモニーのもとで遂行され、美しい衝動、大袈裟な美辞麗句、効果的な粉飾をほどこされた革命であった。ロシア革命はプロレタリアートのヘゲモニーのもとで遂行される。それは、自分のあるがままの姿を示す最初のブルジョア革命である」（前掲マルトゥイノフ「革命の展望」、『トロツキー研究』第四七号、九〇頁）。

＊22　前掲パルヴス「『一月九日以前』への序文」、四五五頁。

＊23　同前、四五六頁。

＊24　前掲マルトゥイノフ「革命の展望」、『トロツキー研究』第四七号、九二〜九三頁。

＊25　レーニン「社会民主党と臨時革命政府」、邦訳『レーニン全集』第八巻、二八三頁。

＊26　前掲マルトゥイノフ「革命の展望」、『トロツキー研究』第四七号、九七頁。

＊27　ユーリ・マルトフ『ロシア社会民主党史』新泉社、一九七六年、一七八頁。

＊28　レーニン「プロレタリアートと農民の革命的民主主義独裁」、邦訳『レーニン全集』第八巻、二九一頁。なお、レーニンの「労農民主独裁」論についてより詳しくは、本書の第二章「パルヴス、トロツキー、ロシア革命」を参照せよ。

＊29　トロツキー「政治的書簡」（Ⅱ）、『わが第一革命』、九七頁。

＊30　同前、九八頁。

＊31　同前、九八〜九九頁。

＊32　前掲マルトフ「一月九日」、『トロツキー研究』第四七号、五六頁。
＊33　前掲トロツキー「政治的書簡」(Ⅱ)、九九頁。
＊34　同前。
＊35　同前、一〇〇～一〇一頁。
＊36　同前、一〇一～一〇三頁。
＊37　*Искра*, No. 93, 17 March 1905, c. 4.
＊38　前掲パルヴス「『一月九日以前』への序文」、四五六頁。
＊39　ロシア社会民主党以外の理論家による当時の見解については、本書の第1章「パルヴス、トロツキー、ロシア革命」を参照せよ。
＊40　前掲マルトゥイノフ「革命の展望」、『トロツキー研究』第四七号、一〇二～一〇三頁。
＊41　同前、一〇四～一〇五頁。
＊42　同前、一一四～一一五頁。
＊43　同前、一一八頁。
＊44　前掲レーニン「プロレタリアートと農民の革命的民主主義独裁」、二九九頁。
＊45　前掲マルトゥイノフ「革命の展望」、『トロツキー研究』第四七号、一一九頁。
＊46　スペイン革命の経過と帰結については、本書の第六章「トロツキーとスペイン革命」を参照せよ。
＊47　最近、ロシア革命研究者のあいだでは、ロシア革命の頂点は二月革命であって、それ以降は堕落ないし歴史の逸脱であったかのような歴史修正主義的見方が広がっているが、それはまったく歴史の現実を見ない空論である。
＊48　前掲マルトゥイノフ「革命の展望」、『トロツキー研究』第四七号、一二二頁。

＊49　マルトフ「労働者党とわれわれの当面する目標としての『権力獲得』」、『トロツキー研究』第四七号、一三五〜一三六頁。優れたマルトフ伝を書いたゲッラーは、このときマルトフがブルジョア革命的展望に固執した理由を、マルトフの、少数派独裁を嫌悪する「気質」から説明し、それゆえ「この時期の強烈な革命的誘惑に抗したのだろう」と結論づけているが（I・ゲッラー『マールトフとロシア革命』河出書房新社、一九七五年、一六七頁）、問題はまったくそんなところにはなく、ブルジョア民主主義派に対する彼のナイーブな過大評価と、経済還元主義的で図式主義的な彼のマルクス主義理解にあったと見るべきだろう。そもそも、レーニン以上に少数派独裁的な気質と親和的であったプレハーノフこそが、マルトフのブルジョア革命論の生みの親であったことを忘れるべきではない。

＊50　同前、一三六〜一三七頁。

＊51　同前、一三七頁。

＊52　同前。

＊53　同前、一三九頁。

＊54　マルクス＆エンゲルス「一八五〇年三月の中央委員会の同盟員への呼びかけ」、邦訳『マルクス・エンゲルス全集』第七巻、大月書店、二四九頁以下。

＊55　同前、二五〇〜二五一頁。

＊56　プレハーノフ「権力獲得の問題に寄せて」、『トロツキー研究』第四七号、一五〇頁。

＊57　レーニン「一七八九年型の革命か、一八四八年型の革命か？」、邦訳『レーニン全集』第八巻、二五四頁。

＊58　同前、二五五〜二五六頁。

＊59　トロツキー「ラサール『陪審裁判演説』への序文」、『トロツキー研究』第四七号、一九三〜一九四頁。

＊60　同前、一九五〜一九六頁。

＊61　それはおおむね、第二ラウンドにおける革命の最大限の高揚を背景にしての、各論者の「永続革命」論への接近（メンシェヴィキもボリシェヴィキも）、第三ラウンドにおける革命の退潮を背景にしての、各論者の第一ラウンド時の見解へのより確固とした後退、として概括できるだろう。ここでもトロツキーだけが一貫してその主張を変えていない。

＊62　ちなみに、歴史的な一九〇五年に生じた大論争は、「革命の展望」をめぐるものだけではない。その後、革命的自治組織とソヴィエトをめぐる論争、農業綱領と農村での活動に関する論争などをはじめ、多くの重大な論争が存在する。たとえば、メンシェヴィキが蜂起の前に蜂起を準備する革命的自治組織を提唱した時、レーニンはメンシェヴィキの日和見主義を証明する一〇一個目の証拠として糾弾したが、ソヴィエトの歴史が示すように、正しかったのはレーニンではなくメンシェヴィキの方であった。だが、こうした論争の歴史をすべて詳細に追跡することは、本稿の範囲を完全に越えている。

＊63　前掲トロツキー「政治的書簡」、一〇二頁。強調はママ。

＊64　レーニンのいわゆる「四月テーゼ」をもって、すでにこの時点でレーニンが永続革命の路線に立つようになったようにみなす論者がトロツキストの中に多いが、これはやや過大評価である。とりあえずレーニンは「急進的野党」の路線を確立し、その後急速に永続革命の路線へと「成長転化」したのだとみなすべきである。

＊65　前掲マルトゥイノフ「革命の展望」、『トロツキー研究』第四七号、一二二頁。

第三章　一九〇五年革命をめぐるバートラム・ウルフの歴史偽造

【解題】本稿はもともと、トロツキー研究所の『ニューズレター』第四五号（二〇〇七年）に掲載されたものである。初出時には、いいだもも氏の議論に対する詳細な批判が含まれていたが、ここではすべて割愛した。

一九〇五年革命におけるトロツキーとレーニンの立場についてはすでに多くの論文・書物が書かれ、スターリニストによる多くのデマゴギーと神話が覆されてきた。だが、人間の記憶力と理解力はそれほど持続的でも包括的でもなく、そうした歴史的蓄積を常に踏まえているとはかぎらず、絶えず、とっくに克服され正されたはずの誤解と神話を復活させる。とくに、昨今の反動と右傾化の時代においては、かつて理解されていたはずのことさえ忘れられ、あるいは無意識的に歪められることが、しばしば起こる。[*1]悔い改めた元急進主義者の文章を読むと、トロツキーが言うように、反動期においては運動のイデオロギー的水準がいかに低下するのかを実感することができる。[*2]

一九〇五年革命におけるレーニンの労農民主独裁論とトロツキーの永続革命論（およびパルヴスの労働者民主主義論）との相違と連関については、すでにトロツキー自身による多くの論究があるだけでなく、その後も多くの研究者や活動家が論じてきた問題であり、『トロツキー研究』でも何度か詳細に論じてきた古い問題である。とっくに決着済みとも言える問題だが、この問題に熟知しているはずの古参「マルクス主義」者でも、このテーマについてしばしばまったく的外れな議論しているのは実に驚くべきことである。

この第三章で取り上げるのは、アメリカ共産党の元右翼反対派幹部でコミンテルンの極左転換をきっかけに除名されたバートラム・ウルフの著作『革命をつくった三人』[*3]における一九〇五年革命論である。

バートラム・ウルフは、『コミンテルン人名事典』によると、[*4]若いころは研究者としての訓練を積み、ロシア史の教鞭もとったとのことだが、その後すぐに社会主義活動に没入していくので、専門的な歴史家であるとは言えないかもしれない。したがってその歴史記述には専門家に求められるような高度な専門性を求めるべきではないのかもしれない。しかし、それにしても、『革命をつくった三人』での記述はひどすぎる。共産党時代は右翼スターリニストでしかなく、トロツキスト狩りに熱心に参加したバートラム・ウルフがトロツキーの永続革命論をまったく理解していないのは仕方がないにしても、もっと初歩的で技術的な面でもお粗末である。

まずもって、同書では多くの文献が引用されているにもかかわらず、ウルフは出典を何一つ指示していない。いったいどこから引用したものなのか、引用された文章から推測するしかないのだ。最初、私は、これは翻訳者が紙幅の都合で省略したのかと思っていたのだが、英語の原著を確認して見ると、そこにもまったく出典が記されていなかった。それゆえ、その引用箇所の出典を確認するだけでも一苦労だったのだが、何とか確認してわかったことは、バートラム・ウルフの引用の仕方はいいかげんなものだということである。

本稿は、ウルフのこの「歴史偽造」を、同書全体にわたって検証することを目的とするものではないので、確認したのは一九〇五年革命に関する部分だけだが、そこだけ見ても、専門的歴史家でなくともおよそ歴史記述を行なう著述家には絶対に許されないような不正確さと詐術に満ちている。

一、一九〇五年革命における三つの見解

ウルフは、『革命をつくった三人』の第一七章「亡命者の一九〇五年」において、一九〇五年革命におけるトロツキーとパルヴスの見解をセットにして、メンシェヴィキとボリシェヴィキの見解に対立する見解として論じている。まずもってこれが間違いである。

ウルフは、一九〇五年革命における三つの見解として、一、メンシェヴィキの見解、二、パルヴスとトロツキーの見解、三、レーニンの見解、の順で論じている。パルヴスとトロツキーとでは、ある根本的な点で見解が異なるのだが、ウルフにはその違いがまったく理解できない。

パルヴスは、トロツキーの『一月九日以前』への序文の中で、来たるロシア革命において、ロシアにおけるブルジョアジーの脆弱さと政治的臆病さ、小ブルジョアジーの政治的不在、プロレタリアートの強力さという客観的構造的要因から、ブルジョア民主主義革命を主導するのはブルジョアジーでも小ブルジョアジーでもなく、ひとりプロレタリアートのみであり、したがって「社会民主党がロシア・プロレタリアートの革命運動の先頭に立つならば」、社会民主党を多数派とする「社会民主主義政府」を実現することができるだろうし、それは「労働者民主主義の政府」になるだろうと主張した。[*5] 当時、誰もが、来たるロシア革命におけるブルジョア政党ないし小ブルジョア政党による権力獲得を疑っていなかったときに、社会民主党が主導的政治勢力として政権を取れると主張したことは、理論的にき

わめて衝撃的なことであった。これがトロツキーの永続革命論にとって決定的な触媒の役割を果たしたことは疑いない。レーニンの労農民主独裁論もこのパルヴスの議論に触発されたものであり、メンシェヴィキでさえ、一九〇五年革命の展開とパルヴスの影響を受けて、単純な二段階革命論から、連続革命論により近い急進的な二段階革命論に移行したぐらいである。

それにもかかわらず、「パルヴスとトロツキーの見解」などとひとくくりにすることができないような決定的な相違が両者のあいだにはあった。パルヴスが展望したのは社会民主党による政権獲得だけであって、けっして「プロレタリアートの独裁」の実現ではなかったし、またけっして二段階革命論も否定しなかった。パルヴスは、ブルジョアジーにも小ブルジョアジーにもブルジョア民主主義革命を遂行しえないし、遂行する気もないのだから、労働者の党がそれをしなければならないと考えただけなのである。彼は、自己の展望する「社会民主党政府」が、普通のブルジョア民主主義的課題とともに、八時間労働制などの労働者民主主義の課題をも当然に遂行すると考えていたので、彼はそれを単なる「民主主義政府」とはみなさなかった。それゆえ彼は、「労働者民主主義の政府」と名づけたのである。それは実を言うと、後に、戦後ヨーロッパ各国で実現する社会民主主義政権に近いイメージであった。封建的遺制を一掃して、言論・出版・表現の自由などのブルジョア民主主義的課題を遂行するとともに、労働者のための施策を積極的に行なう政府、それがパルヴスの革命政府像であった。パルヴスは、例の序文においてはっきりと「社会民主主義的臨時政府は、ロシアで社会主義的な変革を成し遂げることはできないだろう」と述べている。[*6] また、パルヴスを含めメンシェヴィキもレーニンも永続革命論的立場に最も近づいた一九〇五年末における革命の最盛期においても、パルヴスは、

「ロシアではブルジョア革命を社会主義革命に転化させることがわれわれの任務だとはまだ考えられない」と述べている。[*7]

したがってパルヴスの革命論は、永続革命論とまったく似て非なるものである。それはむしろ、レーニンの労農民主独裁論に近い。違うのは、農民政党が労働者政党と肩を並べて政権に主導的に参画する事態などありえないとみなしていたこと、したがって「民主主義独裁」という特殊用語を必要としなかったことだけである。パルヴスもレーニンも、民主主義革命を越え出るつもりはなかったし、社会主義革命に移行するつもりもなかった。パルヴスの革命論は、いわば「労農民主独裁論マイナス農民政党」なのである。

実はこの点は、レーニンによっても正しく理解されていた。レーニンは自らの「労農民主独裁」論を初めて体系的に説明した論文「社会民主党と臨時革命政府」（一九〇五年四月）の中で、次のように述べている。

> パルヴスははっきり……革命的民主主義独裁の思想を擁護し、社会民主党は専制を打倒したあとで臨時革命政府に参加する義務があるという思想を擁護して立ち上がった。[*8]

このようにレーニンははっきりと、パルヴスが「革命的民主主義独裁の思想を擁護した」と断言している。この点は、後にウルフの歴史偽造を検証するときに重要になるので、よく覚えておいてほしい。

それに対してトロツキーはメンシェヴィキと同じく、革命的状況下で政権に主導的に参加した労働者政党がブルジョア民主主義革命の枠を一歩も越えないと――マルクス主義の歴史発展図式にもとづいて――自制することから生じるあらゆる危険性を理解していた。労働者は、単にブルジョア的自由と民主主義のためだけに自己の生命を賭して闘ったのではない。彼らはブルジョア的利益とさえ真っ向から対立する自らの階級的利益のために闘ったのである。そして、専制政府によるあらゆる弾圧とブルジョアジーのあらゆる裏切りを乗り越えて自己の党を政権党にまで押し上げた労働者の先進的部分がどうして、マルクス主義的な発展図式にもとづいて、革命のそれ以上の発展を突然自制するなどと想定しうるのか？　もし、社会民主党が依拠するこれらの先進層が、革命を清算しようとするブルジョアジーに対して革命的攻勢を要求したらどうするのか？　そのような要求は、マルクス主義の歴史発展の図式に合致しないという理由で彼らを説得するのか？　だが説得に成功しなかったらどうするのか？　労働者が自ら工場を接収しはじめたらどうするのか？　労働者の政府はそのとき二者択一を迫られるだろう。これらの先進的労働者とともに、ブルジョア民主主義革命の枠を乗り越え、それによって作り出された巨大な衝撃をヨーロッパにまで波及させることに力を尽くすのか、それとも、前衛政党が設定した図式を乱暴に踏みにじろうとするこれらの「無政府分子」を無慈悲に弾圧し、ブルジョア民主主義革命の鉄枠を防衛する社会民主主義的憲兵の役割を果たすのか（三〇年後にスターリニストがスペイン革命で実行したように）？

この先鋭な二者択一に対して、メンシェヴィキとトロツキーは正反対の回答を出した。メンシェヴィキは、ブルジョア民主主義革命の枠を突破することはできないし（なぜならそれはマルクス主義の社会発展図式に反するから）、かといって労働者政党が弾圧者の役割を果たすこともできないのだから、政権にそもそも参画するべきではないのだと主張した。このメンシェヴィキの立場は実は単純に間違いとは言えない。なぜなら、労働者階級の先進層が、たとえブルジョア民主主義革命の枠を突破してでも労働者政党による権力獲得を追求するべきであるという立場に立つまでは、たとえ革命の成り行きで政権に参加することが可能になったとしても政権に入るべきではないからである。そして、一九一七年の四月以降にレーニンがとった立場もこれであった。労働者政党が政権に参加するのは、ブルジョア民主主義革命の人質としてでもなければ、ブルジョア秩序の社会主義的番人としてでもなく、労働者階級の独自の利益を貫徹する主導的勢力としてであるのだから、そうした条件が存在しない場合には、まさにメンシェヴィキが主張するように「革命的野党」の立場を守るべきなのである。

一九一七年のロシア革命の説明として、レーニンが一九一七年四月にトロツキーの立場に立ったと言われることは多いが（もちろん非スターリニストの陣営において）、実際には、レーニンはまずもって、メンシェヴィキのかつての革命的野党論に立ったのである。だが、その目的は、メンシェヴィキと違って、ブルジョア民主主義革命の鉄枠を堅持するためではなく、その枠を突破する準備段階としてであった。

メンシェヴィキが、ブルジョア民主主義革命の枠を絶対視して、政権参画を最初から排除したのに対し[*9]、トロツキーは逆に、労働者政党以外にブルジョア民主主義革命を貫徹しうる勢力は存在しないのだから、メンシェヴィキの立場は事実上、ブルジョア民主主義革命の放棄にしかならないとみなした。労働者階級と労働者政党が革命運動のヘゲモニー勢力として旧体制の打倒に決定的役割を果たしたにもかかわらず、権力を目前にして意識的に足踏みし、権力の殿堂を、民主主義的言辞を弄するだけで民主主義革命を遂行する意志のないブルジョア諸政党が占領するに任せることは、最大級の革命的裏切りを意味するだろう。そんなことはありえない。労働者政党は、ブルジョア民主主義革命を貫徹するためにも、自ら権力を獲得しなければならない。だが、権力を獲得した暁に、マルクス主義の発展図式にもとづいて、ブルジョア民主主義革命の枠を超えるあらゆる施策をあらかじめ拒否したり自制したりすることができるだろうか？　それもまたありえない。主として外国人からなる悪辣な工場主のとてつもない過剰搾取のもとで呻吟してきたロシアのプロレタリアートが（ロシアの労働者の状態は産業革命期のイギリス労働者の状態に優るとも劣らないひどさだった）、自己の手に政治権力を獲得したというのに、どうして、引き続き、工場主の前で従順な賃金奴隷として振舞わなくてはならないのか？　あるいは、そもそも、どうしてそんなことを労働者が選択すると思うのか？　そんなことはありえない。政権に就いた労働者政党は、自分たちが権力を獲得する上で依拠したこの巨人のような労働者階級の願望と利益に沿って、ブルジョア民主主義革命の鉄枠を突破するか、さもなくば、自らの基盤たるこの労働者階級の先進層と敵対し、どちらかが粉砕されるまで階級内内戦を遂行するかのどちらかを選択せざるをえないだろう。トロツキーの答えがどちらであるのかは最初から明らかである。こうして、この客観的過程の論理に即して考えれば、革命の勝利を目指すかぎり、労働者政党は権力をとらなければならないし、権力をとったかぎりは、民主主義革命の枠を超えないわけにはいかないのである。「永続革命論はまさにこの階級闘争の客観的論理のダイナミズムに依拠するのであって、「社会主義革命への直行・直進」をめざす革命党の急進主義的意志にもとづくものではなかった。

当時、トロツキーはこの点をいかなる誤解の余地もなく説明している。たとえば、一九〇五年一二月に書かれた「マルクス『フランスにおける内乱』への序文」の中で、プロレタリアートによる権力獲得をもたらす階級闘争の客観的論理について次のように書いている。

> 社会民主党は、客観的発展の意識的表現でなければならないし、そうありたいと望んでもいる。しかし、ひとたび階級闘争の客観的発展が革命の一定の時点で、国家権力の権利と義務を引き受けるべきか、それとも、自らの階級的立場を明け渡すべきか、という二者択一をプロレタリアートの前に迫るならば、社会民主党は国家権力の掌握を当面の任務とするだろう。党はその際、客観的な発展過程や、さらには生産の増大と集積の過程をいささかも無視するものではないが、次のように言うだろう。すなわち、究極的には経済的発展過程にもとづいている階級闘争の論理が、ブルジョアジーが自らの経済的使命を「使い果たす」よりも前に……ひとたびプロレタリアートを独裁にまで押しやっているのだとすれば、そのことはただ、歴史がその困難さにおいて巨大な課題をプロレタリアートに課していることを意味しているのだ、と。もしかすると、プロレタリアートが闘争の中で疲れ果て、その困難さに打ちのめされることさえあるかもしれない――もしかすると、であるが。しかし、プロレタリアートは、階級の解体と国全体の野蛮状態への没入を恐れて、こうした課題を放棄するわけにはいかないのである。*10

この引用文の最後の一句は非常に予言的に響く。実際、一九一七年以降に（とくに内戦後に）起きたことは、まさにこのような事態――「プロレタリアートが闘争の中で疲れ果て、その困難さに打ちのめされ」、「階級の解体と国全体の野蛮状態への没入」に他ならなかったからである。トロツキーは、一九〇五年一二月の時点で、このような可能性をすでに予見していたのである。だが、そのような可能性を恐れて、プロレタリアートは歴史によって自らに課せられた巨大な任務を担うことを放棄してはならない、それは階級的自殺行為である、というのがトロツキーの立場であった。したがって、後知恵の結果論にもとづいて、やっぱり一九一七年に労働者階級ないしボリシェヴィキは権力をとるべきではなかったとか、ブルジョア民主主義革命の枠を超えるべきではなかった、などと説教する元急進主義者たちは、歴史の客観的な発展過程を恣意的に選択できると考えているのである。そのような恣意的選択の結果がいかなるものであったかは、一九一七年の二〇年後におけるスペイン革命の悲劇が雄弁に物語っている。[*11]

さらにトロツキーは、プロレタリアートが権力をとった後には、同じくこの客観的論理にもとづいて民主主義革命の枠を突破せざるをえないことを「総括と展望」の中で次のように力説している。

> プロレタリアートの政治的支配はその経済的隷属と両立しない。プロレタリアートは、いかなる政治的旗のもとに権力に就いたとしても、社会主義的政策の道に足を踏み出さざるをえない。プロレタリアートは、ブルジョア革命の内的な発展力学によって国家支配の高みにまでのぼった。そのプロレタリアートがあたかも、そう望みさえすれば、その使命をブルジョアジーの社会的支配のための共和主義的・民主主義的条件を創出することに限定することができるかのように考えるのは、最大級のユートピアである。プロレタリアートの政治的支配は、たとえ

それが一時的なものであろうと、資本の抵抗を著しく弱め――なぜなら資本は国家権力による支援を常に必要としているから――、プロレタリアートの経済闘争に巨大な規模を与えるだろう。労働者は革命政権にストライキ参加者への支援を要求せざるをえないし、プロレタリアートに依拠している政府はそのような支援を拒否することはできない。しかし、このことは、労働予備軍の作用を麻痺させ、労働者を政治の領域だけでなく経済の領域でも主人たらしめ、生産手段の私的所有を一個の虚構に転化させることを意味する。これらはプロレタリアート独裁の不可避的な社会的・経済的帰結であり、そうした帰結はただちに、すなわち、政治体制の民主化が完了するよりもずっと以前に現われるであろう。かくして、「最大限」綱領と「最小限」綱領とを分かつ境界は、プロレタリアートが権力に就くやいなや消滅するのである。[*12]

したがって当時、ロシア革命の展望に関しては、ウルフが言うように三つではなく、メンシェヴィキ、ボリシェヴィキ、パルヴス、トロツキーの四つの立場が存在したのである。そして、この四つの立場は、当時マルクス主義革命家たちの前に突きつけられていた三つの主要問題に対するそれぞれなりの回答を意味していた。

一、当面するブルジョア民主主義革命において、労働者階級と労働者政党は主導的役割を果たすべきか否か

二、この革命の過程で主導的役割を果たした労働者政党は政権に参加して、下からばかりでなく上からもブルジョア民主主義革命を貫徹するべきか否か

三、政権に参加した労働者政党はブルジョア民主主義革命の枠を突破するべきか否か

この三つの大問題のうち、第一の設問については、すべての党派・個人がイエスと答えた。第二の設問に関しては、メンシェヴィキはノーと答え、ボリシェヴィキ、トロツキー、パルヴスはイエスと答えた。そして最後の第三の設問に関しては、トロツキーだけがイエスと答え、レーニンとパルヴスはノーと答えた。

以上見たように、トロツキーとパルヴスとをいっしょくたにして、ロシア革命の展望をめぐる当時のマルクス主義革命家たちの意見の相違を三つに分類することは、重大な誤りなのである（ただしパルヴスを無視すれば、三つに分類することは可能である）。

このような内容上の無理解だけでなく、ウルフは、次のように述べることで、もっと初歩的な誤りを犯している。

トロツキーが後の著書『ロシア革命史』の中で呼ぶことになるこの「複合発展法則」を、彼とパルヴスは今や「永続革命」と命名したのである。[*13]

話は一九〇五年のことであるから、ここの記述は二重に誤っている。まず第一に、パルヴスは、一九〇五年当時もそれ以降も自分の革命論を「永続革命」と呼んだことはないし、呼ぶはずもない。パルヴスにあっては革命はけっして永続しない。それは、ブルジョア民主主義段階でいったんストップする。それ以降、労働者民主主義の政権のもとで資本主義の発展が実現し、その後でようやく社会

主義革命が可能になるのである。

第二に、一九〇五年当時にかぎれば、トロツキーもまた自分の革命論をとくに「永続革命論」とは命名しなかった。当時、「永続革命」という言葉を当面するロシア革命との関連ではじめて用いたのは、本書の第二章で明らかにしたように、むしろメンシェヴィキであり、メンシェヴィキは一九〇五年三〜四月の時点ですでに「永続革命」について何度も論じていた。トロツキー自身がロシア革命の展望に関わって「永続革命」という言葉をはじめて用いるのは、メンシェヴィキに遅れること九ヵ月の一九〇五年一二月に書かれた「マルクス『フランスにおける内乱』への序文」においてであり[*14]、しかも一回出てくるだけである。当時彼は、一般に自分の革命論を「連続革命」と呼んでいた。トロツキーの永続革命論が最も総括的に述べられた最初の著作である『総括と展望』にさえ「永続革命」という言葉はただの一度も登場しない。

二、レーニンによる「トロツキー＝パルヴス批判」？

さて、ウルフは、トロツキーとパルヴスとの同一性という偽命題を提唱した上で、それに対するレーニンの批判を紹介する。だが、このレーニンによる批判なるものが、まったく誤った引用による歴史的でっち上げというべきものなのである。まず、ウルフは、パルヴスがトロツキーの『一月九日以前』の序文の中で「臨時革命政府は、社会民主党を多数派とする……社会民主主義政府になるだろう」と述べたことに対する（とウルフは述べている）レーニンの次のような反論を引用する。ここの引用はウルフの原著から行なおう。

そんなことはありえない！　……ありえないというのは、革命的独裁は、それが人民の大多数に依拠する場合のみ一定期間存続することができるからである。……プロレタリアートは少数派である。それが強力な圧倒的多数を指揮する（command）ことができるのは、半プロレタリア、半所有者の大衆……と結合する場合のみである。……このような構成は当然、革命政府の構成にも反映するだろう。……この点に関していかなる幻想に陥るのもきわめて有害であろう。……何か別の道を通って社会主義に到達しようとする者は必然的に、経済的にも政治的にも最も愚劣で反動的な結論に達するだろう。[*15]

この文章はいったいどこからの引用なのだろうか？　先に述べたように、ウルフは出典をまったく指示していない。この出典を（したがってウルフの手品のタネを）明らかにする前に、ウルフが続いてもう一つの引用を行なっているので、それを先に見ておこう。ウルフは、この引用を行なった直後に次のように書いている。

その同じ年の後になって、レーニンはほとんど同一の言葉を使ってトロツキーとパルヴスを攻撃している。彼は両名の見解について次のように述べている。[*16]

つまりレーニンは先の引用文でパルヴスを攻撃し、次の引用文ではトロツキーとパルヴスを同時に攻撃している、というわけだ。では、その引用文を見てみよう。これもまずは、ウルフの原著から引用する。

それは、最大限綱領、すなわち社会主義革命のための権力獲得を即時達成することができるという愚劣で半無政府主義的な見解である。ロシアの現在の発展程度（客観的条件）と、プロレタリアの広範な大衆の自覚と組織の程度（客観的条件と不可分に結びついた主体的条件）からして、労働者階級の即時かつ完全な解放は不可能だからである。現在進行中の民主主義革命のブルジョア的性格を無視することができるのは、まったく無学な人々だけである。労働者大衆が社会主義の目標とそれを実現する方法についてまだいかにわずかなことしか理解していないかを忘れることができるのは、最も無邪気な楽観主義者だけである。だがわれわれはみな確信している。労働者の解放は労働者自身によってしか行なわれえないし、全ブルジョアジーとの公然たる階級闘争によって大衆が階級意識を持ち組織され訓練され教育されないかぎり、社会主義革命は問題になりえない、と。だから、われわれがまるで社会主義革命を延期しているかのように言う無政府主義的反対論に答えて、われわれはこう言おう。われわれは社会主義革命を延期しているのではなく、唯一可能な方法によって、唯一正しい道を通って、すなわち民主共和制という道を通って、社会主義革命への第一歩を踏み出すのである、と。政治的民主主義の道を通らずに別の道を通って社会主義に接近しようとする者は必然的に、経済的にも政治的にも、愚劣で反動的な結論に達するだろう[*17]。

ウルフは、この引用文の最後（傍点部分）をイタリック体で再度引用し、「運命的で予言的な警告だ！」と絶叫している。最初の引用文の最後にも、ほぼ同じ文章があった。つまり、レーニンは、同じ一九〇五年の二つの異なった文献の中でまさにウルフが言うように「ほとんど同一の言葉を使って」トロツキーとパルヴスを非難していた、ということになる。そんなことがはたしてありうるだろうか？

ウルフのそれに続く運命論的ご託宣を検討する前に、この二つの引用文がいったいどこからのものなのか、いったいいかなる文脈で書かれたものなのか、その正確な内容がいかなるものなのかを検証しておく必要がある。

まず最初の引用文の出典は、先ほど別の部分を引用した一九〇五年四月（執筆は三月）の論文「社会民主党と臨時革命政府」である。邦訳『レーニン全集』では、第八巻の二八九頁にその該当箇所がある。ところが、『レーニン全集』の実際の文章とウルフの「引用」とを比較すると、大小二つの違いが存在する。まず小さな違いは、ウルフが「それ〔臨時革命政府〕が強力な圧倒的多数を指揮する（**command**）ことができるのは、半プロレタリア、半所有者の大衆……と結合する場合のみである」と引用している箇所である。しかし、該当部分のロシア語原文には「**command**（指揮する、命令する、支配する）」に相当するロシア語は存在しない。そこは実際にはこうなっている。

それ〔臨時革命政府〕が巨大な圧倒的多数派になる（**стать**）ことができるのは、半プロレタリア、半経営者の大衆と……結合する場合のみである。[18]

このようにレーニンは革命臨時政府が「圧倒的多数派を指揮する」と書いているのではなく、「圧倒的多数派になる」と書いているのである。ウルフがあえて「command」なる英語を用いたのは、大衆を上から操作し支配するボリシェヴィキ独裁のイメージを読者に植えつけたかったからだろう。だが、この程度の印象操作は序の口である。もっと決定的な偽造がこの引用文には存在する。

先ほど述べたように、最初の引用文の最後にも、二番目の引用文の最後にも、ほぼ同じ言葉を用いた文章があった。〔民主主義とは〕別の道を通って社会主義に到達しようとすると愚劣で反動的な結論に達する、という趣旨の文章である。ウルフは、この言葉を繰り返し引用することで、読者に強い印象を与えている。だが、驚くべきことに、最初の引用文の出典である「社会民主党と臨時革命政府」のどこにも、「何か別の道を通って社会主義に到達しようとする者は……」という一文は存在しないのである。

いったいどういうことか？　ウルフは存在しない文章を自分の引用文の末尾に挿入し、その上で、「レーニンはほとんど同一の言葉を使ってトロツキーとパルヴスを攻撃している」と結論づけていることになる。スターリニストもびっくりの歴史偽造ではないか！　そして、内容的に見ても、ウルフがでっち上げたような文章をレーニンがあの論文で、しかもパルヴスに向けて書くはずがないのである。なぜか？

レーニンは、すでに引用したように、あの論文で、パルヴスを、「革命的民主主義独裁」を支持して立ち上がったのだと絶賛していた。実際、トロツキーのパンフレット『一月九日以前』に付したパルヴスの序文のどこにも、社会主義に向けて突き進む話は書かれていない。すでに述べたように、パルヴスの思想の中にはそうした発想はまったく存在しない。パルヴスは、当面するロシア革命をブルジョア民主主義革命と考えていただけでなく、それを突破して社会主義革命に突き進むことなどまったく考えていなかった。そのことをレーニンは百も承知していた。だからこそ、パルヴスを自分の「革命的民主主義独裁」論の支持者として紹介したのである。

レーニンがパルヴスを批判したのは、社会主義革命に向けて今すぐ進むことができるかどうかではなく（そんなことは当時のロシア・マルクス主義者の誰も考えていなかった）、樹立される臨時革命政府がほとんどもっぱら労働者政党によって構成されるとパルブスが考えていたことに対してである。レーニンは、かなり機械的な還元論的発想に立って、ロシアの住民構成においては農民が圧倒的多数を占めているのだから、それが政府の構成にも反映するはずだと考えた。実際には、革命期における政府は、その革命において最も先進的で能動的な役割を果たした政党によって不釣合いに多く代表されるのである。だが、いずれにせよ、問題になっていたのはあくまでも、ブルジョア民主主義革命を貫徹することだけを使命とする政権の構成についてだけである。したがって、「何か別の道を通って社会主義に到達しようとする」云々なる言葉が、レーニンの口からパルヴスに向けて発せられるはずもないのである。

ウルフの歴史偽造はそれだけではない。第二の引用文についてウルフは、レーニンがトロツキーとパルヴスを批判したものであると断言している。しかし、引用されたレーニンの文章のどこにも、トロツキーもパルヴスも登場しない（今回は、引用文はほぼ正確である）。

だが、そもそも、この引用文はどこからとってきたものなのか？　これは実は、レーニンの一九〇五年革命論の主著とも言うべき『民主主義革命における社会民主党の二つの戦術』からとられている。[*19]そして、ウルフが引用した前後の文章を見てもやはり、どこにもトロツキーもパルヴスも登場しない。これは実は、トロツキーとパルヴスを念頭に置いた文章ではそもそもないのである。まず、それがパルヴスを批判するものではないのは、すでに述べたことから明らかであろう。パルヴスは民主主義革命論者であった。民主主義の道を経ずに社会主義革命に進むことなど、まったく問題になりえない。

では、トロツキーはどうか？　さすがにトロツキーは永続革命論者なのだから、たとえ名指しされていなくても、このような批判の対象としてレーニンの念頭に置かれていたのではないか？　だが、残念ながら、それもありえないのだ。なぜか？　『民主主義革命における社会民主党の二つの戦術』が書かれたのは、『レーニン全集』の編集者によると一九〇五年の六〜七月であり、七月にジュネーブで単行本として出版されている。ところが、トロツキーが自分の「永続革命論」（そう命名していたわけではないが）を初めて公然と主張したのは、一九〇五年一一月の『ナチャーロ』紙においてであった。『ナチャーロ』の第一〇号で発表された「社会民主党と革命」こそが、トロツキーの名で永続革命論的思想が公然と語られた最初のものであった。[*20]すなわち、レーニンの例の引用文が書かれた半年も後のことである。

もっとも、トロツキー自身はすでに一九〇五年七月に、フィンランドに亡命していた時期に永続革命論をほぼ完成させていたし、その一端をラサールの『陪審裁判演説』への序文で書き記していた。しかし、この序文が日の目を見たのは一九〇五年の末であり、[*21] 当時のレーニンには知る由もなかった。またこの序文自体、まだ社会主義革命への移行については何も語っていない。したがって、『二つの戦術』において、レーニンがトロツキーを念頭に置いて、民主主義の道とは別の道を通って社会主義革命に至ろうとする思想だとか、最大限綱領を即時に実現しようとする半無政府主義的見解だと非難することは、絶対にありえないのである。

さらに、トロツキーの永続革命論にしても、それは、あくまでも民主主義革命を通じて社会主義革命へと連続する革命という見解であり（だから、別名「連続革命」論なのだ！）、けっして民主主義の道を経ないで即時に社会主義を導入するという思想ではない。レーニンは先の引用文で「現在進行中の民主主義革命のブルジョア的性格を無視することができるのは、まったく無学な人々だけだ」と述べているが、トロツキーもまた、その『総括と展望』の冒頭で、はっきりとこう述べている。

ロシアの革命は社会民主主義者以外のすべての者にとって思いがけないものだった。以前からマルクス主義はロシア革命の必然性を予見していた。それは、発展しつつある資本主義の力と、すっかり停滞している絶対主義の力とが衝突する結果として勃発せざるをえなかった。マルクス主義は来たるべき革命の社会的内容をあらかじめ見定めていた。それをブルジョア革命と呼ぶことによって、マルクス主義は、革命の直接的な客観的課題が全体としてのブルジョア社会の発展のための「正常な」条件をつくり出すことにあると指摘していた。マルクス主義の正しさは明らかになった――そして、もはやこのことを反駁したり証明したりする必要はない。[*22]

さらにトロツキー自身が後に『永続革命論』その他で、トロツキーを民主主義革命の「飛び越え」論者と描き出すスターリニストに対して、繰り返しこの点は証明している通りである。

では、いったいレーニンはあの引用文でいかなる政治的潮流を念頭に置いていたのか？　最もありうるのはエスエル、すなわち社会革命党であろう。実際、レーニンは、一九〇五年四月の論文「プロレタリアートと農民の革命的民主主義独裁」の中で次のように述べている。

社会主義的変革を今すぐ自己の目標にしようとするなら、社会民主党は実際に恥をさらすだけだろう。だがわが国の「社会革命派」のこのような混乱した不明瞭な思想に対してこそ、社会民主党はつねに闘ってきたのである。[*23]

トロツキーも、一九〇五年に出版されたパンフ『社会革命党は何を教えるか』の中で次のように述べている。

社会主義をわが国ロシアで今すぐ導入することは考えられるだろうか？　いや、わが国の農村はまだあまりにも無知で意識性に乏しい。……まず何よりも必要なのは、人民大衆をいつまでも暗愚の状態に置いておこうとする専制政治を転覆することである。……そして最後に、農村のプロレタリアートおよび半プロレタリアートと都市プロレタリアートを一致団結させて、一個の社会民主主義的軍勢としなければならない。このような軍勢のみが偉大なる社会主義的変革を遂行することができるのである。[*24]

この文章はトロツキー自ら『永続革命論』でも引用しており、[*25]したがって、ロシア革命とトロツキーについて多少でも勉強した者ならば、トロツキーの思想が、民主主義革命を「飛び越えて」社会主義革命へと突き進むというようなものではまったくなかったことを知っている。これは常識中の常識である。だが、ウルフはそうした常識さえ知らない。スターリニズムに骨の髄まで犯されているウルフは、レーニンとトロツキーに対する凶暴な批判者になった後も、スターリニズム的偏見をまったく脱していなかったのである。

三、ウルフの不幸な運命論

以上で、ウルフが信頼に値する「歴史家」ではまったくなく、スターリニスト顔負けの「歴史偽造家」であることは明白である。さて、ウルフは、以上のような歴史偽造にもとづいて、皮肉たっぷりに、レーニンのこの「予言」と、レーニンの組織論がいずれ個人独裁に行きつくというトロツキーの一九〇四年の「予言」とを並列させて、ボリシェヴィキの哀れな運命について読者に語る。

このように、一九〇四年と一九〇五年に、二人の将来の協力者は、党および国家における少数派独裁の危険性について、互いに厳粛に戒めあっていたのである。その後の事態の成り行きに照らせば、当時、それぞれが相手のアプローチにおける危険性について見事な予言的見通しを持っていたことを誰が疑いえようか？[*26]

トロツキーの警告がレーニンに向けたものであるのはたしかに間違いない。しかし、レーニンの警告は、すでに述べたように、そもそもトロツキーに向けたものではないし、内容的にも、トロツキーの永続革命論ともまったく無関係であった。トロツキーの永続革命論はまさに、民主主義の道を通じて社会主義革命へと至る、当時にあっては唯一可能であった道筋を明らかにしたのであって、それ以外のいかなる道筋もコルニーロフ型か蒋介石型の軍事独裁へと行き着いたであろう。永続革命の過程が人為的に押しとどめられた三〇年後のスペイン革命において、フランコの軍事独裁に行き着いたように。したがって、ウルフの得意満面の皮肉は、ただ己の無知を強調するものでしかない。

ウルフはさらに続けて、その後、トロツキーとレーニンがそれぞれ相手方に対する警告を撤回して、相互に手を結んだことに言及し、次のように述べている。

トロツキーはレーニンの党機構を受け入れ、レーニンはトロツキーの「社会主義革命のための権力獲得を即時達成することができるという愚劣で半無政府主義的な見解」とトロツキーの少数派「プロレタリア独裁」の概念を、あるいはより正確には一党独裁（a single-party dictatorship）

の概念を受け入れた。[27]

トロツキーが「社会主義革命のための権力獲得を即時達成することができるという半無政府主義的見解」をとっていたというナンセンスな主張についてはすでに反駁ずみだが、ウルフは何を血迷ったか、トロツキーの言う「プロレタリア独裁」を「少数派独裁」と同一視しただけでなく、何の証明もなく「一党独裁」とさえ同一視している。「独裁」という言葉を社会科学的にではなく、狭い政治学的な意味で理解したウルフは、特定の党派が全政治権力を専制的に独占することだとみなしたわけである。

だが、一九〇五年革命の際も一九一七年革命の際も、トロツキーのプロレタリア独裁論は、まず第一に、少数派の独裁ではないし、第二に、ましてや一党独裁とはまったく何の関係もない。トロツキーが、当時の人口構成においてプロレタリアートが一割程度しか占めない絶対的少数派であることを理解していた。したがって、ロシア革命の成り行きの中で権力を奪取することを余儀なくされる労働者階級は、その基盤をプロレタリアートのみならず農民（および小ブルジョアジー）にも依拠させなければならないことを十二分に理解していた。この両階級をあわせれば、ロシアの人口の大多数を占める。この人口の大多数に立脚しその諸利益を真に代表する権力は「少数派の独裁」だろうか？　だがここで、ロシア革命の論争史についてもマルクス主義の概念についても通じていない人々は、次のような質問を発するかもしれない。では、そのような権力をどうして「プロレタリア独裁」と呼ぶことができるのかと？

当時、トロツキー自身、そのような質問が出るのを十分に予想しており、繰り返しその点についてわかりやすく説明している。たとえば、トロツキーは、最初に自己の永続革命論を展開した「ラサール『陪審裁判演説』序文」において次のように述べている。

> 疑いもなく、プロレタリアートの階級闘争はブルジョアジーをも前方に駆り立てるだろうが、これをなしうるのは階級闘争のみである。そして他方では、プロレタリアートは、自らの圧力によってブルジョアジーの保守性を克服しつつも、それでもやはり、事態が最も順調に「発展する」場合には、一定の時点で直接的な障害物としてのブルジョアジーと衝突する。この障害物を克服することのできる階級は、実際にそうしなければならないし、そうすることによってヘゲモニーの役割を自らに引き受けなければならない――そもそもわが国が抜本的な民主主義的復興を運命づけられているとすれば、だ。このような状況のもとでは、「第四身分」〔プロレタリアート〕の支配が訪れるだろう。言うまでもなく、プロレタリアートは、かつてのブルジョアジーと同じように、農民と小ブルジョアジーに依拠しながら自らの使命を果たすだろう。彼らは農村を指導し、農村を運動に引き入れ、自らの計画の成功に関心を持たせるだろう。しかし、指導者として残るのは不可避的にプロレタリアート自身である。これは「農民とプロレタリアートの独裁」ではなく、農民に依拠したプロレタリアートの独裁である。*28

すなわち、ロシアにおけるプロレタリア独裁は、すでに住民の多数派がプロレタリア化したことによって成立するのではなく、少数派であるプロレタリアートと多数派である農民（および都市小ブルジョアジー）に依拠しながらも、権力の指導権（そう言いたければ「ヘゲモニー」）がプロレタリアートとその指導党に属するからこそ、それは「プロレタリア独裁」と呼ばれるのである。
同じく、一九〇五年一二月に書かれた「マルクス『フランスにおける内乱』への序文」でも次のように書かれている。

それにもかかわらず、プロレタリアートの独裁は、農民の――農民だけでなく、小ブルジョアジーやインテリゲンツィアについても同じことだが――すべての進歩的で現実的な利害を疑いもなく代表するであろう。「コミューンはこうして、フランス社会のすべての健全分子の真の代表者であり、したがって真に国民的な政府であった」とマルクスは述べている。だがそれは、依然としてプロレタリアートの独裁だったのである。*29

以上の点は、当時における永続革命論の最も首尾一貫した説明を提供している一九〇六年の『総括と展望』ではもっと明確である。トロツキーは政府の構成に触れつつ次のように述べている。

プロレタリアートの代表を欠いた革命的民主主義政府なるものを想像してみるだけで、そのような観念が完全に馬鹿げていることを理解するのに十分である。社会民主党が革命政府への参加を拒否することは、革命政府そのものが完全に不可能になることを意味するだろうし、したがってまた革命の事業を裏切ることを意味するだろう。しかし、政府へのプロレタリアートの参加は、支配的で指導的な参加としてのみ、客観的に最も可能性があり、かつ原則的にも容認される。もちろん、この政府を、プロレタリアートと農民の独裁だとか、あるいはプロレタリアートと農民とインテリゲンツィアの独裁だとか、あるいはまた労働者階級と小ブルジョアジーの連合政府などと呼ぶことも可能である。しかしそれでも、当の政府内のヘゲモニー、およびそれを通じての国内のヘゲモニーは誰に属するのか、という問題は依然として残る。そしてわれわれは、労働者政府について語るとき、ヘゲモニーは労働者階級に属するだろうと答える。

ジャコバン独裁の機関としての国民公会はけっしてジャコバン派だけで構成されていたわけではない。それどころか、ジャコバン派はそこでは少数派でさえあった。しかし、国民公会の壁の外におけるサンキュロットの影響力や、国を救うために断固たる政策が必要とされていたこと、こうしたことが権力をジャコバン派の手に委ねたのである。かくして、国民公会は、形式的にはジャコバン派、ジロンド派、そして膨大な沼地派〔中間派〕によって構成される国民代表機関ではあったが、実質的にはジャコバン派の独裁だったのだ。

われわれが労働者政府について語るとき、念頭に置いているのは、政府内における労働者代表の支配的で指導的な地位である。[*30]

このように、ブルジョア政治学的な意味での独裁概念ではなく、マルクス主義的なヘゲモニー概念にもとづいた独裁論が、トロツキーのプロレタリア独裁論である。また、右の文章は、トロツキーのプロレタリア独裁論が「少数派独裁」であるというデマゴギーのみならず、「一党独裁」であるというデマゴギーにも致命的な打撃を与えている。トロツキーはジャコバン派の例を出して、国民公会においてジャコバン派が多党制を維持しつつも実質的な独裁を行使していたことを想起している。ある権力がプロレタリア独裁であるためには、何も特定のプロレタリア政党による一党独裁である必要はないし、むしろそうであってはならないのである。階級の独裁であるためには、労働者および人民のさまざまな層（遅れた層も先進的な層も中間的な層も）を代表する複数の労働者政党や小ブルジョア政党を必要とする。実際、トロツキーは、一九一七年一〇月の第二回ソヴィエト大会でボリシェヴィキが多数派となったときも、ソヴィエト執行部のポストを複数のソヴィエト内政党が比例代表原理にもとづいて占めるよう配慮している。しかし、そうした種々の政党の中で、革命の根本的利益とその発展力学を自己のうちに体現する党派が全体としてヘゲモニーを行使し、こうして、政府と権力の基本的性格を規定するのである。[*31] このダイナミズムは、トロツキーが指摘するように、何もプロレタリア革命にのみ特有のものではなく、あらゆる革命において、ある程度普遍的である。

ついでウルフは、レーニンとトロツキーとのこのような融合は、両者のエリート主義的独裁思想からして不可避だとして主張する。

このような融合は至極自然なものであった。なぜなら、党内における少数派独裁と国家における少数派独裁とのあいだには疑いもなく構造的および心理学的な結びつきがあるからである。両者とも同じ仮定にもとづいている。すなわち、専門的知識（マルクス主義）でしかるべく武装し、生涯にわたる経験と献身とによってしかるべく信任されている、自ら選んだエリートないし前衛が、労苦と危険に満ちた民主主義的過程を省略することができ……るという仮定にもとづいているからである。[*32]

つまり、トロツキーの永続革命論もレーニンの党組織論も、自分で自分を選んだエリート集団が歴史の必然的な段階を恣意的に飛び越そうとする少数独裁的でエリート主義的な姿勢をまごうことなく示しているというわけである。国の民主主義的段階を飛び越して少数派独裁を目指すトロツキーの永続革命論と、党指導部による独裁を肯定するレーニンの党組織論との融合こそロシア革命にとっての最悪の組み合わせであったというのは、ロシア革命とボリシェヴィズムをトータルに否定することでかつての自分の急進主義の罪を償いたいと思っている人々にとって最もお気に入りのテーゼである。だが、レーニンの党組織論を党指導部独裁論とみなす陳腐な俗説については、『トロツキー研究』第一六号の特集解題がすでに反論ずみである[*33]。第二回党大会で論争対象となったレーニンの組織論は、マルトフらメンシェヴィキの党組織論よりも民主主義的なものであった。だからこそ、民主主義の可能性が急速に広がった一九〇五年革命の過程でマルトフはレーニンの規約第一条を受け入れたのである。そして、もちろんトロツキーの永続革命論は主意主義とも、エリート主義とも、もちろん、「必要な段階の飛び越え」なるものともまったく無縁であった。トロツキー自身、歴史の発展において必要な段階を飛び越えることはできないと、永続革命論確立後にさえ断言しているほどである。

社会民主主義は、政治的発展の必然的な諸段階を飛び越えることはできない。というよりも、プロレタリアートをこの局面の向こうに放り投げることはできない。それは、自らが編集した短縮版の教科書や要約版にもとづいて歴史を通過することはできない。無理やり人為的に階級闘争の政治的な現われを促進しようとするいかなる試みも、それが何らかの結果をもたらすとしても、反動的な意味をもつだろう。この試みは、若干の欺瞞的な政治的効果をもたらした後、不可避的に政治的発展を後退させる。*34

まるで、ウルフが運命論的予言として強調した例のレーニンの警句とそっくりではないか！　まるでこの文章は、誰かがトロツキーを非難するために書いた文章のようではないか！　だが、右の文章を読んでトロツキーらしくないと少しでも思った読者がいるならば、その人はもう一度最初からトロツキーの永続革命論について学び直した方がいいだろう。トロツキーの永続革命論は、必要な段階の「飛び越え」とは何の関係もない。その逆である。革命の客観的に必然的な発展力学を、主観的なマルクス主義的図式に無理やりあてはめようとする試みに対する最も痛烈で首尾一貫した批判から生まれてきたのが、トロツキーの永続革命論なのである。それについてはすでに、本書で詳しく述べてきたことなので、ここでは繰り返さない。したがってそれは、主意主義とも主観主義ともエリート主義とも無縁である。むしろ、当時のトロツキーは、彼自身が後に『わが生涯』で反省しているように「革命的運命論」にさえ陥っていた。客観的過程の鉄の論理を信奉しすぎたために、革命党派としての主体的な事前準備、事前のイデオロギー闘争と思想的選別、党派間の線引きの過程、等々を軽視していた。それゆえトロツキーはレーニンの「セクト主義」を、歴史を先回りしようとする試みだと感じて、長年にわたって否定的に見ていたのである。

ウルフの頭脳に蓄えられた知的・理論的武器は完全にスターリニストの陣営で鍛えられたものである。彼は、自分が自主的に考えていると思い込んでいるときでさえ、スターリニストの陣営で培った偏見と思い込みを捨て去ることができない。彼にとって、スターリニズムはもはや第二の天性と化している。彼自身の網膜と一体になったスターリニズムの色眼鏡は、あらゆるものをスターリニズムの色に染め上げる。彼が、スターリンもろともレーニンやトロツキーをも攻撃するときでさえ、スターリニズムの方法（歴史偽造）とスターリニズムの理論的武器（段階飛び越え論としての「永続革命論」）を用いざるをえない。なぜなら、彼はそれ以外の方法もそれ以外の武器も知らないからである。だが、それははたして、バートラム・ウルフだけの特異現象であろうか？　もちろんそうではない。悔い改めた共産主義者、悔い改めた新左翼、悔い改めた急進主義者はみな、同じ方法、同じ武器を採用したがる。彼らはみな本質的に、悔い改めざるスターリニストなのである。

（二〇〇七年執筆）

（二〇一九年一部修正）

注

＊1　『トロツキー研究』第四九号の「特集解題」で、私は、そうした最新の事例として、元急進派知識人の代表的人物の一人である柄谷行人氏によるスターリニスト的トロツキー非難を批判しておいた。
＊2　「現代のような反動の時代は、労働者階級を分解させ弱体化させ、その前衛を孤立させるだけでなく、運動の全般的なイデオロギー的水準をも低下させ、とっくに乗り越えられた段階へと政治的思考を投げ戻す」（トロツキー「スターリニズムとボリシェヴィズム」、『トロツキー研究』第五〇号、一六六頁）。
＊3　邦訳は、バートラム・ウルフ『レーニン、トロツキー、スターリン』紀伊国屋書店、一九六九年。
＊4　ラジッチ&ドラチコヴィチ編著『コミンテルン人名事典』至誠堂、一九八〇年、四四八頁。
＊5　パルヴス「『一月九日以前』序文」、『ニューズ・レター』第四二号、二〇〇六年、二一～六頁。
＊6　同前、六頁。
＊7　パルヴス「ロシア社会民主党の任務」、山本統敏編『第二インターの革命論争』、紀伊国屋書店、一九七五年、二五一頁。
＊8　邦訳『レーニン全集』第八巻、大月書店、二八六頁。訳文は基本的に大月書店の邦訳『レーニン全集』にもとづいているが、原文に即して適宜修正してある、以下同じ。
＊9　といっても、例外的には、一つの悲劇的事態として、労働者政党がその突破を目標とせざるをえない場合もありうることをメンシェヴィキも認めていた。本書の第二章を参照せよ。
＊10　トロツキー「マルクス『フランスにおける内乱』序文」、『わが第一革命』、現代思潮社、一九七〇年、二七二～二七三頁、訳文は必ずしも既訳に従っていない。強調は引用者。とくにことわりがないかぎり、以下同じ。
＊11　この革命については、本書の第六章「トロツキーとスペイン革命」を参照せよ。
＊12　トロツキー「総括と展望」、『ロシア革命とは何か――トロツキー革命論文集』光文社古典新訳文庫、

二〇一七年、一四〇～一四一頁。

＊13 前掲ウルフ『レーニン、トロツキー、スターリン』、三〇三頁、**Bertram D. Wolfe, *Three Who Made a Revolution*, Penguin Book, 1984, p. 330**。以下、日本語版の頁数と原著の頁数を、三〇三頁、p. 330、のように表記する。また、ウルフからの訳文はすべて原文に沿って修正してある、以下同じ。

＊14 前掲トロツキー「マルクス『フランスにおける内乱』序文」、『わが第一革命』、二六三頁。

＊15 前掲ウルフ『レーニン、トロツキー、スターリン』、三〇四～三〇五頁、p. 332.

＊16 同前、三〇五頁、p. 332.

＊17 同前、三〇五頁、p. 332.

＊18 邦訳『レーニン全集』第八巻、大月書店、二八九頁。ロシア語版『レーニン全集』（第五版）第一〇巻、一八頁。

＊19 邦訳『レーニン全集』第九巻、一六頁。

＊20 トロツキー「社会民主党と革命」、前掲『わが第一革命』、二五四～二六〇頁。

＊21 前掲『わが第一革命』、二七五頁。

＊22 前掲トロツキー「総括と展望」、『ロシア革命とは何か』、一三～一四頁。

＊23 レーニン「プロレタリアートと農民の革命的民主主義独裁」、邦訳『レーニン全集』第八巻、二九一頁。

＊24 トロツキー「社会革命党は何を教えるか」、『トロツキー研究』第四七号、二〇五頁。

＊25 トロツキー『永続革命論』光文社古典新訳文庫、二〇〇八年、二〇〇頁。

＊26 前掲ウルフ『レーニン、トロツキー、スターリン』、三〇六頁、p. 333.

＊27 同前。

＊28 トロツキー「ラサール『陪審裁判演説』序文」、『トロツキー研究』第四七号、一九五～一九六頁。

＊29　前掲トロツキー「マルクス『フランスにおける内乱』への序文」、『わが第一革命』、二八一～二八二頁、強調はママ。
＊30　前掲トロツキー「総括と展望」、『ロシア革命とは何か』、八二～八三頁。
＊31　ソヴィエト内の他政党の禁止を実行した一九二一年の措置は、したがって反動的だった。それは、ボリシェヴィキのヘゲモニーを強めたのではなく、その外形的強化と引き換えに内的弱体化を招いたのであり、それはさまざまな紆余曲折を経て、スターリニストの独裁へと行きついた。この点については、以下の拙書の第一章「ヘゲモニーと永続革命」を参照のこと。森田成也『ヘゲモニーと永続革命――トロツキー、グラムシ、現代革命』社会評論社、二〇一九年。
＊32　前掲ウルフ『レーニン、トロツキー、スターリン』、三〇六頁、pp. 333-334.
＊33　志田昇「党組織論をめぐるトロツキーとレーニンの論争」、『トロツキー研究』第一六号、一九九五年。
＊34　トロツキー「第二国会への道」、『トロツキー研究』第一八号、一八頁。

第Ⅱ部　各国の経験

第四章　トロツキーの第三世界論と永続革命

【解題】本稿は、『トロツキー研究』第三一号（二〇〇〇年）に掲載された「特集解題」にかなりの加筆修正を施したものである。同誌に収録した文献についての解説などは省いて、独立した論文としての体裁を整えるとともに、引用文献を最新のものにしておいた。また節編成を若干変えている。

第三世界諸国の状況や解放運動について論じたトロツキーの諸論稿は、十月革命前、十月革命後の最初の五ヵ年、左翼反対派としての闘争期、ソ連追放後といったさまざまな時期に存在する。その中の重要な一部を構成しているのは中国革命に関するものであるが、それについての詳しい考察は中国革命に関する独自の章で考察することにする。[*1]本章では、トロツキーの生涯を簡単に追いながら、その理論的変遷や従来あまり注目されてこなかった諸側面などに光をあて、それを通じてトロツキーの第三世界論の基本的な特徴とのその変化・発展の主要な軌跡を明らかにしたい。

一　若きトロツキーと一九〇五年革命

マルクス主義者になったばかりの若きトロツキーの関心をもっぱら占めていたのは、ロシアとヨーロッパであった。時おりもっと遠くの世界の話題がトロツキーの耳に入っても、それはあまり大きな関心を呼ばなかった。『わが生涯』の中でトロツキーは、最初の監獄経験について書く中で、次のように述べている。

世界で起きている諸事件の反響は、断片的な形でわれわれのところにも届いていた。南アフリカ戦争はあまりわれわれの関心を呼ばなかった。われわれはまだ、言葉の完全な意味で田舎者だった。イギリス人とボーア人との争いを、主として小資本に対する大資本の勝利の不可避性という見地から説明しがちであった。[*2]

シベリアの流刑地において評論活動をはじめたトロツキーは、シベリアの農村を熱心に観察し、その日常生活について評論にしたためた。シベリアはいわばロシアの中の第三世界であり、その観察を通して辺境の農村生活についての重要な知見を得ることができた。[*3]

その後、シベリアからヨーロッパに亡命し、憧れの『イスクラ』に評論を書きはじめたトロツキーにとって、やはりその主要関心はロシアとヨーロッパであった。一九〇三年にボリシェヴィキとメンシェヴィキが分裂した際も、トロツキーは、レーニンの組織論に対してヨーロッパ先進国の民主的党組織を念頭において論戦を挑んだ。

しかし、一九〇四年における日露戦争の勃発は、日本というアジアの新興国家への関心を呼び起こした。トロツキーは、当時の多くの社会主義者ないしマルクス主義者が無意識に陥っていたようなオリエンタリズムにはいっさい陥っていなかった。当時のロシア社会民主労働党の中央委員会が、ロシアは貪欲なブルジョアジーの利益のために戦争を起こしたが、日本は「民族の自由な発展にとって必要な条件のために闘っている」と述べたのに対して、次のように反論している。

いったい誰が中央委員会に、日本人民の名において語ることを委ねたのか？　おそらく、例の「貪欲な日本ブルジョアジー」なのだろう。なぜなら、日本プロレタリアートは現在の戦争を、「民族の自由な発展」のための闘争とみなしているのではなく、資本家による労働者のさらなる奴隷化のための闘争とみなしているからである。そしてわれわれは、日本の自覚的なプロレタリアートは、日本のブルジョアジー――中央委員会はこのブルジョアジーの戦争評価を日本「人民」の意見とみなしているのだが――よりも正しく戦争を評価していると考えるものである。[*4]

アジアの辺境の島国にある日本のプロレタリアートに対するこのトロツキーの高い評価は注目に値するものだ。さらに、『イスクラ』に掲載された、日露戦争に関するパルヴスの一連の論文は、世界的なダイナミズムの中でロシアの状況を分析する視点をトロツキーに与えた。[*5]

だがより重大な転機となったのは、一九〇五年一月の「血の日曜日事件」に始まり、一〇月の嵐のようなゼネストとペトログラード・ソヴィエトの結成を経て、一二月のモスクワ蜂起にいたる一九〇五年革命だった。この革命に中心的に参加し、最初のペトログラード・ソヴィエトを指導し、その議長にも就任したトロツキーは、後進資本主義国ロシアにおいて少数派でしかなかったプロレタリアートの巨大な政治的可能性とその指導能力とを実感することができた。

この偉大な一九〇五年革命は、一方ではロシアそれ自身に関しては、トロツキーの永続革命論に結実するとともに、他方では、ロシア周辺の後進国の革命運動にも巨大な影響を与えることで、これらの国に対する関心をトロツキーの中で醸成した。

二、永続革命論とトルコ革命

革命の敗北からヨーロッパへ

一九〇五年革命の敗北後、ソヴィエト裁判と流刑を経て、再びヨーロッパに亡命したトロツキーは、ウィーンに居を構えて、身近にドイツとオーストリアの政治生活を観察し、しばしばヨーロッパ政治や、ドイツ社会民主党やオーストリア社会民主党の党内生活や政策についての評論を書き記した。その中には、オーストリア社会民主党幹部カール・ロイトナーと同党の機関紙『アルバイター・ツァイトゥンク』の帝国主義的民族主義を批判した論文「民族的心理学か階級的観点か」も含まれている。ロイトナーらはドイツ帝国を「平和国家」として描き出し、「全ロシア人」が反ドイツ感情に支配されていると非難し（ちょうど現代日本の右翼が韓国人の「反日感情」について云々しているように）、ドイツとオーストリアの帝国主義的外交政策を擁護していた。[*6] ヨーロッパ社会民主主義におけるこのような傾向こそが、数年後に第一次世界大戦が起こったときに第二インターナショナルの崩壊をもたらすのである。トロツキーは当然にもこのような傾向を早々に批判したのだが、『わが生涯』での表現を借りればこの「控えめな」論文はオーストリア党内で一種のセンセーションを巻き起こした。[*7]

それと同時に、トロツキーは獄中で仕上げた永続革命論を踏まえて、一九〇五年革命を理論的に総括する作業に着手し、それは一連の論文・著作、とりわけ『われらの革命』（一九〇六年）、『ロシアの革命』

（一九〇九年）（ロシア十月革命後に『一九〇五年』として再版され、世界的に有名になる）に結実している。

トロツキーの永続革命論は、帝政ロシアの特殊な社会的・経済的・政治的諸状況の具体的な分析から導きだされたものであり、けっして後進国すべてに通用する普遍的理論として構想されたものではなかった。しかしながら、帝政ロシアの種々の特殊性は、実際には、多くの他の後進国にもあてはまるものであり、そのかぎりでトロツキーの永続革命論は他の後進国にも――必要な修正をしたうえで――適用可能なものだった。

しかし、トロツキー自身は、少なくとも十月革命以前に、そのような普遍的適用の試みをしたことはないようである。一九〇五年革命後にロシア周辺の後進国へと問題関心が広がり、その中にロシアと似た状況を見出したとはいえ、それでも、それらの国に永続革命論を適用することはなかったし、また、十月革命以前のトロツキーの問題関心は主としてロシアそのものとヨーロッパに向けられていた。

もっとも、ロシア帝国そのものが、それ自身のうちに広大な第三世界諸国を包含しているような巨大な複合国家であり、ロシアの民族問題を論じることは、とりもなおさず、第三世界諸国の問題を論じるのと同じような意味合いを帯びていた。とはいえ、ロシアの隣の広大な中国についても、さらに、その下に位置する同じく広大なインドについても、あるいは、アフリカ諸国やラテンアメリカ諸国についても、この時期のトロツキーの諸論文にはほとんど出てこない。

トロツキーの世界認識とアジア観

その数少ない例外の一つとしては、一九〇八年に書かれた「時間上に広がるわが祖国」がある。これは、マルクスの『共産党宣言』を彷彿とさせるような壮大な筆致で、資本主義の世界的膨張と交通通信技術の発展が世界市場をつくりだし、したがって人類史上初めて本当の意味で「世界史」をつくり出したことを力強く語っている。

世紀の大革命をなしとげたのは、二五〇〇万人ほどのフランス人であった。……想像力のかぎられていた当時の人々は、この「コスモポリタン」たちが自らのうちに世界を統一しているかに見えた。だがその当時、広大無辺のロシアについてなにが知られていたであろうか！　アジア大陸全体についてはどうか。アフリカについてはどうか。これらは、歴史の空白を覆い隠していた地理学上の術語でしかなかった。一八世紀も、いや一九世紀すらも、世界史というものを知らなかった。われわれの時代になってはじめて、おそらくその入口に立っているのである。われわれの時代が偉大な時代であるのは、それが世界史の基礎をはじめて置こうとしているからにほかならない。……われわれの時代は眼前で、人類という概念を人文科学的虚構から歴史的現実へと変えつつある。

歴史的行為の舞台は果てしなく広大なものとなり、地球は腹立たしいまでに小さなものとなりつつある。鉄道や電信線が、地球全体をまるで学習用地球儀のように、人工の網で包んだ。[*8]

このような壮大な世界認識こそが、トロツキーの永続革命論とその第三世界論の背景にあったものに他ならない。さらにトロツキーは、グルジア・イラン・エジプト・日本・インド・中国をはじめとするアジア諸国の急速な変化と台頭について論じている。とくにトロツキーが注目したのは中国である。トロツキーは、中国における資本主義の導入が中国革命を準備しつつあることを指摘し、「満州人たちの弾圧的王朝に抗して、共和制運動が成長してきている。中国、この、太陽の息子であり月の兄弟である皇帝の国においてだ！　実にさまざまな資料が、中国が大破局の前夜にあることを証明している」[*9]。そしてこの予測はわずか三年後に辛亥革命として現実のものとなった。さらにトロツキーは筆を大胆に進めて、「歴史的発展の重心はアジア大陸に移るかもしれない」とさえ予言している。[*10]

前世紀の初頭にはイギリスはヨーロッパの工場であった。世紀末にはヨーロッパが世界の工場となった。いまでは、アメリカとドイツの工業に押しのけられたイギリスは、世界資本主義の貯金箱でしかない。そしておそらく、ヨーロッパ全体がアジアの工業に押しのけられる日も遠くないだろう。アジアは「老衰」から新しい青春へと移っており、豊かだが老いぼれつつあるヨーロッパを銀行のオフィスに変えかねない。[*11]

なんという大胆な予測だろうか！　ここでなされた予測の正しさは実際、一世紀後に、巨大な成長国家としての中国の世界史的台頭によって証明されたのである。

しかし、すでに述べたように、この時期、第三世界の問題に対するトロツキーの関心の中心を占めていたのは、ロシア周辺の後進諸国であった。それは何よりもトルコとペルシャ、そしてバルカン諸国である。そしてこれらの国は絶えずロシア帝国主義の介入と陰謀にさらされており、それらの国の人民と連帯しロシア帝国主義と闘うことは、ロシアの革命的社会主義者の根本的責務であった。レーニンは言うまでもなく、トロツキーもまた、この国際主義的責務を担った。

トルコ革命

一九〇八年夏に青年トルコ党の革命が起こると、トロツキーはさっそくこの革命に大いに注目し、それに関するいくつかの評論を書いている。その最初の論文「トルコ革命とプロレタリアートの任務」の冒頭で、トロツキーはこう述べている。

　ロシア革命のこだまは国境を遠く離れたところまで反響した。西ヨーロッパではプロレタリア運動を激化させ、同時にアジアでは、諸国民を政治活動に目覚めさせた。カフカースに隣接したペルシャではカフカース事件の直接的な影響から革命運動が開始され、帰趨がはっきりしないいますでに二年以上も続いている。中国でもインドでも、至る所で人民大衆は自国の独裁者やヨーロッパの略奪者（資本家、宣教師など）に反対して立ち上がっている。略奪者たちがヨーロッパのプロレタリアートを搾取するばかりか、アジアの諸民族を零落させているからである。ロシア革命の最も新しい影響は今年の夏に起きたトルコ革命である。[*12]

しかし、このトルコ革命は永続革命の過程をたどることはなかった。そこでは、あまりにも資本主

義の発展が遅れ、プロレタリアートがほとんどいなかったからである

ロシアでは革命の闘士は主にプロレタリアートであった。しかしトルコでは、すでに述べたように、産業はまだ生まれたばかりで、プロレタリアの数は少なく脆弱であった。[*13] かくして、革命の基本勢力となったのは、インテリゲンツィアを中心とする将校集団であった。

トルコのインテリゲンツィアとして最も教養があった者たち（教師、技師など）は、学校や工場でほとんど自分たちの力を発揮することができず、将校になった。彼らの多くは西ヨーロッパの国々に留学し、その地でもろもろの制度を学んだが、祖国で出会うのはトルコ兵士の無教養と貧困、国家からの侮辱であった。彼らは傷ついた。かくして将校層は不満と怒りの温床となった。[*14]

続く論文「新しいトルコ」にはさらに具体的な分析が見られる。そこでは、新生トルコが直面するであろう諸問題――民族問題、農民問題、労働問題――について詳細に論じられ、とくに、少数のプロレタリアートについては次のように述べられている。

すでに述べたように、トルコの産業は非常に脆弱である。スルタン体制はその政策のすべて

によって国の経済的基盤を掘り崩してしまったばかりか、プロレタリアートに対するもっともな恐怖から工場の創設を意識的に妨害してきた。しかし、プロレタリアートから完全に身を守ることは不可能だった。すでにトルコ革命の初めの数週間にコンスタンチノープルではパン焼き職人、印刷工、職工、路面電車職員、タバコ労働者のストライキが、また別の所では港湾労働者や鉄道員のストライキが繰り広げられた。……では新体制は、労働者階級の政治的覚醒にどのように応えたのか。ストライキに対する処罰法案によってである。青年トルコ党の綱領は労働者の役に立つ明確な施策については一言たりとも言及していない。しかし、トルコ・プロレタリアートを無視しうる量として軽視すれば、思いがけない重大な事態をもたらすだろう。

階級の意義はその数を端的に表わす数字によってだけで推し量ることはできない。現代の産業プロレタリアートの力は、たとえ少数であっても、彼らが国の集約的な生産力と最も重要な交通手段を手中におさめているところにある。青年トルコ党は、資本主義経済のこの基本的事実にぶちあたって、痛い目に遭うかもしれない。[*15]

以上の叙述には、永続革命の図式からではなく、具体的な事実の具体的な分析から事態を理解しようとする姿勢がはっきりと見られる。後進諸国といってもけっして一様ではなく、ロシアのように発達したプロレタリアートが必ずしも存在しているわけでもない。ブルジョア民主主義革命から始まった革命の過程が社会主義的変革へと連続するとはかぎらない。実際、トルコ革命の将来に関してトロツキーは、次のように述べている。

歴史の次の時期にトルコでわれわれは何を見ることになるのか。それを論じても役には立つまい。一つだけ明らかなのは、革命の勝利が民主トルコを意味することだ。民主トルコは間違いなくバルカン連邦の基礎になるだろう。[*16]

このように、この時点では、永続革命の展望は、あくまでも帝政ロシアに限定されたものだった。

三、バルカン諸国とバルカン戦争

バルカン半島とバルカン諸国の社会民主主義

トルコやペルシャと並んでトロツキーの関心を集めたのは、すでに述べたようにバルカン諸国であった。この国々は、トルコと違い、一定発達した工業とプロレタリアートが存在し、しかも、強力な社会民主主義組織が存在していた。その一方で土着ブルジョアジーは臆病で無能だった。一九一〇年に書かれた「バルカン問題と社会民主主義」という論文の中で、トロツキーは次のように述べている。

資本主義的発展の道に遅れて入ったすべての国のブルジョアジーと同様、バルカンのブルジョアジーは、政治的に不毛であり、臆病であり、無能であり、骨の随まで排外主義にむしばまれている。バルカンの統一を引き受けることなど、まったく彼らの手に負えないことである。農村大衆はあまりに分散的で後進的で政治的に無関心であるため、彼らに政治的イニシアチブを期待することはできない。したがって、バルカンが民族的かつ国家的に生存するための正常な条件をつくり出す課題は、その歴史的な重みのすべてが、バルカンのプロレタリアートにかかっているのである。この階級はまだ少数である。なぜなら、バルカン資本主義はやっとおむつをはずしたばかりだからである。しかし、バルカン半島における経済発展の一歩ごとが、新しい線路の一ヴェルスタごとが、新しい工場の煙突の一つずつが、革命的階級の隊列を拡大し結合させる。……バルカンにおける最も成熟した労働運動の代表であるブルガリアとセルビアの社会民主党は、二つの戦線での闘争を熱心に指導している。すなわち、自国の王朝的排外主義派に対する闘争と、ツァーリズムと資本主義ヨーロッパの帝国主義的計画に対する闘争である。[*17]

また同じ年に書かれた「ブルガリアとセルビアの社会民主主義」という論文ではさらに明瞭な形で述べられている。

バルカン諸国の資本主義的発展の植民地的性格――ここではそれはロシアにおけるよりもはるかに顕著である――は、プロレタリアートを先進的戦士の地位につけ、国の最も集中した生産力をその手に握らせ、その数的規模をはるかに凌駕した政治的重要性をプロレタリアートに与えた。ロシアでは家父長制的官僚体制に対する闘争は主としてプロレタリアートの双肩にかかっている。それと同様に、バルカンでもプロレタリアートだけが、半島の多くの民族と人種の共存と協同にとっての正常な条件をつくり出すという課題を全面的に引き受けているのである。[*18]

同種の主張は、やはり同じ年に書かれた「ブルガリアの大会」でも提示されている。

バルカン半島の国家的・民族的細分化によって引き起こされているあらゆる障害にもかかわらず、資本主義、それも最新の形態の資本主義が近東をしっかりと征服している。各国代表たちがソフィアで目にすることのできる建設ブームは産業好況が始まったことを意味し、それはロシアの一八九〇年代にそうであったように、社会民主主義をたちまちのうちに大いなる高みに引き上げるだろう。[*19]

以上のような「永続革命論」的考察にもかかわらず、しかし、バルカン革命を分析する際には、永続革命そのものについては何も述べられていない。他の発達した資本主義国に先駆けてバルカン半島でプロレタリアートが権力を握る可能性についても何も言われてない。この歴史的使命はなお、帝政ロシアのプロレタリアートのために取っておかれていた。

バルカン戦争

一九一二年から一九一三年にわたって繰り広げられたバルカン戦争は、トロツキーの第三世界認識を深めるうえで重要な役割を果たした。何よりもトロツキーは、『キエフスカヤ・ムイスリ』の特派員として長期にわたってバルカン半島に滞在し、植民地的性格を持った資本主義国の実情（政治、経済、生活の諸側面）を肌で体験することができたからである。たとえば、「矛盾のかたまり」という論文の中で、ヨーロッパの帝国主義政治におけるバルカン諸国の地位についてトロツキーは次のように述べている。

これら小バルカン諸国には連邦を形成する以外に出口は存在しない。この一つのことを確信するには、ここで生活し、すべてを身近に見なければならない。ヨーロッパのバルカン政策が、盗めるものならすべて盗んでやろうという帝国主義的な略奪を旨としている間は、バルカン諸国家には連邦以外の別の出口はない。また現在、セルビアの内外政策はすべてもつれた矛盾のかたまりであって、そこを脱出する理性的で展望ある出口は存在しないのである。[*20]

さらにトロツキーはこのバルカン戦争が単なる局地的戦争でとどまるのではなく、ヨーロッパ規模のさらなる動乱の導火線になりうることを正しく指摘している。それは、すでに何十年と続いていたヨーロッパの不安定な「力の均衡」を完全に破壊し、ヨーロッパ全土を軍国主義と愛国主義の熱狂で覆い、戦争と兵器で巨額の儲けを上げている国際軍需産業を急成長させた。[*21] そして、トロツキーは、バルカン戦争の過程とその帝国主義的帰結に対する深い分析を通じて、近い将来におけるヨーロッパ戦争の到来を予測した。

これが、各国の資本主義政府、ブルジョア政党、職業的外交官がやった事業の結果である。すなわち、すでに手に負えなくなっている軍国主義の重荷の増大、文化的発展の停滞、排外主義の苛烈さの増大、そしてそれらすべての帰結としての、近い将来にヨーロッパ諸国民が流血の大乱闘を繰り広げる絶え間ない危険性！[*22]

遠くの局地的戦争としか見なかったレーニンと違って、トロツキーはこのバルカン戦争のうちに、世界的破局の萌芽を見ていたのである。そしてトロツキーは当然のことながら、このヨーロッパ規模の戦争に対する最大の歯止めとなるのがバルカン諸国およびヨーロッパの、とりわけドイツ、フランス、オーストリアの社会民主主義勢力だと考えていた。[*23] そして、実際に、バルカン戦争が終結してからわずか一年後の一九一四年に第一次世界大戦が勃発するのだが、その時、ヨーロッパの社会民主主義はトロツキーの予想とはまったく異なる行動をとるのである。

四、第一次世界大戦からロシア十月革命へ

帝国主義戦争とインターナショナルの崩壊

一九一四年についに勃発した第一次世界大戦は、レーニンにとってもトロツキーにとっても、その第三世界認識において、一大転換点となった。なぜなら、それを通じて「帝国主義」というカテゴリーが世界情勢を判断する根本的な基軸となったからである。「帝国主義」という言葉そのものは、もち

ろん、第一次世界大戦前にも両者の文献に頻繁に出てくるし、ヨーロッパ社会民主主義の中で盛んに論じられてきたテーマでもある。[*24] しかしながら、現代世界の理解と革命運動の運命にとって最も根本的な基軸として位置づけられたのは、この最初の帝国主義戦争を契機にしている。さらに、この帝国主義という問題およびそれと密接に結びついている民族・植民地問題における裏切りとつまずきこそが第二インターナショナルの崩壊をもたらしたのであり、この事実もまた、この問題の決定的重要性を両者に認識させることになった。

戦争勃発直後にトロツキーが執筆した綱領的著作『戦争とインターナショナル』においてすでに、帝国主義という概念が中心に据えられている。この戦争の本質のみならず、第二インターナショナルの崩壊を説く真の鍵は、そこにあった。

> 資本主義が民族的基盤から国際帝国主義の基盤へと移行するにしたがって、国内生産とそれにともなうプロレタリアートの経済闘争は、軍艦と大砲によって確保されている世界市場の諸条件に直接依存するようになった。言いかえれば、プロレタリアートの個々の階層における直接的な労働組合的利益は、その全歴史的範囲においてとらえられたプロレタリアートの根本的な利益とは矛盾して、政府の対外政策の成否に直接依存していることが明らかになったのである。[*25]

このような認識に基づいて、トロツキーは『戦争とインターナショナル』の結論部分において、次のように、植民地の再分割戦としての帝国主義戦争という認識とともに、「永続戦争か革命か」という展望を提示する。

地上のすべての後進諸地域が資本主義諸国によって分割されたことが明らかになった後には、資本主義諸国にとってお互いから植民地を奪い合う以外に残された道はない。……しかしながら、資本主義諸国間での植民地の再分割は、資本主義発展のための土台を拡大するものではない。なぜなら、一方の側が獲得するものは他方が失うものと正確に同じだからである。……それに加えて、決定的な意義を有する要素がある。それは、植民地自身の資本主義的覚醒であり、現在の戦争がこれに強力な刺激を与えるにちがいないということである。この戦争の結末がいかなるものであれ、ヨーロッパ資本主義の帝国主義的土台は、その結果として拡大せずに縮小するだろう。したがって戦争は、帝国主義的基礎に基づいて労働問題を解決することができない。それどころか、戦争はこの問題を先鋭化させ、資本主義世界に対し二つの可能性を提起する。すなわち、永続戦争か、さもなくば革命。[*26]

戦争勃発後、一時期、スイスに逃れていたトロツキーは、再び『キエフスカヤ・ムイスリ』の戦時特派員として国境を越えて、フランスに落ち着き、そこで革命的国際主義の日刊紙『ゴーロス』（後に『ナーシェ・スローヴォ』）の編集部に加わり、この地から、世界戦争の行く末とロシア革命の展望について正確で大胆な評論を書いていくことになる。[*27]

この戦争に帝政ロシアは、協商国の一員として全面的に参加した。ロシアは参戦国中、最も多くの兵士を戦場に送った。すでにほころびはじめていた帝政支配は、この巨大な衝撃と負担に持ちこたえることはできなかった。かくして、一九一七年二月に帝政は転覆され、そこから始まった目も眩むような永続革命の過程は、二月の時点ではわずか一万足らずであったボリシェヴィキを、八カ月後にはこの巨大な帝国の権力者の地位に引き上げていたのである。永続革命論はこの成功した革命を通してその正しさを全面的に立証した。世界史の新しい時代が始まった。

十月革命とコミンテルンの創設

ロシアの一〇月大革命は、ロシアおよびせいぜい中央ヨーロッパにしか見られなかった革命的社会主義、すなわち共産主義の思想を一気に全世界に広げる一種の革命的ビッグバンであった。それは、プロレタリア革命の歴史において、ブルジョア民主主義革命の時代におけるフランス大革命と同等の位置を持っているが、しかし、その世界的影響力からすれば、フランス革命をはるかに凌駕している。

フランス大革命の激動とそれに続く激しい内乱にもかかわらず、世界のほとんどの地域のほとんどの人々は、そのことについて何も知らないまま日常生活を送っていた。それが作り出した震動は、地球に比較的大きな隕石が落下した程度であった。それに対し、ヨーロッパ世界からアジア世界にまで広がる広大なロシア帝国で起きた十月革命が作り出した震動は、地球に巨大な隕石が落下したほどの衝撃を与えた。それは何よりも、ヨーロッパ世界から排除され支配され従属させられていた広大な第三世界諸国に革命的衝撃を与えた。

ボリシェヴィキがメンシェヴィキとともにかつて属していた第二インターナショナルは、その名前にもかかわらず、基本的にはヨーロッパの組織であった。骨の髄までしみ込んだヨーロッパ中心主義と、自国帝国主義への依存ゆえに、第二インターナショナルの指導者たちは、第三世界諸国の人民の琴線に触れるような言葉を持っていなかった。しかし、ロシア革命ののちに作られた第三インターナショナルは、言葉の本当の意味で、歴史上初めてのインターナショナルであった。それは、ヨーロッパ世界のみならず、広大な第三世界諸国に深く根をはり、しばしば強力な支部を作り上げた。世界は一変した。ロシア革命以前と以後との間にいかなる連続性があろうとも、そして、十月革命が作り出したソ連そのものが後に変質し崩壊したとしても、もはや歴史は十月革命以前の世界に戻ることはない。

一九一九年に即興的に作り出された第三インターナショナル（コミンテルン）は、その最初の大会においては、内戦と干渉と封鎖のせいで、あるいは、初期段階にはつきものの準備不足とごたごたのせいで、ごく一部の国々の代表者を結集しえただけであった。だが翌年の第二回大会にはすでに三七カ国の代表が集まっていた。この第二回大会において、レーニン起草の「民族・植民地問題に関するテーゼ」とインドの共産主義者M・N・ロイが起草した「補足テーゼ」が、それぞれ部分的修正をほどこされたうえで採択された。これらは、共産主義の思想と運動が第三世界諸国に浸透し拡大するうえで決定的な武器となった。ついで、同年九月には、第一回東方民族大会がバクーで開催され、三七カ国から二〇〇〇人近い参加者が出席した。[*28] この会議が、東方諸国に共産主義運動と革命的民族運動を広げる上で極めて重要な役割を果したことは言うまでもない。

ところで、レーニンと並ぶロシア革命の指導者であり、またコミンテルンの指導者であったトロツキーは、この民族・植民地問題に関して、コミンテルン内でどのような役割を果たしたのだろうか？この、永続革命論の創始者は、その理論的枠組みからすれば、植民地革命問題において最も中心的役割を果たしてもよさそうなものであるが、しかし、トロツキーの主たる関心はヨーロッパ革命に向けられていた。コミンテルンにおける彼の主要な担当は、彼が第一次大戦中に亡命し多くの友人を持っていたフランスであり、あるいはより小さな程度でドイツとイタリアであった（彼はフランス語とドイツ語を流暢に話せた）。彼が起草した各大会の宣言の中では、もちろん植民地問題もしかるべき場所を占めていたが、彼がこの問題についてまとまった報告をしたことはなかった。そのような報告は基本的に、他の同僚たち、とりわけレーニンやジノヴィエフやラデックにまかされていた。

とはいえ、当時のトロツキーの諸文献には、東方問題と植民地革命に関して興味深い考察と理論の変遷がうかがえる。たとえば、一九一九年三月に出されたコミンテルンの第一回大会の宣言を見てみよう。これはトロツキーが起草したものだが、そこには、植民地革命について次のように述べられている。

植民地の解放は、宗主国の労働者階級の解放と結びついて初めて考えることができる。アンナン〔ベトナムの旧称〕、アルジェ、ベンガルのみならず、ペルシャ、アルメニアの労働者と農民も、イギリス、フランスの労働者がロイド・ジョージとクレマンソーを打倒し、その手に国家権力を握ったときだけ、独立する可能性を手に入れることができる。……資本主義ヨーロッパが世界の最も後進的な部分を無理やり資本主義的諸関係の渦の中に巻き込んだように、社会主義ヨーロッパは、その技術、その組織、その思想的影響力をもって、解放された植民地の援助におもむき、それらの国が計画的に組織された社会主義経済に移行するのを容易にするだろう。アフリカとアジアの植民地奴隷よ！　ヨーロッパにおけるプロレタリアート独裁の時は、諸君にとって、諸君の解放の時として鳴り響くだろう。[*29]

このように、この時点ではトロツキー（をはじめコミンテルン指導者）は、世界革命の進行を、ロシア革命からヨーロッパ革命に広がり、ついで植民地革命へ波及していくとみていた。ロシアは単なる後進国ではなく、トロツキー自身が述べているように、イギリスやフランスのような宗主国的性格と、インドや中国のような植民地的性格とを結合していた。それゆえ、この国でまずもってプロレタリア革命が勃発したが、その次は、ロシアより遅れた植民地諸国ではなく、あくまでも社会主義革命にとって成熟しているヨーロッパの順番であるとみなされていたのである。

五、西方から東方へ

東方世界の再検討

だが、このような展望は、それほど時間が経たないうちに修正がなされる。翌月にトロツキーが一つの覚え書きとして書いた「途中で――プロレタリア革命の進行について」と題された論文ではすでに、西方における革命の困難さと、それと対比しての東方における革命の急速な広がりの可能性について論じられている。

かつて教会は「光は東方から」と言ったものだ。現代においては、革命は東方から始まった。それはロシアからハンガリーに移り、ハンガリーからバイエルンに、そして、疑いもなく、ヨーロッパのより西方へと移行していくだろう。こうした事態の進行は、インテリゲンツィアの広範な層――ロシアのインテリゲンツィアだけではない――の間で相当広まっている「マルクス主義」的偏見に反して起こったのである。[*30]

先進資本主義国では最もプロレタリアートが多く、最も組織され、最も啓蒙されているにもかかわらず、なぜこのような事態になったのか。トロツキーの説明はすでに、一九二一年以降におけるコミンテルンの戦術の転換をはっきりと先取りしている。

イギリスが早くから資本主義的発展を遂げていたおかげで、イギリス・ブルジョアジーは、プロレタリア革命に系統的に対抗することを可能にする諸手段を意のままにすることができた。これと同じ条件ゆえに、プロレタリアートそれ自身のうちにも、より正確に言えば、その上層部のうちに最も極端な保守的傾向が生み出されたのである。[*31]

同じことは、必要な修正を加えたうえで他の先進資本主義国にも言えた。非常によく発達し柔軟性を備えた支配的な政治機構、保守化した労働組合と社会民主主義組織、帝国主義の恩恵、これらは西方における革命の進展を東方よりも著しく緩慢にした。グラムシが『獄中ノート』で考察した事柄がすでにここに十分な具体性をもって展開されている。逆に、そのような伝統の重みを持たないロシアでは、事態はきわめて急速に進んだ。

外国金融資本の圧力と外国技術の助けを借りて育成されたロシア資本主義は、二、三〇年の間に、数百万の労働者階級をつくりだした。そしてこの労働者階級は、鋭いくさびのように、ロシア全体の政治的野蛮のうちに割り込んできた。過去の重い伝統を引きずっていないロシアのプロレタリアートは、西ヨーロッパのプロレタリアートとは違って、非文化性や無教養という特徴――わが国の半ば教養のあるプチブルたちは飽きもせずこのことを指摘してきた――を持っていただけでなく、移動性、主導性、そして、自己の階級的立場から生じる最も極端な結論に対する感受性という特徴を持っていた。[*32]

この一連の箇所において、トロツキーはかつて『総括と展望』や『一九〇五年』で展開した議論と基本的に同一の議論を展開している。しかし、トロツキーはこうした考察をさらに押し進めて、永続革命論的発想をロシア一国を超えて普遍化していく方向にしだいに進んでいった。ほぼ同じ時期の一九一九年八月五日にトロツキーが中央委員会に宛てた手紙には、西方の革命と東方の革命との関係に関して大胆な発想の転換が見られる。

世界政治のアジア地域においては、赤軍がヨーロッパ地域でよりもはるかに強力な要素であることにいかなる疑いもありえない。この点では、われわれの前には、ヨーロッパにおける事態の発展が長期にわたって遅れる可能性だけでなく、アジア地域において積極的な展開が見られる紛れもない可能性が開かれている。現時点において、インドへの道はわれわれにとってソヴィエト・ハンガリーへの道よりも広く短いかもしれない。アジアにおける植民地的従属の不安定な均衡が破壊されるならば、それはアジアにおける被抑圧大衆に反乱の直接のきっかけを与えるだろうし、ヨーロッパ地域では今のところ大きな意義を持っていない軍隊がアジアにおけるこうした反乱の勝利を助けることができるかもしれない。[*33]

国際情勢はどうやら、パリとロンドンへの道がアフガニスタンやパンジャブやベンガルを通っていることを示しているようである。ウラルやシベリアにおけるわれわれの軍事的成功は、アジアにおけるすべての被抑圧者の中でソヴィエト革命の権威を著しく高めた。この要素を利用して、ウラルやトルケスタンに革命アカデミーや、アジア革命の政治的・軍事的司令部を集中しなければならない。それは、近い将来において、第三インターナショナル執行委員会よりもはるかに有効なものになるかもしれない。……

現在の血に飢えた資本主義が何年にもわたって維持されるならば、不可避的に植民地の搾取はいっそう強化されるだろう。だが、他方では、反乱の試みも同じぐらい不可避的に起こるだろう。近い将来における反乱の舞台はアジアである。われわれの課題は、国際分野における方向性の必要不可欠な重心移動を時機を失することなく遂行することである。[*34]

このように、東方の革命と民族解放がヨーロッパ革命の前に来る可能性が、非公開の手紙の中とはいえ、一つのアイデアとして語られている。この大胆な展望は、やがて一九二五〜二七年における第二次中国革命として現実のものになるのだが、しかしその時にはすでにコミンテルンの指導権はトロツキーの手から離れ、目下の同盟者を欲するが革命を欲しないスターリンとブハーリンの手に握られていた。だがこれはまだ先の話である。

コミンテルン第三回大会と第四回大会

ヨーロッパ諸国における革命運動の沈静化、ロシアにおける内戦の終結とネップの開始は、きわめて不安定ながらも一時的な平和期を成立させた。一九一七〜二〇年の怒涛の攻勢期は終わりを告げ、より息の長い戦略と戦術を必要としていた。レーニンとトロツキーはコミンテルン第三回世界大会において統一戦線戦術を提唱し、この戦術転換を主導した。しかしながら、なお革命的攻勢期の余韻がさめやらぬ多くの各国指導者たち（しばしばロシアの指導者たちも）は、攻勢理論に固執し、統一戦線戦術に抵抗した。レーニンとトロツキーは、そうした抵抗の克服に多大な努力を必要とした。

西方における革命運動の相対的沈静化に比して、東方はなお反乱でわきたっていた。このことは、東方において革命のための真剣な準備、各国の具体的状況に即した戦略・戦術の練りあげ、党建設などを焦眉の課題にした。この二つの世界をまたぐ形で広がっているロシアの労働者国家は、何よりもこの二つの世界の革命運動の結合を実現しなければならない位置にあった。一九二一年に創設された極東勤労者共産主義大学や、一九二二年に開催された極東勤労者大会（極東民族大会）は、そうした展望を具体化するものであった。

トロツキーは、一九二一年六～七月に開かれた第三回コミンテルン世界大会の主要報告の中で、植民地の工業化と解放運動の台頭を、現時点における革命闘争の三つの源泉の一つに挙げている（残る二つは、ヨーロッパの衰退とアメリカ合衆国の経済の痙攣である）。

革命闘争の第三の源泉は、植民地とりわけインドの工業化である。植民地の解放闘争の基礎は農民大衆である。しかし、農民大衆の闘争には指導部が必要である。このような指導部を与えてきたのは現地のブルジョアジーであった。だが、外国帝国主義の支配に対する土着ブルジョアジーの闘争は、この土着ブルジョアジー自身が外国資本と密接に結びつき、かなりの程度、外国帝国主義の手先になっているため、徹底することも、精力的になることもできない。闘争能力を持ったかなりの数的規模の現地プロレタリアートの台頭だけが、革命のための真の基軸を作りだす。インド・プロレタリアートの数的規模は、インドの住民全体と比べるなら、もちろんのこと小さい。しかし、ロシアにおける革命の発展を理解した人ならば、東方諸国におけるプロレタリアートの革命的役割が、その数的規模よりもはるかに大きいことを理解するだろう。

このことは、インドのような純植民地国、中国のような半植民地国にのみあてはまるだけでなく、資本主義的抑圧が、封建的・カースト的な官僚的絶対主義体制と結びついている日本にもあてはまる。[*35]

ここで日本にも触れていることは興味深い。いずれにせよ、こうした状況の中で、「西方と東方」という対概念は、この時期、コミンテルン指導者のさまざまな論文や報告においてきわめて重要な位置を占めるようになる。たとえばレーニンは、コミンテルンの第三回大会で西方における革命の困難さについて詳しく述べている。しかし、この対概念をより明確な形で定式化したのはトロツキーであった。すでに紹介した一九一九年の論文や手紙で明確に西方と東方の対照性が考察されていたが、一九二二年のコミンテルン第四回大会の主要報告において、トロツキーは改めて、東方と比較しての西方の革命運動の特殊性（つまり、東方における権力獲得の容易さとその後の内戦の困難さ、西方においてはその関係が逆であること）について説明した。

これが意味しているのは、われわれがロシアのブルジョアジーの不意をついたようにはヨーロッパのブルジョアジーの不意をつくことが恐らくできないだろうということである。ヨーロッパのブルジョアジーは、より賢明で先見の明があり、時間をむだにしない。ヨーロッパのブルジョアジーは、われわれに反対して立ち上がらせることができるいっさいのものを今すでに動員しつつある。したがって、革命的プロレタリアートは、権力への途上で反革命の戦闘的前衛部隊に遭遇するだけでなく、同時に反革命の最も重要な予備軍にも遭遇するだろう。このような敵の兵力を粉砕し、解体し、戦意を喪失させた時に初めて、プロレタリアートは国家権力を奪取するだろう。*36

周知のように、この大会には、サナトリウムから出てきたばかりの病み上がりのグラムシが参加していて、このトロツキーの報告にいたく感銘を受け、「西方と東方」という概念、そして西方における息の長い陣地戦の必要性を学びとり、ボルディガからの独立を成し遂げ、独自の指導分派の形成に向かっていくのである。*37

ちなみに、トロツキーはこの第四回世界大会において、もう一つの長大な報告「フランス共産党の諸問題」を行なっている。この演説は、コミンテルンにおけるフランス問題の担当者であったトロツキーが、当時におけるフランス共産党のさまざまな内部問題を総括的に論じたもので、その中で、フランスの植民地として戦後の独立達成まで続く深刻な問題を提起しつづけたアルジェリア問題についても触れている。その中で、アルジェリアのある一支部が挙げた決議が厳しく批判されている。その決議はなかんずく次のように述べている。

アルジェリアのムスリム大衆の勝利せる反乱――それは本国のプロレタリア大衆の勝利せる反乱に先立つであろう――は、必然的に封建的体制に類似した体制の復活をもたらすだろうが、これは共産主義者の行動の目的とはなりえない。*38

この主張は、この何十年もずっと後に起こるイラン革命の帰結を考えると、必ずしも間違いであると言うことはできないが、少なくともこの時点では、植民地諸国の自主的な反乱と革命を否定的に見るという一面性を内包していた。この主張に対してトロツキーは、「似非マルクス主義的議論[*39]」だとして厳しい批判を加え、「われわれとしては、奴隷所有者の精神に蝕まれたこのような同志たち、ポアンカレが資本主義文明の恩恵をアルジェリアに維持することを望んでいるこれらの同志たちがわれわれの隊列の中にとどまっているのを、一分一秒たりとも我慢することはできない」とまで述べている[*40]。

『西方と東方』

さらにトロツキーは、一九二四年七月には、ずばり『西方と東方』という題名の論文・演説集を出版したが、そこでは、西方の革命運動と東方で台頭しつつある新しい革命の波について詳しく論じられている。たとえば、東方勤労者共産主義大学の三周年記念にトロツキーが行なった演説（一九二四年四月）では、次のように述べられている。

図式的に言うと、資本主義には二つのタイプがある。宗主国の資本主義と植民地の資本主義である。宗主国の古典的な例はイギリスである。……マクドナルドはなぜあんなに保守的で、あんなに偏狭で、あんなに愚鈍なのか？　それは、イギリスが資本主義の古典的国であるからであり、この国では資本主義の発展が有機的で、手工業からマニュファクチュアを経て近代産業に至るまで、一歩一歩、「進化的」な道を通じて進行したからである。*41

もしヨーロッパが、労働者階級のこの愚鈍で同業組合主義的（цеховщиной）で貴族的で特権的なマクドナルド主義的上層によって現在の腐敗状況にとどめおかれるなら、革命運動の重心は完全に東方に移動するだろう。そしてその時には、ちょうどイギリスにおける数十年にわたる資本主義的発展が、この革命的要因によってわれわれの旧ロシアと古い東方を奮い立たせるために必要であったように、今度は、東方における革命が、イギリスに跳ね返って――必要とあらば――その少々ぶ厚い頭蓋骨をぶち破るか、たたき割ってヨーロッパ・プロレタリアートの革命に刺激を与えるために必要になるだろう。これは歴史的可能性の一つである。*42

ここでは、東方の革命が西方の革命より先に起こって、それが西方に跳ね返り、そこでのプロレタリア革命の起爆剤になりうることが言われている。

以上が、ネップ初期におけるトロツキーの植民地革命の展望であった。ただし、一つだけ注意しておくと、こうした考察はけっして、戦後のマオイストの一部に見られたような植民地革命絶対論（周辺から中枢へ）という図式をトロツキーが抱いていたとみなしてはならない。引用文にあるように、こうした展望はあくまでも「歴史的可能性の一つ」であり、絶対化することが政治的にきわめて危険であることをトロツキーは重々承知していた。

さらに言うと、この時点でのトロツキーは、それでもなお、東方の革命から西方の革命へと波及する可能性よりも、ヨーロッパ資本主義の相対的安定性がアメリカ資本主義の急成長によって崩壊して、ヨーロッパ革命が起こり、社会主義ヨーロッパとソ連との連合がアジアを革命化するパターンであの方が可能性が高いとみなしていた。

六、後進諸国への永続革命論の普遍化

文献論争と「永続革命」概念の再焦点化

すでに述べたように、トロツキーの永続革命論は、必要な修正を加えるならば、後進国における革命論として一定、普遍的な意義を有していた。レーニンが起草した第二回大会における「民族・植民地問題に関するテーゼ」は、植民地諸国における資本主義段階の飛び越しの可能性を肯定した点で、永続革命の理論を、その名前を用いずに非常に大雑把に適用したものであった。

しかし、トロツキー自身、後進国における革命を論じる際、「永続革命」という論争的用語を用いることには一貫して禁欲的であったし、また、あれこれの国の革命の過程を、かつてロシアで自分がやったように厳密に永続革命的に論じることにも慎重であった。それどころか、すでに紹介した『西方と東方』所収の演説でも、中国における国民党支配下の資本主義的発展の可能性は排除されていなかった。たとえば、トロツキーは次のように述べている——「もし中国の国民党が民族民主主義的体制のもとに中国を統一することができるなら、中国の資本主義的発展は長足の進歩を遂げるだろう[*43]」。

しかしながら、一九二四年一一月に、トロツキーの著作集第三巻『一九一七年』の長大な序文として「一〇月の教訓」が出され、それを機に、「文献論争」と呼ばれる反トロツキーの大キャンペーンが始まると、事情は一変した。トロツキー自身、その名称にそれほどこだわっていなかった「永続革命」が突如として論争の中心になった。すでに、一九二三年一〇月から一九二四年初頭にかけて、党内民主主義や工業化の問題をめぐって、トロツキーを中心とする左翼反対派とトロイカとの論争が起こっていたのだが、今では、永続革命論が主流派において呪いと打倒の対象となった。[*44]

それ以前は、ボリシェヴィキが一九一七年にトロツキーの考えに移ったおかげで十月革命が勝利したということは、多くの指導者にとって当然のこととみなされていたのだが、今では、永続革命論はロシア革命とは関係がなく、それどころか根本的に誤った理論として断罪されることになった。レーニンがその考えに移ったおかげで十月革命が勝利したのではなく、レーニンが一貫してそのような誤った理論と闘い続けたおかげで、十月革命は勝利したのだ——これがコミンテルンの新しい「定説」となった。

だが逆説的なことだが、ソ連指導部による「永続革命」概念の再焦点化とその悪魔化は、これまでその概念にそれほどこだわっていなかったトロツキーをして、結果的に、その概念の厳密化と国際的拡張を促すことになるのである。

歴史の大規模な偽造が始まり、それとともに、コミンテルンの指導もその定説に合わせて修正されはじめた。だが、その直接的な結果がはっきりと示されるには、どこかの後進国において本物の革命的危機が起こることが必要であった。そしてそれは一九二六〜二七年に中国でやってきたのである。

中国革命と永続革命論の普遍化

スターリン＝ブハーリン指導部は、労農民主独裁論をさらに俗悪にしたうえで、中国革命に適用した。民族ブルジョアジーに対する不信とプロレタリアートの政治的独立というレーニン主義的原則に代わって、民族ブルジョアジーへの信頼と従属が主要戦略となった。その結果は悲惨であった。中国では本物の革命的危機にまで事態が高まったにもかかわらず、中国共産党と中国プロレタリアートは、蔣介石のクーデターによって粉砕され、革命運動は大きく後戻りさせられた。[*45] コミンテルンのジグザグの指導に翻弄された中国共産党の指導者（とくに陳独秀）やカードルの一部は革命の敗北の責任を一方的にとらされた。彼らは、コミンテルン指導部に幻滅し、左翼反対派に顔を向けるようになる。[*46]

このときの大論争と中国革命の敗北の経験を通じて、トロツキーは、ロシアの特殊理論として練りあげられた永続革命論のある種の普遍性を確信するにいたった。しかし今回は、ロシア革命の場合とは正反対のベクトルから永続革命論の正しさが証明されたのであった。すなわち、ロシア革命においては永続革命の戦略を採用することで勝利に至ったのだが、中国革命においては、永続革命の戦略を適用しなかったことで壊滅的な敗北をこうむったことで、その正しさが逆照射されたのである。

永続革命論は、必要な修正を受けたうえで拡張された。その修正の主たる中身は、農民の土地問題と並んで民族独立のための闘争を、プロレタリア革命に向けた過渡的要求の最も重要なモメントの一つに位置づけたことである。この点は、トロツキーがソ連追放後の一九三〇年に出版された『永続革命論』の最後に収録された諸テーゼの中で、以下のように簡潔に総括されている。

遅れてブルジョア的発展を開始した諸国、とくに植民地および半植民地諸国に関して、永続革命論は次のことを意味する。それらの国における民主主義的・民族解放的諸課題を全面的かつ実際に解決することは、被抑圧人民、何よりも農民大衆の指導者としてのプロレタリアートの独裁を通じてのみ考えられるということである。[*47]

こうして、この中国革命の経験を通じて、そして民族問題のこの永続革命的位置づけを通じて、トロツキーの永続革命論はロシア一国の特殊な状況にのみあてはまる戦略的展望ではなく、多かれ少なかれ共通した特徴をともった後発諸国におけるある程度共通した戦略へと一般化されたのである。この一般化は、一九三〇年代初頭に出版されたトロツキーの歴史的大著『ロシア革命史』の第一章「ロシアにおける発展の特殊性」で、後発諸国における「不均等・複合発展法則」として定式化されることで、より確固たる理論的土台を獲得するに至る。[*48] ロシアにおける永続革命の軌跡はこのより一般的な法則性の集中した現われであり、そして他の後発諸国の革命においても大なり小なり、この法則の結果として、永続革命的な推進力を持つことになる。

これ以降、後進諸国における永続革命戦略の普遍的妥当性はトロツキーの揺るぎない確信になった。[*49] それは、トロツキーの植民地革命論における理論的飛躍を意味したが、他方では、ある種の教条主義の始まりをも意味した。ときに、具体的な情勢の具体的な分析に代わって、永続革命の図式がその代わりを果たす場面もしばしば見られるようにもなったからである。

七、ソ連追放後における植民地革命論の発展Ⅰ——極左期

ソ連追放後のトロツキーの第三世界論については、大きくわけて二つの時期を確認することができる。最初の時期は、スターリン支配下のコミンテルンが極左的な「第三期論」を唱えていた時期、すなわち一九三〇〜三四年の時期である。もう一つの時期が、コミンテルンが今度は右翼日和見主義的な人民戦線論を唱えた一九三五年以降の時期である。

インドとインドシナ

極左的「第三期論」がとりわけ壊滅的な打撃を与えたのは先進資本主義国においてであったが（その最大の被害国がドイツである）、植民地諸国においても一定の有害な役割を果たしていた。長年にわたる右翼日和見主義路線によってまず大きな混乱をもたらし、その混乱の後に続いた極左路線は、その混乱をいっそうひどくした。

トロツキーは一九三〇年の論文「インド革命——その課題と危険性」の中で、そうしたコミンテルンのジグザグによって生じた混乱を批判し、植民地革命の全般的展望を描きだしている。論文は冒頭で、「イギリスが古典的な宗主国であるように、インドは古典的な植民地国家である」[*50]と述べている。その当面する課題は、イギリス帝国主義のくびきから民族的に独立すること、封建的・農奴的・カースト制度的野蛮を一掃すること、無数の諸民族・部族に分裂したインド人民を統一した国民に融合す

ること、すなわち民族民主主義革命であった。だがすでにガンジーの運動を通じて、民族ブルジョア民主主義派による大衆動員が始まっていた。こうした動きの背景には大衆の巨大な圧力があった。この生きた運動を民族ブルジョア派の支配下から引き離して、革命的プロレタリアートの周囲に結集することが必要であった。コミンテルンは、インドにおいて階級協調路線を実行した挙げ句、その後の極左路線の中で、こうした課題を達成するうえで必要不可欠な「憲法制定議会」のスローガンを否定し、単純にソヴィエト独裁を対置していた。

インド共産党……は現在、革命的・民主主義的高揚の中で、大衆を動員する最も重要なスローガンの一つである民主主義的憲法制定議会のスローガンを奪い取られている。その代わり、まだその一歩を踏み出してもない若い党は、抽象的独裁――すなわち、いかなる階級の独裁かがわからない独裁――の一形態としてのソヴィエトという抽象的スローガンを押しつけられている。これこそまさに、混乱の極みだ！[*51]

トロツキーのこのインド革命に関する論文は、永続革命論にもとづいてインド革命の全体的展望を正しく描きだし、当面の課題について正確に定式化している。しかしながら、あいにく抽象性は免れていない。インド社会に対する具体的な分析はごくわずかで、典型的な植民地国家として大雑把にくくられている。その永続革命的展望にしても、ある意味でどの後進国にもあてはまる一般論が言われているにすぎない。

インドのプロレタリアートが今日、ロシアのプロレタリアートよりも数的に脆弱であるという事実は、それ自体としてはいささかも、その革命的可能性を縮小するものではない。それは、アメリカないしイギリスのプロレタリアートに比較してのロシア・プロレタリアートの数的脆弱さが、プロレタリアート独裁の障害にならなかったのと同じである。反対に、十月革命を可能にし不可避にしたすべての社会的特殊性が、より先鋭な形でインドに存在する。この貧農の国において、都市のヘゲモニーは、帝政ロシアに負けず劣らずはっきりとした性格を有している。一方では産業的、商業的、金融的権力が大ブルジョアジーの手に、何よりも外国ブルジョアジーの手に集中していること、他方では、産業プロレタリアートが急速に成長しつつあることは、都市の小ブルジョアジー――とりわけインテリゲンツィア――の独立した役割の可能性を排除しており、したがってまた、革命の政治的メカニズムを、農民大衆に対する指導権をめぐるプロレタリアートとブルジョアジーとの闘争へと転化する。今のところ、「ただ一つの」必要条件だけが足りない。ボリシェヴィキ党がそれである。[*52]

こうした議論は、すでに紹介したコミンテルン第三回大会での報告の延長上にあるが、そのときの議論を越えて、インド版十月革命の展望に結びつけられている。しかし、プロレタリアートがその数的規模よりも大きな役割を発揮しうるとしても、このことはけっして、ロシア革命の場合のようなプロレタリアートのヘゲモニーを保障するものではない。

右の引用文の「インド」という言葉を他のさまざまな後進国の名前に置きかえたとしても、基本的にまったく支障は生じない。だが、他の後進国にはないインド的特殊性を具体的に分析することなしには、インド革命の具体的展望もありえない。インドにおけるヒンズー教の支配、強力な地方分離主義の存在、カースト差別のすさまじい根深さ、都市の工業の分散的性格、民族ブルジョア派の相対的戦闘性と指導力、等々が具体的に明らかにされ、それが革命運動に対して持つ意義を理解しなければならない。「足りないのはボリシェヴィキ党だけだ」というのでは、あまりにも情勢が単純化されすぎている。

同じ年に書かれた「インドシナ反対派の宣言」は、インドシナ情勢に対する「非常に不十分な知識」が自覚されつつ書かれており、筆者自身が、「インドシナの社会構造とその政治的歴史に関する私の不十分な知識[*53]」ゆえに「抽象性という欠陥を免れていない」ことをことわっている[*54]。したがって、いくつかの原則を提示するだけにとどめられている。しかし、一般民衆の民族主義が持つ相対的に進歩的な性格の承認や、徹底した民主主義を要求することの重要性など、いくつか注目すべき指摘がなされている。

アフリカ問題

また、この時期、アフリカの黒人問題と民族問題に関する二つの論文がトロツキーによって書かれている。「『有色人種』プロレタリアートへの接近」と「南アフリカ・テーゼについて」である。前者の論文の最後には、アジア・アフリカ諸国をはじめとする有色人種プロレタリアートの果たす人類史的意義が次のように実に力強く語られている。

われわれはアフリカ黒人労働者、中国労働者、インド労働者、有色人種の大海のすべての被抑圧者の意識に至る道を見いださねばならない。人類発展の決定的保証は彼らにかかっている。[*55]

今日、この文言はいっそう真実であると言えるだろう。また、「南アフリカに関するテーゼ」では、南アフリカにおける「黒人共和国」の可能性についてはっきりと語られている。これは今日、歴史的事実となっている。[*56]さらに同論文では、白人の特権や偏見に対していかなる譲歩もしてはならないという原則がきわめて印象的な形で強調されている。

いずれにせよ、革命家の側の最悪の犯罪は、白人の特権や偏見に対して、少しでも譲歩することであろう。この排外主義の悪魔に小指を与えることは、それだけで敗北である。革命党は、すべての白人労働者に次のような選択を突きつけなければならない。イギリス帝国主義と南アフリカの白人ブルジョアジーの側につくか、それとも、白人封建主義者や奴隷所有者および労働者階級内部のその手先に抗して、黒人の労働者・農民の側につくか、である。[*57]

この原則はきわめて重要であり、後に、トロツキーがアメリカの黒人問題を論じた時にも繰り返し強調されている。[*58]しかし、それ以外の点に関しては、やはり情報不足が原因で、いくつかの一般原則が述べられているにすぎない。*59

八、ソ連追放後における植民地革命論の発展Ⅱ——人民戦線期

次に、人民戦線期におけるトロツキーの第三世界論について見て行こう。

社会ファシズム論から人民戦線論へ

一九三五年八月に開かれたコミンテルン第七回大会は、それまでの極左路線に対する真剣な反省もなければ、ドイツ・ファシズムの勝利を可能にした許しがたい犯罪的誤謬についての自己批判もなく、反ファシズムの人民戦線路線への転換を宣言した。反ファシズムの闘いは、民主主義的ブルジョアジーと「民主主義」的帝国主義への従属的同盟路線にすり替えられた。ちょうどかつての極左路線が、植民地諸国よりは先進資本主義国により大きな打撃を与えたとすれば、今回の新しい路線は、先進資本主義国よりも植民地諸国ないし後進諸国の革命運動により大きな打撃を与えた。なぜなら、その植民地を支配している帝国主義国が「民主主義」の陣営に属しているかぎり、その帝国主義国およびその手先である植民地ブルジョア権力に対する闘争は反ファシズムの名において抑制されなければならず、それどころか、そうした権力と協力しなければならなかったからである。

トロツキーは、「第三期」が呼号されていた時期には反ファシズム労働者統一戦線の意義を繰り返し述べなければならなかったが、今度は、反ファシズムを口実とした帝国主義への屈服路線に対する

全面的な批判を展開しなければならなかった。一九三八年に書かれた「ファシズムと植民地世界」は、この問題に関するトロツキーの立場をきわめて簡潔に示している。

ファシズムは帝国主義の最も凶暴で嫌悪すべき形態である。しかし、このことは、帝国主義が民主的仮面をつけたからといって労働者階級と被抑圧人民がその帝国主義を甘んじて受け入れなければならないことをけっして意味するものではない。ラテンアメリカ人民は、日本やドイツやイタリアの支配下に入ることを望んでいない。だが、このことは、メキシコがイギリス帝国主義や北米帝国主義によるその天然資源や国内政策に対するその支配を許せるということをけっして意味しないのである。後進国の労働者階級と人民は、ファシスト的死刑執行人であろうと「民主的」死刑執行人であろうと、いずれの執行人にも首を絞められることを望んでいない。[*60]

あるいは、一九三九年七月に書かれた「帝国主義戦争に直面するインド」では、マヌイルスキーを通じて語られたコミンテルンの帝国主義への屈服路線に反駁し、次のように述べられている。

インドにおいてスターリニストは、「人民戦線」の見せかけのもと、プロレタリアートをブルジョアジーに従属させる政策を持ち込んでいる。これが実際に意味するのは、革命的農業綱領の拒否、労働者の武装の拒否、権力闘争の拒否、革命の拒否である。[*61]

さらに、有名な「過渡的綱領」は、民族民主主義的内容をもった過渡的綱領と国民議会（憲法制定議会）のスローガンを支持しつつ、スターリニストの階級協調政策を断罪している。[*62]

このようにトロツキーは、コミンテルンの右翼日和見主義路線、とりわけ植民地および半植民地諸国に及ぼすその悪影響を正しく批判し、全体として正しい革命的展望を対置したのだが、他方では、しばしば行きすぎてしまい、来たる世界大戦においてファシズム諸国と「民主主義」諸国のどちらが勝利しても事態がまったく変わらないかのような誤った極左的立場を表明することがあった。たとえば、一九三八年九月の「反帝国主義闘争こそ解放への鍵である」の中でトロツキーは次のように述べている。

いずれの陣営の帝国主義者が勝っても、それはすべての人類の決定的な奴隷化、現在の植民地や弱い遅れた人民を、とくにラテンアメリカ人民を二重の鎖で締めあげることを意味するに違いない。いずれの帝国主義陣営が勝利しても、隷属、災厄、悲惨を、人類の文明の滅亡を招くに違いない。[*63]

ラテンアメリカ人民が引き続き帝国主義のくびきにとどまるという点については、なるほどその通りかもしれないが、全体としてどちらが勝利しても事態が変わらないかのように言うのは、明らかに誇張であり、まったくの極論である。先進資本主義国でファシズムが勝利すれば、その地域での労働者階級のあらゆる組織の絶滅を意味するのだから（トロツキーのファシズム論の核心に位置する命題だ）、そうした帝国主義国の行動を内部から制約する力も失われ、したがって植民地諸国の状態もいっそうひどいものになるのは明らかである。トロツキーが一九三〇年代前半にあれほど慧眼にファシズムの独自の危険性について警鐘乱打したにもかかわらず、ここではファシズムの独自の危険性が過小評価されてしまっている。スターリニズムに対する反発がトロツキーの目をも曇らせたのだと考えるほかない。

しかし、最晩年にトロツキーは、ファシスト諸国に対してアメリカの民主主義を防衛しようとするアメリカ労働者に熱烈な共感を示すことによって、こうした極左的立場を最終的には修正しはじめていた。[*64] しかし、それがきちんとした結論に至る前に、トロツキーはスターリンが放った暗殺者によって暗殺されてしまった。戦後のトロツキズム運動がしばしば極左主義に陥った原因の一つは、これかもしれない。

エチオピア問題

もちろん、ファシズム諸国の陣営が帝国主義の一形態として後進諸国や植民地諸国を侵略し支配しようとする場合には、反ファシズムと反帝国主義は一致するのであり、そうした場合には、たとえ侵略されている側の国家が反動的な支配層によって統治されている場合でも、侵略されている後進諸国の勝利と、侵略者であるファシスト的帝国主義の敗北を主張することは、トロツキーの一貫した立場であった。

その最もはっきりとした事例はもちろん、日本による中国侵略に対するトロツキーの立場に見出せる。これについてはよく知られているので、ここでは繰り返さないでおこう。あまりよく知られていないのは、一九三五年におけるイタリアのエチオピア侵略に対するトロツキーの立場である。

まずトロツキーは、オスロで当地のノルウェー労働党の新聞からインタビューを受け、イタリアによるエチオピア侵攻の企図に関して、これが、第一次世界大戦の直前に起こったバルカン戦争と類似しており、今度はそれが「三年、四年、または五年」後に新たな世界大戦を引き起こす序曲になる可能性があると答えている。[*65] 実際に、この事件の四年後に第二次世界大戦が起こっている。

トロツキーは実際に侵略が開始される一九三五年一〇月以前の七月にすでに、イタリアのエチオピア侵略準備に反対する国際キャンペーンをするよう国際書記局に手紙で訴えている。この手紙の中でトロツキーは、「もちろん、われわれはイタリアの敗北とエチオピアの勝利に賛成である」ると述べるとともに、問題は反ファシズムではなく、反帝国主義であるとしている。興味深いのは、アフリカを侵略して敗北したイタリアの過去の政治家（フランチェスコ・クリスピ）の例を出して、侵略国側の敗北は、実はその国自身の発展にとってもプラスになることを指摘していることである。[*66] これはまさに戦後日本にぴったりあてはまる指摘である。

ラテンアメリカにおける民族ブルジョア派

また、植民地および半植民地諸国の民族ブルジョア派に対する態度にも、この時期、多少の変化が見られる。中国革命の悲惨な経験から、トロツキーは、民族ブルジョア派との非妥協的闘争という側面を強調し、もはや民族ブルジョア派が何らかの重要な進歩的役割を果たすことができない、あるいは、労働者・農民に譲歩したとしてもそれは後で致命的打撃を背後から加えるためである、という考えに傾いていた。しかし、メキシコのカルデナス政権による石油産業の接収に代表されるような反帝国主義行動を目撃したトロツキーは、その行動を帝国主義者の攻撃から熱心に防衛しつつ、民族ブルジョア派の行動の多様性を認識するようになり、そのそれぞれにおいて革命派がとるべき態度についてより厳密な規定を加えるようになった。

たとえば、一九三八年一一月にトロツキーのメキシコの家で行なわれた討論の議事録である「ラテンアメリカ問題——議事録」は、次のように二つの場合を区別している。

現在は、民族ブルジョアジーが外国帝国主義からもう少し多くの独立性を追求する時期である。民族ブルジョアジーは、労働者や農民をあやつらざるをえない。その場合、現在のメキシコのように、国家の中で左傾化した強力な人物が出現することになる。他方、民族ブルジョアジーが外国資本家に対する闘争を放棄し、外国資本家の直接的保護下で活動せざるをえない場合には、たとえばブラジルのように、半ファシスト的体制が成立する。[*67]

そして、前者の場合において、それが部分的であれ反帝国主義的な措置をとった場合には、政治的独立性を保持した上でそれを支持するべきであると述べている。

農業問題においてわれわれは接収を支持する。そのことはもちろん、われわれが民族ブルジョアジーを支持することを意味しはしない。外国の帝国主義者に対する闘争であろうとその反動的なファシスト的手先に対する闘争であろうと、そうしたものに対する直接の闘争である場合には常に、われわれは、われわれの組織と綱領と党の全面的な政治的独立性とわれわれの批判の完全な自由を保持しながら、革命的支援を与える。*68

このような柔軟な姿勢は、ラテンアメリカ諸国のみならず、多くの植民地諸国において有意義な指針となるものである。とはいえ、チェルヌィシェフスキー（とレーニン）が言うように「真理は常に具体的」なので、個々の具体的な場合と局面において民族ブルジョアジーに対する態度が正しく決定されなければならないだろう。

九、ラテンアメリカにおける植民地革命論の具体化

トロツキーは一九三七年にメキシコに亡命し、その地で暗殺されるまで三年間を実際にラテンアメリカ諸国の一つで過ごした。このことは、ラテンアメリカ世界にトロツキーを身近に接近させ、その具体的な諸問題に対するトロツキーの理解を深めた。*69 一九三七年以降にトロツキーによって書かれた、ラテンアメリカに関するさまざまな文献には、多くの興味深い論点や考察が見出される。

ボリビア問題

たとえば、一九三七年に書かれた「ボリビアにおける農業問題」は、農民の個人用の土地と、集団農業のための集団農場の両方を保障することを明言しており、農業集団化に関するより柔軟な観点を提示している。

大土地所有者だけから一定の土地を没収し、集団農場を一定程度離れた距離のところに設けるようにすれば、それをボリビアで実現できるだろう。この方法にもとづくなら、農民の個人経営は、農民に個人所有の土地を与えることで保障されるだろう。同時に、農民は集団農場でも働き、それによって社会の福祉に貢献するだろう。限られた大きさのアシエンダは破壊されないだろう。[*70]

この観点は非常に重要であり、集団化だけが農業問題の解決策ではない。集団農業と個人（家族）農業（小農経営）とは長期にわたって併存可能であり、後者の農業形態への国家の支援も当然に認められるべきであろう。[*71]

また、同年の「ラテンアメリカにおける労働組合運動の任務」は、ラテンアメリカにおける労働組合の原則として、労働組合の、国家からの独立と、労働組合内部の労働者民主主義の徹底が提案されている。

すべての国において、労働者民主主義にもとづいて全労働者階級を統一すること。労働者民主主義とは、組合内での思想闘争が自由かつ友好的に展開され、行動においては少数派が鉄の規律で多数派に従うことである。[*72]

このことがあえて強調されているのは、ラテンアメリカ諸国におけるスターリニストが労働組合運動を牛耳り、自分たちに逆らうものを弾圧し、労働組合運動を分裂させていたからである。

メキシコ問題

また、メキシコにおける労働者管理の問題を論じた「産業国有化と労働者管理」(一九三九年五月)[*73]、および、メキシコ政府および与党による「六カ年計画」の問題を論じた「メキシコにおける第二次六カ年計画」(一九三九年三月一四日)は、反帝国主義的な方向で左傾化しつつある植民地ないし半植民地国の国家資本主義体制に対して革命派がとるべき態度を具体的に明らかにしている。それは、しょせんブルジョア政権のやることだから反動的ないし無意味であるとする極左セクト主義でもなければ、この政権に浸透することで漸次的・平和的に社会主義へと転化させることができるとする右翼日和見主義でもなかった。

植民地ないし半植民地国のボナパルティスト体制が一定の範囲で産業国有化を進め、その管理のなかに労働者組織を組み込もうとする場合、労働者政党の政策はどうあるべきか、この点についてトロツキーは次のように述べている。

この場合、労働者政党の政策はどうあるべきか。社会主義への道は、プロレタリア革命ではなく、ブルジョア国家によるさまざまな産業部門の国有化とそれらの部門の労働者諸組織の手中への移行を通じて進むと主張するならば、それはもちろんひどい誤りであり、まったくの欺瞞である。しかし、問題になっているのはそのようなことではない。ブルジョア政府は、自ら国有化を遂行し、国有産業の管理に労働者の参加を求めるよう余儀なくされた。もちろん、次のような事実を引き合いに出してこの問題を回避することもできる。プロレタリアートが権力を掌握することなしには、国家資本主義の企業管理への労働者の参加は社会主義的成果をもたらしえない、と。しかしながら、革命派のこのような消極的な政策は大衆に理解されないだろうし、日和見主義の足場を強化するだろう。マルクス主義者にとって問題なのは、ブルジョアジーの手によって社会主義を建設することではなくて、国家資本主義内に生じる情勢を利用し、労働者の革命的運動を前進させることである。[*74]

これは、ブルジョア政府への労働者政党の参加と同じではない。ブルジョア政府に入閣する場合は、その政府が行なう全政策に対して共同の責任を追うことになるが、労働者管理の場合はそうではない。それはむしろ、地方自治体政府への社会主義者の参加に似ている、とトロツキーは言う。しかし、ブルジョア権力が保持されているもとでの国有化政策も労働者管理も重大な限界を有しているし、当然ながら、他の民間企業、とりわけ銀行からのサボタージュに直面するだろう。この場合、革命的労働者は、銀行の接収を要求しなければならないし、この問題は労働者階級による権力獲得と結びついている。以上のような展望は、永続革命論の単純な図式とは異なる、植民地および半植民地国における永続革命論の新たな具体化であり、その豊富化であった。

同じような具体化・豊富化は、メキシコ政府および与党が示した「六カ年計画」に対するトロツキーの立場にも示されている。それは、左翼ポピュリスト的な国家資本主義体制が提示した「六カ年計画」を、労働者および農民の切実な要求に応じたものにつくりかえ、あるいは、それへの対案を示すことで、労働者・農民の政治意識を高め、より抜本的な変革のてこにしようとする試みである。とりわけ重視されている要求は農地改革であり、スターリン式の強制集団化を批判しつつ、メキシコにおいて本当に必要な農地革命の展望が示されている。

メキシコでこうしたやり方〔スターリンの強制集団化〕を真似ることは完全な失敗に向かって突き進むことを意味するだろう。土地を、すべての土地を農民に与えることによって民主主義革命を完遂することが必要である。この確立された成果にもとづいて、農民に対してはさまざまな農業方式の実験を考察し比較するための無制限の時期を与えなければならない。農民を技術的にも財政的にも援助しなければならないが、強制してはならない。要するに、必要なのは、エミリアーノ・サパタの仕事を完成させることであって、ヨシフ・スターリンの方法をサパタに重ね合わせることではない。[*75]

そして、メキシコにおける個人農経営もかなり長期にわたって集団農業と共存することが展望されている点も重要である。

国家が自発的な集団化に特別な財政的恩恵を与えるべきであるのは言うまでもない。だが、均衡は維持されなければならない。集団経営が成長できるようにし続けなければならないが、個人農もまた「全面集団化」を成し遂げるのに必要な歴史的一時期の間、存続し、成長し続けなければならないし、この時期は数十年を要するかもしれない。

強制の方法が用いられる場合、それは、一方において農業の水準を低下させ、国を窮乏化させながら、国家の負担で存在する集団農場を創設するにすぎないことになるだろう。[*76]

また、工業化の問題では、自給自足的な工業化路線が拒否され、国の死活の資源を外国資本から防衛しつつも、外国資本を積極的に導入して経済建設を行なう必要性が強調されている。

今では相当量の国際資本が、たとえささやかな（だが確実な）収益しか得られない部門であっても投資分野を求めている。外国資本を無視して集団化と工業化について語るのは、言葉に酔っているにすぎない。[*77]

この路線は、一九二五年にトロツキー自身がソヴィエトの工業化を推進する際に提示した路線と共通しており、それをメキシコの状況に合わせて具体化したものである。メキシコの場合、そもそも社会主義革命はまだ起こっておらず、そこに存在するのはプロレタリア独裁でも労働者政府でもなかったのだから、なおさら国際資本の導入は必要不可欠である。

メキシコでは社会主義革命は起こっていない。国際情勢は公的債務の破棄さえ許さない。繰り返すが、この国は貧しい。そうした条件下で、外国資本に対して扉を閉ざすのはほとんど自殺行為である。国家資本主義を建設するためには、資本が必要である。*78

だが、外国帝国主義への深い従属に陥ることなく、外国資本を計画的に導入してそれを国営工業と柔軟に結びつけることは、独自の困難さを持つ。この点に関するトロツキーの考察はかなり具体的である。トロツキーは重要資源の接収とその国有化と並んで、それとは別にメキシコ政府が参加する混合企業という形態を提示し、それを通じて技術と生産管理のノウハウを実地に学ぶことを提案している。

反動派は、石油会社の接収は新しい資本の流入を不可能にすると言うが、それは間違っている。政府は国の死活の資源を防衛するが、それと同時にとりわけ混合企業の形で、すなわち政府が参加し（状況に応じて、株式の一〇％、二五％、五一％を政府が保有）、一定期間が経過してから残りの株式を買い取るというオプションを契約に書き込むという企業形態で、産業利権を与えることができる。政府の参加は、他国の最良の技術者と組織者の協力のもとで国の専門的、行政的スタッフを教育できるという利点をもっている。オプションとしての企業買い取りまでに契約で定められた一定期間があるので、投資家の間に必要な信頼が作り出されることだろう。工業化のテンポは加速するだろう。[*79]

もちろんこれはまだ初歩的な提案にすぎないが、抽象的な反帝国主義の主張にとどまらない具体性と柔軟性を持った発想をトロツキーが持っていたことを示すものである。そしてこの国有化や混合企業が労働者への新たな抑圧や国家的腐敗の形態にならないようにするうえで労働組合の果たす役割は重要であり、したがってトロツキーは、先の論点に続いて、労働組合の民主主義的体制（資本主義国家に対してだけでなく官僚に対しても統制力を発揮するようなそれ）の重要性を強調している。[*80]

以上、トロツキーの生涯を簡単に振り返りながら、その時々における第三世界諸国の問題に対するトロツキーの関心や理論的・実践的立場の変遷について見てきた。とくに十月革命以降、トロツキーの第三世界論および植民地革命論の発展の主要な軌跡は、次の二つの特徴を持っている。

第一に、ロシア一国に限定されていた永続革命的展望をしだいに後発・後進諸国および植民地諸国全般へと普遍化していく過程であり（一九二〇年代）、第二に、単に植民地・半植民地諸国における永続革命の必要性やその諸原則を抽象的に述べる水準から、各国の具体的な状況に即した具体的な綱領を探求していくようになる過程である（一九三〇年代）。

前者の到達点が『永続革命論』と『ロシア革命史』であり、後者の到達点が一九三九年に書かれた「メキシコにおける第二次六ヵ年計画」と「産業国有化と労働者管理」である。しかし、いずれにしてもトロツキーの中で常に一貫していたのは、帝国主義に抑圧され搾取されている植民地および半植民地人民の立場に徹底して立とうとする姿勢であったと言える。そしてこの一貫した姿勢こそが、トロツキーの第三世界論の発展をも可能としたのである。

（二〇〇〇年執筆）

（二〇一九年一二月～二〇二〇年五月、一部加筆修正）

注

＊1　本書の第五章を参照。

＊2　トロツキー『わが生涯』上、岩波文庫、二〇〇〇年、二四五頁。

＊3　Л.Троцкий, *Сочинения*, Том. 4, *Политическая хроника*, Мос-Лен, 1926, сс. 17-41.

＊4　Троцкий, Наша "военная" кампания, *Искра*, No. 62, 15 March 1904.

＊5　この点については、本書の第一章を参照のこと。

＊6　N. Trotzky, Nationalpsychologie oder Klassenstandpunkt, *Die Neue Zeit*, XXVII, 1908. この重要論文は残念ながら未邦訳である。

＊7　前掲トロツキー『わが生涯』上、四一一～四一三頁。

＊8　トロツキー『文学と革命』下巻、岩波文庫、一九九三年、一一～一四頁。

＊9　同前、一八〜一九頁。
＊10　同前、一九頁。
＊11　同前。
＊12　Л. Троцкий, Сочинения, Том.6, Балканы *Балканская война*, Мос-Лен, 1926, с. 3.〔トロツキー『バルカン戦争』柘植書房新社、二〇〇二年、一四頁。訳文は必ずしも既訳には従っていない。以下同じ〕
＊13　Там же, с. 4.〔同前、一五頁〕
＊14　Там же.〔同前〕
＊15　Там же, с. 11.〔同前、二三〜二四頁〕
＊16　Там же, с. 12.〔同前、二五頁〕
＊17　トロツキー「バルカン問題と社会民主主義」、『トロツキー研究』第一二号、四六〜四七頁。
＊18　Л. Троцкий, *Сочинения*, Том. 6, с. 28.〔前掲トロツキー『バルカン戦争』、四五頁〕
＊19　Там же, с. 44.〔同前、六四頁〕
＊20　トロツキー「矛盾のかたまり」、『トロツキー研究』第一二号、六六頁。
＊21　トロツキー「バルカン戦争と社会主義」、『トロツキー研究』第一二号、一〇二〜一〇三頁。
＊22　同前、一〇四頁。
＊23　同前、一〇六頁。
＊24　『トロツキー研究』第六四号の特集「大戦前の帝国主義論争」参照。
＊25　トロツキー『戦争とインターナショナル』柘植書房、一九九一年、一六一頁。なおトロツキーの『戦争とインターナショナル』については、以下の拙稿も参照せよ。西島栄「第一次世界大戦におけるトロツキーとレーニン」、『葦牙』第一五号、一九九一年。

＊26 同前、一八一～一八二頁。この最後の一句は、この著作発行直後にスイスからフランスに移ったトロツキーが『ゴーロス』というロシア語新聞に寄稿した際には、次のようにより具体的な表現になっている——「縮小した帝国主義的土台にもとづく永続戦争か、さもなくばプロレタリア革命」。参照、西島栄「トロツキーと第一次世界大戦」上、『トロツキー研究』第六五号、二〇一五年、八頁。

＊27 この時期の諸論文については、『トロツキー研究』の以下の諸号に掲載された諸論文を参照せよ。『トロツキー研究』第一四号（一九九五年）、『トロツキー研究』第四九号（二〇〇六年）、『トロツキー研究』第六五号（二〇一五年）、『トロツキー研究』第六六号（二〇一五年）。

＊28 以上の一連の過程についての一次資料および詳しい解説については、以下の文献を参照のこと。いいだもも編訳『民族・植民地問題と共産主義——コミンテルン全資料解題』社会評論社、一九八〇年。

＊29 Л. Троцкий, *Пять лет Коминтерна*, Мос, 1924, с. 9.〔トロツキー『コミンテルン最初の五カ年』上、現代思潮社、一九六二年、三二～三三頁。既訳は「宗主国」を「大都市」と誤訳している〕

＊30 Там же, с. 30.〔同前、六六頁〕

＊31 Там же, с. 33.〔同前、七〇頁〕

＊32 Там же, с. 37.〔同前、七五頁〕

＊33 トロツキー「一九一九年八月五日付け中央委員会への手紙」、『ニューズ・レター』第一五号、一九九六年、一六頁。

＊34 同前、一七頁。

＊35 Л. Троцкий, *Пять лет Коминтерна*, сс. 183-184.〔前掲トロツキー『コミンテルン最初の五カ年』上、二九一頁〕

＊36 トロツキー「ソヴィエト・ロシアの新経済政策と世界革命の展望」、『社会主義と市場経済——ネッ

プ論』大村書店、一九九二年、一一頁。
＊37 この過程については、森田成也『ヘゲモニーと永続革命——トロツキー、グラムシ、現代』（社会評論社、二〇一九年）の第二章を参照せよ。
＊38 トロツキー「フランス共産党の諸問題」、『トロツキー研究』第三八号、二〇〇二年、二〇四頁。
＊39 同前。
＊40 同前、二〇六頁。
＊41 **Л. Троцкий, *Запад и восток*, Мос, 1924, с. 31.**
＊42 **Там же, с. 38.**
＊43 **Там же, с. 133.**
＊44 この「文献論争」について詳しくは、以下の拙稿を参照せよ。西島栄「トロツキーと一九二四年の文献論争」、『トロツキー研究』第四一号、二〇〇三年。
＊45 この過程について詳しくは、『トロツキー研究』第六九号と第七〇号（二〇一七年）の特集「中国革命の悲劇」を参照せよ。
＊46 この点については、『トロツキー研究』第三九号（二〇〇二年）の特集「中国革命と陳独秀」を参照せよ。
＊47 トロツキー『永続革命論』光文社古典新訳文庫、二〇〇八年、三四八頁。
＊48 訳は、前掲『永続革命論』の付録に所収。
＊49 この点は、一九三八年の有名な過渡的綱領の「一五、後進諸国と過渡的諸要求の綱領」でも確認される。そこでは、農地問題と民族独立が後進諸国における中心的問題だとされ、その真の解決をめざす人民大衆の革命闘争の「一般的方向性」は「永続革命の定式によって規定することができる」とされている（トロツキー「資本主義の死の苦悶と第四インターナショナルの任務——過渡的綱領」、『トロツキー

著作集1938-39』上、柘植書房、一九七二年、二六八～二六九頁)。

＊50 トロツキー「インド革命――その課題と危険性」、『トロツキー研究』第三一号、二〇〇〇年、三九頁。

＊51 同前、五二頁。

＊52 同前、四四頁。

＊53 トロツキー「インドシナ反対派の宣言」、『トロツキー研究』第三一号、五四頁。

＊54 同前、五九頁。

＊55 トロツキー「『有色人種』プロレタリアートへの接近」、『トロツキー研究』第三一号、七二頁。

＊56 トロツキー「南アフリカ・テーゼについて」、『トロツキー研究』第三一号、七五頁。

＊57 同前、八一頁。

＊58 『トロツキー研究』第五二号(二〇〇八年)の特集「マルクス主義と黒人問題」を参照せよ。

＊59 なお、南アフリカに関するトロツキーの分析を批判的に検討したものとして、以下を参照せよ。バルーク・ヒルソン「トロツキーと黒人民族主義」、『トロツキー再評価』新評論、一九九四年。

＊60 トロツキー「ファシズムと植民地世界」、『トロツキー研究』第三一号、八八～八九頁。

＊61 トロツキー「帝国主義戦争に直面するインド」、『トロツキー著作集1938-39』上、柘植書房、一九七二年、一三二頁。

＊62 前掲トロツキー「過渡的綱領」、同前、二六九～二七〇頁。

＊63 トロツキー「反帝国主義闘争こそ解放への鍵である」、『トロツキー著作集1938-39』下、一九七二年、四〇頁。

＊64 トロツキー「いかにして真に民主主義を防衛するか」、『トロツキー著作集1939-40』下、一八五～一八七頁。また、この問題に関しては、『トロツキー研究』第一四号(一九九五年)の特集解題「第一

次世界大戦とトロツキーの『平和綱領』」を参照せよ。

＊65 トロツキー「『アルバイデルブラデット』紙の記事」、『トロツキー著作集 1935-36』上、柘植書房、一九七五年、一一八頁。この言明は日本でも注目され、たとえば一九三五年七月二八日付『大阪時事新報』で「日ソ開戦を含む世界大戦必至　伊エ紛争はその序曲、トロツキー氏予言発表」という見出しで報道されている。さらに二日後の『大阪朝日新聞』でも詳しく論じられ、「この言明の中には多少の真理が含まれていることを否認することは出来ない」と肯定的に紹介されている（「伊、エ紛争と理事会　イタリーの譲歩が必要」、『大阪朝日新聞』一九三五年七月三〇日）。

＊66 Leon Trotsky, The Italo-Ethiopian Conflict, *Writings of Leon Trotsky: 1935-36*, Second Edition, Pathfinder, 1977, p. 41.

＊67 トロツキー「ラテンアメリカ問題――議事録」、『トロツキー研究』第三一号、一〇一頁。

＊68 同前、一〇一～一〇二頁。

＊69 トロツキーの文献も一九三七年以降にしだいにラテンアメリカ諸国に普及するようになる。たとえば、一九三七年にはトロツキーの『裏切られた革命』がアンドレス・ニンによってスペイン語に翻訳され、一九三八年にアルゼンチンで出版された。トロツキーはその「スペイン語版序文」（一九三七年八月五日）を、「本書の筆者は、本書がラテンアメリカ諸国の誠実で思慮深い読者たちの共感を得ることを確固として確信している！」という言葉で締めくくっている（Leon Trotsky, Preface to the Spanish-Language Edition of The Revolution Betrayed, *Writings of Leon Trotsky: 1936-37*, Second Edition, 1978, Pathfinder, p. 378）。

＊70 トロツキー「ボリビアにおける農業問題」、『トロツキー研究』第三一号、八七頁。

＊71 この点は「過渡的綱領」でも確認されている――「収奪者の収奪もまた、小職人や小商人の財産の

強制的没収を意味するものではない。その反対に、銀行とトラストに対する労働者統制、さらにはこれらの企業の国有化は、独占の無制約な支配のもとでよりもはるかに有利な信用・購買・販売の諸条件を都市小ブルジョアジーのためにつくり出すことができる。私的資本への依存は国家への依存に取って代られる。そして、この国家は、勤労大衆自身がその手中に国家をしっかりとつかんでいればいるほど、小協力者や代理人の必要に対してより注意深い態度をとるだろう」（前掲トロツキー「過渡的綱領」、『トロツキー著作集 1938-39』上、二五六頁）。

＊72 トロツキー「ラテンアメリカにおける労働組合運動の任務」、『トロツキー研究』第三一号、九五頁。

＊73 この論文は、当初一九三八年五～六月に書かれたとみなされていたが（したがって柘植書房の既訳でもそうなっている）、英語版 *Writings of Leon Trotsky* はハーバード大学のトロツキー文庫を調べた結果、同論文の執筆時期を一九三九年五月一二日と確定している。*Writings of Leon Trotsky 1938-39*, Second Edition, Pathfinder, 1974, p. 416.

＊74 トロツキー「産業国有化と労働者管理」、『トロツキー著作集 1938-39』下、二二五頁。

＊75 トロツキー「メキシコにおける第二次六ヵ年計画」『トロツキー研究』第三一号、一一三頁。

＊76 同前。

＊77 同前、一二四頁。

＊78 同前、一二五頁。

＊79 同前、一二四頁。

＊80 同前、一二五～一二六頁。

第五章 中国革命をめぐる三つの論点とトロツキー

【解題】本稿は、『トロツキー研究』第七〇号の特集解題「中国革命をめぐる三つの論点とトロツキー」に大幅な加筆修正を加えたものである（本章の冒頭部分のみ、『トロツキー研究』第六九号の特集解題の前半部を利用）。本書に収録するにあたって、注の形式を変え、節編成を変更した。

トロツキーが自己の永続革命論を他の第三世界諸国にも拡張するようになったのは、何よりも一九二六～二七年の第二次中国革命（第一次中国革命は一九一一年の辛亥革命で、第三次中国革命は毛沢東を指導者とする一九四九年の革命）の高揚と挫折の経験を通してだった。この悲劇的経験を通じて初めて、トロツキーは、自己の永続革命論を後発諸国に多かれ少なかれ共通した革命的ダイナミズムを表現するものであると考えるようになり、それがやがて『ロシア革命史』における不均等複合発展法則というゼネラルセオリーに結実するのである。

一九一七年におけるロシア革命の勝利が、レーニンの党理論とトロツキーの永続革命論とを正しく適用することで実現したのに対して、一九二七年における中国革命の敗北は両理論に真っ向から反する路線（ブルジョア政党への共産党の従属と二段階革命論）をコミンテルンの指導部（およびその従属下にあった中国共産党指導部）が実践したことで生じた。この二つの大革命の勝利と敗北は、それぞれまったく正反対の方向からレーニンの党理論とトロツキーの永続革命論の正しさを示すものとなった。

一、第二次中国革命の三つの段階と三つの論点

第二次中国革命の三つの段階

第二次中国革命は、主流派と反対派との論争（あるいは反対派内部の論争）という文脈に即するならば、おおむね三つの時期に分けることができる。もちろんこの時期区分は、中国革命そのものの客観的な諸段階と密接に結びついている。

まず第一の時期は、一九二七年四月一二日の蒋介石のクーデター（上海事変）に至るまでの時期であり、この時期、スターリン＝ブハーリンの主流派は、中国共産党を国民党に加入させたままにしつつ、国民党の軍事指導部（その首領は蒋介石）といっしょに中国におけるブルジョア民主主義革命を遂行するという路線を取っていた。一九二五年以降における中国の嵐のようなストライキ運動と農民運動の発展、一九二六年三月二〇日における「中山艦事件（三・二〇事件）」（蒋介石の第一次クーデター）、国民党指導部の右傾化と労働運動への弾圧、等々にしだいに不安を募らせながらも、コミンテルン指導部は旧来の路線の枠内で何とか事態に対処しようとした。

だがこの時期、まだ中国革命をめぐる主流派と反対派との論争はそれほど激しくはなっていない。というよりも、トロツキーを除いては、反対派の中では中国革命をめぐる危機感は弱かった。トロツキー自身も危機感を持ちはじめるのはようやく蒋介石クーデターの起こる一～二カ月前にすぎなかった。いくつかの機会に反対派の個々のメンバー（トロツキー、ラデック、ジノヴィエフ）が政治局に宛てて書簡を書いたり会議や集会の場で発言したりしていたが、反対派としての公式の批判的見解は出

されていなかった。そのため、後に主流派（スターリン＝ブハーリン派）とのあいだで中国革命の敗北をめぐって激しい論争になった時、トロツキーらはこの点に関する言い訳を余儀なくされることになる。

この第一の時期はさらに、まだ中国問題が切迫していない（と反対派にも思われていた）一九二六年の時期と、中国情勢の緊迫度が高まり、トロツキー自身もその危機感を急速に高めていく一九二七年二月から四・一二クーデター直前までの時期の、二つの時期に分けることができるだろう。

次に第二の時期は短い武漢の左翼国民党時代である。蔣介石の四・一二クーデターによって国民党の政府（「国民政府」）は蔣介石が本拠とする南京と、国民党中央委員会が本拠とする武漢（漢口を中心とする地域）とに分裂し、コミンテルンと中国共産党はこの武漢政府とそれを構成する左翼国民党を頼りにした。しかし、左翼国民党の首領である汪精衛はしだいに共産党との対立を深め、それは結局、五月二一日に始まった長沙クーデター（馬日事変）を皮切りにして、最終的に七月一五日における左翼国民党からの共産党員の追放と弾圧に行きついた（武漢クーデター）。これによりいわゆる第一次国共合作は終わったわけだが、コミンテルン指導部は最初は蔣介石を頼りにして裏切られ、次に汪精衛を頼りにして裏切られ、中国共産党と中国革命は重大な打撃をこうむった。四・一二クーデター以降、中国問題は主流派と反対派とのあいだでの最も激しい論争問題となり、両派の決定的な対立を生む原因となった。トロツキーおよび反対派の中国革命関連の文献の多くはこの時期に書かれているし、「八四人の声明」が出された直接のきっかけもこの蔣介石クーデターであった。

この第二の時期もさらに、主流派と反対派との論戦という観点から見ると、蔣介石の四・一二クーデターをめぐる論戦が集中的に行なわれた前半の時期と（四〜五月）、長沙クーデターが一ヵ月遅れでソ連の新聞で報道されて以降により激しい論戦が行なわれる後半の時期（六〜七月）とに分けることができるだろう。

最後の第三の時期は、一九二七年八月から一九二八年後半まで続くコミンテルンの極左冒険主義の時代である。武漢クーデターの衝撃のもと、コミンテルン指導部はその「左翼的」面子を救うために中国において極左主義に転換した。八月七日に緊急に開催された中国共産党の臨時中央委員会会議（いわゆる「八・七会議」）において、これまでの階級協調路線の責任を陳独秀を初めとする旧指導部に押しつけた上で、極左路線への転換を強行した。この極左路線はまずは、八月における葉挺と賀竜という軍人党員による革命軍の結成と軍事行動として現われた（この行動そのものは八・七会議以前の八月一日から始まっている）。この軍事行動はすぐに粉砕されたが、その残党は農村や山岳地域に逃げ込み、後に毛沢東を中心とする人民解放軍の重要な構成部分になっていく。この極左路線の頂点を飾るのは一九二七年一二月のソ連共産党第一五回大会の開催日程に合わせて企図された広州蜂起である。広東省の省都である広州でわずか数百人によって引き起こされたこの冒険主義的な武装決起は、大量の犠牲者を出しながらわずか数日で鎮圧され、その後、共産党と労働者・農民運動に対する流血の弾圧が広東全域に吹き荒れた。この広州蜂起の敗北によって第二次中国革命は事実上その息の根を止められたのだが、コミンテルン指導部はなおも面子にこだわって、その後も数ヵ月間にわたって極左主義の路線を取りつづけ、敗北の痛手をいっそう深刻にした。

この時期のトロツキーの文献を見ると、最初のうちはまだ当時の極左転換に対する評価が定まっていないことがわかる。一方では、葉挺と賀竜の軍事行動を国民党からの自立化の過程として評価しつつ（たしかにその面はあった）、他方では、中国革命の展望に関して、それまでの中国版「労農民主独裁」論から「農民に依拠するプロレタリアート独裁」という永続革命的定式へと認識が発展している（後述するように、ジノヴィエフらはこのような考えを最後まで受け入れなかった）。トロツキーが、この時期のコミンテルンの路線を極左冒険主義として認識するようになるのは、一二月の広州蜂起を知ってからのことである。

したがって、この第三の時期も前半と後半の二つの時期に分けることができる。前半は一九二七年八月から一二月までの時期である。この時期の反対派の文献は一〇月のジノヴィエフのものが最後であり、それ以降、反対派は第一五回大会に向けた最後の闘争に入っており、除名や追放があいつぎ、中国問題で論戦を交わすどころではなくなってしまった。後半は一九二七年一二月における広州蜂起以降の時期であり、その中心をなすのは、流刑地でトロツキーとプレオブラジェンスキー（およびラデック）とのあいだで行なわれた論争である。

第二次中国革命の主要な三つの論点

このような展開を遂げて発展と瓦解を経験したこの第二次中国革命に関して、スターリン＝ブハーリン派と合同反対派のあいだで、あるいは反対派の内部で、主に次の三つの論点をめぐる対立が存在していた。

一つ目は、中国共産党と国民党との関係である。中国共産党はほとんど結党直後の一九二二年以来、国民党に加入しており、その旗のもとで活動を展開してきた。この加入戦術については最初のうち、トロツキーを始めとする左翼反対派も受け入れていたが、これは一九二六年の三・二〇クーデター以降、しだいに重要な論点となり、一九二七年の四・一二クーデターおよび五月の長沙クーデター以降、最も先鋭な論点となった。トロツキーら反対派は当初は共産党の政治的独立性の強化や国民党に対する批判の自由、独自の日刊紙の創刊などを言うだけであったが、最終的には国民党からの共産党の正式の脱退を訴えるようになる。

二つ目は、ソヴィエトを結成するべきかどうかという問題である。一九二五年以降、都市部での労働者のストライキ、農村部での農民の蜂起が大規模に展開されるようになっていた。とりわけ、五・三〇運動（上海の租界で中国人労働者が日本人によって殺された事件をきっかけにして上海と香港で大規模なゼネストが勃発した）は大きな画期となった。こうした中で、早急にソヴィエトを結成してこの闘争に組織性と統一性を与え、革命の深化と拡大をめざすのか、それともスターリン＝ブハーリン派のように国民党を一種のソヴィエトの代替物とみなして、国民党内での活動をむしろ重視するのかという対立につながった。

三つ目の論点は、中国革命の展望そのもの、その内的ダイナミズム（発展力学）をめぐる論点である。中国における当面する革命をブルジョア民主主義革命に限定した上で、一九一七年二月革命以前のボリシェヴィズムの路線だった「プロレタリアートと農民の民主主義独裁」を目標とするのか、それとも、トロツキーの永続革命路線あるいは一九一七年の「四月テーゼ」以降のボリシェヴィズムの路線のように、農民に依拠したプロレタリアートの独裁をめざし、したがってブルジョア民主主義革命の枠をすでに勝利の最初の時点から突破する発展力学を展望するのか、である。

この三つの論点は相互に密接に結びついており、一個の有機的連関をなしているが、しかし、反対派はこれら三つの論点における独自の立場を最初から完成された形でスターリン＝ブハーリン派の階級協調路線（国民党ないし左翼国民党を中心とするブルジョア階級とのブロック論）に対置していたわけではなかったし、またこれら三つの論点が均等に反対派の中で成熟していったわけでもなかった。トロツキーと反対派自身がさまざまに模索し、試行錯誤しながら、不均等に独自の見地を獲得していったのである。最後まで反対派全体で一致しなかったのが最後の第三の論点であり、ここにおいては、反対派幹部の中では唯一トロツキーのみが永続革命論の立場に立った。

以下、三つの論点における反対派の立場の変遷を簡単に見ていこう。スターリン＝ブハーリン派の立場の誤りやその変遷についてはすでにトロツキーや陳独秀の文献によって、あるいはハロルド・アイザックスの歴史的名著『中国革命の悲劇』などを通じて十分に読者には知られていると思うので、ここでは反対派自身の内的変遷の軌跡を確認しておきたい。というのも、トロツキーが一九二八年後半以降にこの問題で反対派の立場を総括した際に（とりわけ一九三〇年の「シャハトマンへの手紙」の中で）、明らかにいくつかの誇張や不正確な記述をしているからであり、この点の修正が必要だからである。トロツキーでさえ、時には、実際の歴史を党派的バイアスのせいで、ところどころ不正確に再構成しているのである。実際の資料にもとづいてこの点を修正しより正確なものにしておくことは、歴史の公正な判断のために必要であるだけでなく、反対派の名誉のためにも必要であろう。

二、第一の論点——共産党と国民党との関係

最初の論点は何よりも共産党と国民党との関係であり、反対派がスターリン＝ブハーリン派の立場に対して最初に異論を提起したのはまさにこの問題をめぐってであった。当時、共産党は国民党に加入しており、その構成メンバーだったので、この問題は必然的に、共産党は引き続き国民党内にとどまってその中でヘゲモニー獲得をめざすべきなのか、それとも国民党から脱退して独立した革命党になるのか、という先鋭な形を取った。

トロツキーは「最初から」国民党への加入に反対だったのか？

先に一言言及した一九三〇年一二月一〇日付けのシャハトマン宛ての手紙の中で、トロツキーは、いつからこの国民党への共産党の加入戦術に反対であったのかに関して、次のように述べている。

私個人について言えば、いちばん最初から、すなわち一九二三年から国民党への共産党の加入にきっぱりと反対していたし、国民党が「コクミンテルン」に加入することにも反対していた。ラデックは常にジノヴィエフとともに私に反対した。[*1]

ここでは二つのことが言われている。まず第一に、トロツキーは「いちばん最初から」、つまり

「一九二三年から」（国民党への加入は一九二二年から始まっているので、ここで言う「最初から」というのは左翼反対派の結成の当初からという意味だろう）、国民党への加入戦術に反対していたということ。第二に、この自分の立場に常にラデックとジノヴィエフは反対していた、つまり両名とも共産党が国民党にとどまることを擁護していたということである。だがどちらの主張も、当時の資料によっては裏づけられていない。

アレキサンダー・パンツォフとグレゴール・ベントン（どちらもトロツキーにきわめて同情的な中国トロツキズム研究者だ）は、一九九四年の「トロツキーは国民党への加入に『最初から』反対したのか？」という論文の中で、この「最初から反対していた」論を多くの一次資料を用いて反駁している。[*2] トロツキーが最初から国民党への加入に反対であったはずがない根拠として、パンツォフとベントンは、トロツキー自身がこの加入戦術を当初は正しかったとみなしていた事実を提示している。たとえばトロツキーは、一九二六年九月二七日付の論文「中国共産党と国民党」の中で、次のようにはっきりと述べている。

> 国民党への共産党の参加は、共産党がプロパガンダ団体でしかなかった時期には、つまり将来の独立した政治活動を準備しつつ、同時に当面する民族解放闘争に参加しようとしていた時期には、まったく正しかった。[*3]

つまり、トロツキー自身が、共産党がプロパガンダ団体でしかなかった時期には、国民党に加入することは「まったく正しかった」と言明しているわけである。パンツォフとベントンはさらに、このシャハトマン宛ての手紙よりもずっと後の、一九三七年一一月一日付けハロルド・アイザックスへの手紙でも、トロツキーが国民党への加入戦術について、以下のよう主張していることを紹介している。

一九二二年の加入〔国民党への共産党の加入〕それ自体は犯罪ではなかったし、おそらく――とくに南部では――誤りでさえなかった。当時国民党は多くの労働者を有していたが、若い中国共産党は弱体で、ほとんど知識人から構成されていたことを考えればそうだ。……この場合、加入は独立に向けたエピソード的一歩になっただろう。[*4]

最初は「まったく正しかった」とか「誤りではない」と思っていた路線に「最初から」反対であったはずがない。明らかにシャハトマンに宛てた手紙でのあの言明は文字通り「筆が滑った」ものである。だが、残念ながら、この「神話」がハロルド・アイザックスの名著『中国革命の悲劇』を通じて世界中に流布したために、今日もなおこの誤った認識が十分に是正されていない状況にある。

脱退論はいつから提起するべきだったのか

では、いつの時点から国民党からの脱退論は正当な主張になったのか？　明らかに、大衆運動が大規模に高揚して、共産党がその先頭に立ち、単なるプロパガンダ団体から革命的行動の党へと変化していく過程においてである。それは具体的にいつごろなのか？　先に引用した論文「中国共産党と国民党」の中でトロツキーは続けてこう述べている。

しかし、最近の二年間は、中国労働者の強力なストライキ運動の時期だった。共産党の報告は、この時期に労働組合が一二〇万人もの労働者を獲得したとみなしている。……中国プロレタリアートが強力に覚醒しつつあり、闘争に向けて突き進み、独立した階級組織を志向しているという事実に、まったく議論の余地はない。まさにこのことからして、共産党は、これまで所属していた予科からより上級の課程へと移行するという課題に直面しているのである。[*5]

このように、「最近の二年間」、つまり、一九二四、五年から一九二六年にかけての時期に共産党は「予科」（国民党の一部にとどまっている段階）から「上級の課程」（独立した党となる段階）へと進級する必要に迫られるようになったとトロツキーは主張している。さらにトロツキーは、一九二七年二月四日付のラデック宛ての手紙では次のように述べている。

共産党はいつ国民党から脱退するべきだったのか？　私は中国革命のこの数年間における歴史について十分具体的に記憶していないし、手元に資料もないので、この問題が正面から提起されるべきだったのがすでに一九二三年なのか、一九二四年なのか、一九二五年なのかをあえて言うつもりはない。[*6]

この文章に明らかなように、この一九二七年の時点で、一九二三〜二五年の時期に脱退論を提起するべきだったかどうか明確に言うことはできない（記憶にない？）と認めているのである。もし本当に「最初から」、あるいは一九二三年から加入に反対していたのだとしたら、こんな書き方は絶対にしないだろう。

少し後の話になるが、第二次中国革命が完全に崩壊し、トロツキーを含む反対派がソ連の僻地に流刑になった一九二八年五月二三日に、トロツキーはいつ共産党は国民党から独立すべきであったのかについて、反対派の仲間であるベロボロドフに宛てた手紙の中で、よりはっきりとした形で次のように述べている。

われわれが公式に国民党からの共産党の脱退というスローガンを提起したのは、情勢全体によって、そして中国プロレタリアートと中国革命の最も死活にかかわる利益によって命じられた時期よりも約二年間遅かった。さらに悪いことに、八四人の声明の中で国民党からの脱退というスローガンはこれ見よがしに否定されていた。この声明に署名した一部の者たち（私とあなたを含む）の断固たる抵抗にもかかわらず、である。[*7]

反対派が正式に脱退を主張するのは一九二七年六月二五日だから、その二年前ということは、やはり一九二五年の後半ごろから国民党からの共産党の脱退を主張するべきだったということになる。

一九二六年における脱退論の登場

このように、一九二五年には脱退するべきだったというのがトロツキーの主張なのだが、実際にトロツキーが国民党からの共産党の脱退という提案を公式に党政治局に対して行なったのは、一九二六年四月一日における政治局会議の場においてであると推定されている。そしてシャハトマンへの手紙の中でも、「東支鉄道に関するテーゼ」(後述する「中国と日本に対するわれわれの政策の諸問題」)を出した時に国民党からの脱退提案をしたと言っている。[*8] しかし、その中でトロツキーは「もう一度」という一句を入れている。「もう一度」ということは、以前にもそういう提案をしたと解釈できるが、それをいつ行なったのかまったく具体的に書いていないし、そのことを裏づける資料も残っていない。具体的に書かれている唯一の起点は「東支鉄道に関するテーゼ」を提出した時、である。

このテーゼは三月末に提出され、四月一日の政治局会議で修正のうえ採択された。この四月一日の政治局会議にはトロツキーも出席しており、その前後の政治局会議には出席していないので、明らかにこの政治局会議で脱退論が提案されたと考えるしかない。しかし、そのことを証明する文書は何一つ残されていないし、トロツキーもそれを引用していない。あらゆることを文書に残す癖のあったトロツキーが、この重要きわまりない最初の脱退提案を文書で残していないのは奇妙だが、この脱退論そのものが提案されたこと自体はどうやら事実のようである。先に触れたパンツォフとベントンの論文およびその後のパンツォフの優れた研究書『ボリシェヴィキと中国革命』は、トロツキーに敵対する陣営からの証言(ブハーリンとスターリン)を紹介して、トロツキーが(その後でおそらくジノヴィエフも)一九二六年四月に脱退論を提起し、それに対する政治局の回答として四月二九日の政治局会議で脱退論を厳しく退ける決議がなされたことを資料的に確認している。[*9] それゆえパンツォフは、トロツキーによるこの最初の提案は会議の場で口頭でなされたのだろうと推測している。[*10]

四月一日のこの脱退論は口頭のものだが、一九二六年の時期に文書で残されているものとしては、すでに言及した同年八月三〇日のラデックへの手紙と一九二六年九月二七日の論文「中国共産党と国民党」以外に、同年九月のソ連共産党第一五回協議会への覚書がある。トロツキーはこの覚書の中で次のようにはっきりと国民党からの共産党の組織的分離について述べている。

> 国民党に対する指導グループの立場も完全に日和見主義的な性格を有している。中国における民族民主主義運動がますます階級的線に沿って分解しつつある現在、そして、若い中国プロレタリアートが、何百万もの労働者を巻き込むストライキという手段によって闘争の舞台に登場している現在、また、労働組合組織が何万・何十万の労働者を包含しつつある現在、中国共産党はもはや、国民党を構成するプロパガンダ・グループにとどまることはできない。それは、民族解放運動におけるプロレタリアートのヘゲモニーのために闘う独立した階級的プロレタリア政党になるという課題を自らの前に立てなければならない。共産党の独立性は、国民党へのその組織的加入を排除するが、もちろん、国民党との長期的な政治的ブロックを排除するものではない。ところが、スターリン・グループは、共産党と国民党とのあいだに組織的な境界線を引くという問題そのものを「極左主義」「降伏主義」「解党主義」と非難し、また、その他の罵詈雑言を浴びせかけることで、中国共産党の課題に対する誤った追随主義的な態度をとって

いること、解放闘争において共産党が本来担いうる役割を切り縮めていることを、覆い隠しているのである。[*11]

このように、トロツキー個人が一九二六年にはすでに国民党からの共産党の脱退論の立場にはっきりと立っていたことは間違いない。ただしトロツキーは、この覚書でせっかくこの問題に触れておきながら、実際の党協議会での演説ではこのことにまったく触れなかった。[*12]反対派の中でまだコンセンサスが取れていなかったからであろう。では、どうして合同反対派は、一九二七年六月二五日に出される声明[*13]まで、すなわち四・一二クーデターどころか長沙クーデター後に、そして武漢クーデターの直前という遅い時期まで、この脱退論を公式に主張しなかったのだろうか？　この六月二五日の声明までは、反対派は、国民党からの脱退論を公式には否定し、それは主流派が無理やり反対派に押しつけようとしたデマであると主張していたのである。[*14]

ラデックとジノヴィエフは常に国民党からの脱退に反対だったのか

同じシャハトマンへの手紙では、そのような遅延はラデックとジノヴィエフが反対したせいだとされている。トロツキーの主張によると、「ラデックは常にジノヴィエフとともに私に反対した」[*15]。これだけ読むと、ラデックとジノヴィエフは国民党からの脱退そのものに「常に」反対していたかのように読める。だが、一九二六年の段階ですでにラデックも明確に国民党からの共産党の脱退論をとっており、党内ブロックから独立した政党間のブロックへと移行させることを主張していた。というよりも、少なくとも文書として残っている脱退論としては、ラデックのものがトロツキーのものよりも早いのである。

たとえば、ラデックはすでに一九二六年六月二二日付の「中国における共産党の基本政策について（テーゼ）」の中で、「国民党とのブロックの現在の形態から二つの独立した党のブロックへと移行する」ことを主張している。[*16] さらに、このテーゼを読むと、ラデックはすでに一九二六年二〜三月の第六回コミンテルン拡大執行委員会総会でこの脱退論を主張していたことがわかる。

また、トロツキー自身も、一九二六年八月三〇日の手紙の中で、「この問題〔共産党は国民党の中にとどまりつづけるべきかどうか〕について〔ラデックが〕手紙で書いてきたことに、私はまったく同意する」として、国民党からの共産党の脱退というラデックの提案を支持している。[*17]

だからラデックは、反対派の中で最も早くから脱退論の立場であったわけである。ただし、ラデックの場合に話がややこしいのは、ラデックは一九二六年に最初に脱退論を主張しながら、それを首尾一貫させていないことである。ラデック自身、先の一九二六年六月二二日のテーゼの中で、一九二六年初頭の提案以降に、「政治局の中で私は、右から攻撃されている時に〔分裂を〕具体的に実施することに反対する意見を述べた」と証言している。[*18] 実際、ラデックは、四月二九日の政治局会議において、国民党からの脱退に反対する決議に賛成している。しかし、そのわずか二ヵ月後に、「右派の攻撃を撃退することに成功した」として、ラデックは再び脱退論に賛成するテーゼを書いたわけである。

このように多少の動揺やジグザグがあったとはいえ、ラデックは基本的には一九二六年初頭以降、あるいは少なくとも一九二六年六月以降は脱退論の立場であったのは間違いない。

ジノヴィエフに関して言うと、資料的裏づけはラデックよりずっと弱いとはいえ、すでに注9で指摘したように、ジノヴィエフも、一九二六年四月の時点でこの脱退の必要性を唱えていたようだ（ただこれも文章が残されていないので、口頭でなされたのだろう）。また、中国革命に関する反対派の綱領的文書である一九二七年七月二日付の「中国革命の新段階」の中でも、ジノヴィエフがすでに一九二六年におけるソ連共産党中央委員会七月総会において、この趣旨の声明を出したことが明言されている。[*19]ただし、この「声明」はどこにも発表されていないようなので、内容を確認することはできない。[*20]だが少なくとも、反対派が以前から国民党からの共産党の脱退（あるいは脱退に至るような一連の条件提示）を主張していたことの証拠として、このジノヴィエフの七月声明が反対派の公式文書の中で持ち出されているわけである。というわけで、ジノヴィエフに関しても、「常に」トロツキーの脱退論に反対していたというのは、事実に反する。[*21]

以上見たように、少なくとも一九二六年初頭ないし半ば以降は、トロツキーもジノヴィエフもラデックも国民党からの共産党の脱退に、あるいは少なくともそれをめざすことに賛成だったわけである。だが、ラデックやジノヴィエフとトロツキーとの間にこの問題をめぐって意見の相違がなかったわけではない。それはたしかにあった。しかも結果的にきわめて深刻な対立が。

このことは、一九二七年三月四日付トロツキーの「ラデックへの手紙」の中で示されている。まずラデックは一九二七年三月三日付の「中国問題に関するテーゼ」の中で、「中国共産党が国民党の中にとどまっていることは許しがたいというわれわれの見地は今なお完全に有効である」[*22]と述べており、脱退論が以前から一貫した「われわれの」立場であることが確認されている。その上で、ラデックは、運動に参加している大衆が国民党の旗のもとで決起しているので、公式には脱退のスローガンを出さず、下から徐々に準備し、なし崩し的に実行していくという漸進的路線を提案している。[*23] 当時における国民党の大衆的人気ぶりと両党の密着ぶりを考えれば、そういう配慮もわからないわけではない。しかし、このような提案に対してトロツキーは、そのようなやり方はまったく不十分であり、すでに遅きに失しているとして、次のように断言している。

もしわれわれが中国共産党をその完全なメンシェヴィキ的変質から救おうと思うのであれば、国民党からの脱退の要求をこれ以上一日たりとも先延ばしすることはできないだろう。[*24]

つまり、トロツキーは一九二七年初頭の段階ですでに即時脱退論であったのに対して、ラデックはなおも長期的・漸次的脱退論だったのである。そして、ジノヴィエフもラデック以上にそのような立場だったと思われる。たとえば、ジノヴィエフは一九二七年四月一五日付で政治局に送付した綱領的文書「中国革命に関するテーゼ」の中で次のように述べている。

現在の状況下におけるわれわれのスローガンは、国民党からの脱退ではなく、国民党からの共産党の完全かつ無条件の政治的・組織的独立、すなわち共産党の完全な政治的・組織的自治をただちに声明し、それを実現することである。[*25]

ここでは「脱退」論と「完全な政治的・組織的独立＝自治」とが区別され、前者が否定され後者が肯定されている。だが「完全な政治的・組織的独立＝自治」は結局のところ「脱退」に向けた準備でしかありえないので、ここで否定されているのはあくまでも即時脱退論であろう。そして、ここでのジノヴィエフの論調は明らかに、一九二六年におけるラデックの脱退論の主張よりもさらに控えめである。

脱退の時期をめぐるこの意見対立ゆえに、合同反対派は、反対派として正式に国民党からの共産党の脱退を主張することができなかった。反対派の方針は実質的に、トロツキー、ジノヴィエフ、ラデックの三者によって決定されており、この三者の意見が一致しないかぎり、反対派としての公式の立場表明はできなかった。脱退の方向性では三者は一致していたのだが、それをただちに明確に要求するのか、それともそれを明言することなく、そうせざるをえないような種々の提案をすることで結果的に脱退を実現していく漸進的な道を取るのか、これが真の対立点だった。この点は、長沙クーデター後の六月二四日にトロツキーが書いた文書「どうしてわれわれはこれまで国民党からの脱退を要求しなかったのか？」ではっきりと説明されている。

この問題におけるわれわれの基本的な立場は正しかった。なぜならわれわれはみな国民党からの脱退に向けた路線を堅持していたからである。誤っていたのは、基本問題におけるわれわれの立場を教育学的に曖昧化し、希釈化し、穏健化し、鈍化させたことである。それはわれわれにとってマイナスにしかならなかった。すなわち、立場の不明確さ、弁護論的な言い回し、事件からの立ち遅れ、である。われわれはこの誤りに終止符を打ち、国民党からの即時脱退の要求を公然と提起しなければならない[*26]！

ここではっきり述べられているように、「われわれはみな（つまりラデックとジノヴィエフも）、国民党からの脱退に向けた路線を堅持していた」のである。だが、それをはっきりと明確に主張するべきかどうかをめぐって深刻な対立があり、この論点をめぐってトロツキーは結局、ジノヴィエフとラデックに（とりわけジノヴィエフに）妥協した。それゆえ、シャハトマンへの手紙における「ラデックは常にジノヴィエフとともに私に反対した」という文言が、両名が脱退に向けた方針そのものに反対していたという意味ではなく、即時脱退論に反対していたという意味なら、事実に合致していることになる。だがシャハトマンへの手紙そのものからはそのような微妙なニュアンスは読み取れない。明らかに誤解を与える不正確な記述である。とはいえ、反対派として脱退論を公けに表明することができないという結果においては、脱退そのものに反対するのも、即時脱退論に反対するのも同じだった。トロツキーは、内心では共産党の即時脱退が必要だと確信していたにもかかわらず、公の席では反対派としてそのことを口にすることができず、共産党の「完全な独立性」というようないささか曖昧な言い方（典型的には、トロツキー自身が何度も引用している一九二七年五月二七付けのトロツキー執筆の反対派の声明「理解し、再考し、変更すべき時だ」の箇条書き部分[*27]）に限定せざるをえなかった。

第一の論点に関わるいくつかの追加論点

さらにこの問題に関しては、いくつか明らかにするべき論点がまだある。まず第一に、たしかに一九二六年四月一日に最初の国民党からの脱退の提案がなされたとはいえ、それが四月二九日の政治局会議で明確に否決された後、トロツキーは一九二六年中はこの問題を正式には蒸し返さず、一九二七年初頭になるまで反対派の内部でさえほとんど議論することがなかったことである。

この問題でトロツキーが真剣に憂慮し始めるのはようやく一九二七年の三月以降であり、四・一二クーデターのわずか一ヵ月前のことであった。直接のきっかけとなったのは、『プラウダ』などで国民党に対する極端に協調主義的な立場が喧伝されるようになったことである。だが、こうした協調主義的態度は主流派だけの問題ではなかった。同時期のアリスキーへのトロツキーの手紙でもわかるように、反対派のメンバーであるアリスキーも、「二つの陣営」論をとり、同書の巻頭部分では国民党と共産党への献辞が掲げていた。[*28] またラデックも、一方では共産党の国民党脱退について語りながら、他方では、一九二五〜二七年初頭には国民党政府を「労農政府」と呼んでいた。

このような弱点は後に四・一二クーデター後、主流派が反対派を攻撃する格好の材料とされ、トロツキーはその弁明に努めざるをなくなった。とくに、四・一二クーデターの一ヵ月後に開催されたコミンテルン第八回執行委員会総会において、トロツキーは演説中に、ラデックの「労農政府」論について野次を飛ばされ、情報が不足していたからだという苦しい言い訳をする羽目になっている。[*29] この演説が後に英語版の『中国革命の諸問題』に収録されたさい、この部分が削除されたのも無理はない。[*30] いずれにせよ、反対派のこの問題に対するトロツキーおよび反対派の取り組みの弱さ、遅さは否定しがたい。かつてヨッフェがその遺書で述べたように、トロツキーは正しい路線をとっている場合も、レーニンのように断固としてそれを貫き、それを倦まずたゆまず主張しつづけるという姿勢に欠けていた。

もう一つの論点は、ではそもそもいつから共産党は国民党から脱退すべきだったのか、である。シャハトマンへの手紙でトロツキーが言うように一九二三年からなのか、それとも一九二六年九月の「中国共産党と国民党」や一九二八年三月の「ベロボロドフへの手紙」で言うように、運動が大規模に盛りあがり始めた一九二五年からなのか、それとも、実際にトロツキーが脱退を提案した一九二六年四月の時点（つまり三・二〇クーデターの直後）からなのか？　あるいはそれとも、陳独秀が後に証言しているように、一九二二年に最初に国民党に加入した時点からそれに反対するべきだったのか？[*31]

これは判断の難しい問題である。当事者にとってはなおさらそうであろう。後の国民党の反動化を見るなら、最初から国民党に加入するべきでなかったという結論が出てきても当然である。先進国で労働党や社会党に共産主義者が加入するのとはわけが違うのである。先進国においては、加入戦術は、少数派の共産主義者が大衆的基盤を獲得するために一時的に許される戦術であろうし、それが失敗してもせいぜい、組織から追放されるだけのことである。だが、軍閥が支配する中国、法治国家の体をなしていない当時の中国において、加入戦術の失敗は単なる組織的追放ではなくて、投獄と虐殺であった。

しかし、少なくとも国民党への加入当初は、陳独秀やトロツキー自身も認めているように、共産党に対する否定的影響は少なく、むしろ運動の盛り上がりに比例して共産党の勢力拡張に寄与した。しかしそれと同時に、国民党の側からの共産党への圧力、制約、弾圧も増大したのである。転換点となったのは一九二五年における大都市部での大規模なストライキの頻発であった。国民党はこの事態に恐怖し、党と運動への抑圧を強化した。こうした状況の中、陳独秀は同年末に国民党からの脱退を改めて主張した。[*32]しかしコミンテルンは国民党の進歩性を過大評価し、その反動性と暴力性とを過小評価した。共産党が自由に利用しうる組織的踏み台とみなした。

だが、そのような幻想も、一九二六年三月二〇日の蒋介石の第一次クーデター（中山艦事件）によって払拭されるべきだった。ところが、スターリン＝ブハーリン派は、共産党の独立に向けて舵を切るのではなく、むしろ反抗的かつ暴力化した蒋介石をなだめて、彼との協力関係を維持するために、以前よりもいっそう従属的になり、蒋介石が提示するさまざまな政治的制約や条件（その中には共産党員の名簿を国民党に引き渡すというようなものまであった。この名簿は後に大量逮捕と虐殺のリストとなった）を次々と認めていった。陳独秀が言うように、「この時こそ最も重大な時期だった」。[*33]蒋介石はそうしたコミンテルンの弱腰姿勢を見て、自信を深め、共産党を政治的に制約するだけでなく、軍事的に粉砕する決意を固めたのである。四・一二クーデターはまさに前年の三・二〇クーデター後のコミンテルン指導部の日和見主義路線によって準備され鼓舞され促進されたのである。

したがって、一九二五年に大規模に大衆運動が盛りあがった時点ですでに国民党からの脱退が目ざされなければならなかった。一九二五年三月には国民党の創始者である孫文が亡くなっており、この点からしても共産党が国民党から自立化する絶好のタイミングであったと言えるだろう。だがどんなに遅くとも、一九二六年の三・二〇クーデター後には断固として共産党の組織的独立と独自の武装化に向けて舵が切られなければならなかった。この事件は明確な警告であり、共産党が国民党から離脱するか、国民党に従属したまま最終的に粉砕されるかの二者択一しかないことを明らかにした。だから、トロツキーが一九二六年の四月に脱退を提起するようになったのは、少し遅かったとはいえ、当然だったと言える。

三、第二の論点――ソヴィエトの結成

次に第二の論点に移ろう。トロツキーは、一九二八年の後半に書かれた種々の総括論文において、反対派は一九二六年から中国におけるソヴィエトを主張していたと述べている。たとえば、『レーニン死後の第三インターナショナル』の中でトロツキーはこう述べている。「反対派は一九二六年以来、中国のためのソヴィエトというスローガンを提唱している」、「われわれは一九二六年に中国にソヴィエトをつくることに賛成し……[*34]」。

だが実際にはどうだったのか？　少なくとも文書で確認しうるかぎりでは、一九二六年におけるトロツキーの中国関連文献に中国におけるソヴィエト結成に言及したものは見当たらない。国民党からの脱退に関してはすでに一九二六年の文献に確認しうるのだが、ソヴィエトの結成の主張はそうではない。トロツキーの中国関連文献の中に最初に中国におけるソヴィエトのスローガンについての言及が登場するのは、一九二七年三月二九日付のアリスキーへの手紙においてである。

　言っておかなければならないが、どうして中国においてソヴィエトのスローガンを提出しないな

いいのか私にはまったく理解不能である。まさにソヴィエトの線に沿ってはじめて階級的諸勢力の結晶化は、昨日の組織的・政治的伝統――現在の国民党――にではなく、革命の新しい段階に一致することができるのである。共産党が国民党から脱退した後に同党がどのように再編されるのか、これは、われわれにとって独自の、そして二次的な問題である。第一の条件は、独立したプロレタリア政党である。それが都市と農村の小ブルジョアジーと最も密接な形で協力するための形態こそ、権力のための闘争機関としての、あるいは権力機関としてのソヴィエトである。*35

ここでの「どうして中国においてソヴィエトのスローガンを提出しないのか」という言い方は、この提起が反対派内部でもこれまでなされてこなかったことを示しているのではないだろうか？　もしすでに何度か提起していたら、「これまでも提起してきたように」というような一文が入ってもおかしくない。またトロツキーはこの手紙の中で、中国におけるソヴィエトのスローガンを、中国共産党の組織的独立化と不可分に結びつけて提起している。共産党を国民党から脱退させ、ソヴィエトを通じて両党の協力を図っていくという立場である。ちょうどロシアの一九〇五年革命において、当時のロシア社会民主労働党（独立したプロレタリア政党）がソヴィエトの中でエスエルと協力したようにである。だがこれはまだ反対派内部での手紙にすぎない。トロツキーは、この手紙を書いた二日後の三月三一日、政治局に宛てて、中国の労働者中心地にソヴィエトを結成せよとのかなり強い調子の手紙を送っている。ところが、この政治局宛ての手紙では、仲間内のアリスキーへの手紙とは違って、共産党の組織的独立の問題は意識的に回避されている。

> 私はここでは共産党と国民党との相互関係に関する問題は議論しないでおこう。しかし、ソヴィエト制度は短期間のうちにこの問題をも正しく提起することができるだろうと思う。[*36]

ソヴィエトの結成に向かうならば、必然的に共産党の独立化に向かうだろうとの予想にもとづいていたのだろうが、実際には、トロツキー自身がアリスキーへの手紙で書いているように、「独立したプロレタリア政党」こそ「第一の条件」なのである。この「第一の条件」を曖昧にしたまま、「第二の条件」であるソヴィエトの結成だけを訴えるのは明らかに無理がある。いずれにせよ、反対派が一九二六年から中国にソヴィエトをつくるよう主張していたというのは、かなり疑わしい。少なくとも文献的には確認できない。この点は、右で紹介した一九二七年三月三一日付けの政治局宛てのトロツキーの手紙の冒頭部分からも推測できる。

> 中国の状況について私は新聞を通じてしか追うことができない。どのような指示が与えられているのか私は知らない。しかし、中国革命の、主としてその軍事的形態における発展と結びついて、ソヴィエトの問題が新聞でまったく提起されていないことに気づかされる。だが、私が思うに、この問題は現在の段階においては直接的に決定的な意義を有している。[*37]

ここでの書き方も、今回初めてソヴィエトの問題を提起したことを示唆しているように思われる。もし本当に一九二六年からソヴィエトの結成を反対派として主張していたなら、「すでに昨年から提起してきたように」というような文章が入っていてもいいはずだからである。

しかし、ソヴィエトの結成に関しては、反対派内部ではとくに異論がなかったようで、主要な二つの論点のうち、最も早期に反対派として一致して要求されるようになった。政治局宛てのこのトロツキーの手紙も、もちろん個人的な手紙ではなく、反対派としての手紙である。ジノヴィエフも、先に紹介した四月一五日付「中国問題に関するテーゼ」において、「中国におけるソヴィエトというスローガンを提起することが差し迫った必要事になっている」（強調はママ）、「ソヴィエト建設のスローガンを出すことができるし出さなければならない時点に至った」*38 とはっきりと主張している。論点の浮上が最も早かったのは第一の論点である共産党の脱退問題だが、反対派として最も速やかに意見が一致したのは、第二の論点であるソヴィエトの問題の方だった。それゆえ、この第二の論点が第一の論点よりも早期に、反対派として正式に要求されることになったのである。

四、第三の論点——中国革命の展望

最後に第三の論点をめぐるトロツキーと反対派の変遷を見てみよう。第一の論点も第二の論点も最終的には、反対派はトロツキーと共通する立場に立っていた、あるいは立つようになった。だが、この第三の論点だけは最後まで反対派の幹部を納得させることができず、それどころか、激しい反対論にあい、結局、反対派そのものの崩壊の重要な一因にさえなってしまった。一九二八年にラデックは流刑地で、この問題を契機に長大な永続革命論批判の論文（著作並みの論文）を書き、これはラデックとトロツキーとのあいだで決定的な決裂を画するものになった。トロツキーはこの論文に対する反撃として『永続革命論』という著作を書くに至る。だから『永続革命論』が書かれた背景には、一九二六年から続いていた中国革命をめぐる反対派と主流派との、そして反対派それ自身の内部での意見の相違があったのであり、中国革命をめぐる諸問題がいかに反対派の運命とトロツキー自身の運命に決定的な役割を果たしたかがわかる。

中国版「労農民主独裁」

まず簡単に、中国革命の展望とその内的発展力学に関するトロツキーと反対派の見解を見ていこう。トロツキー派とジノヴィエフ派とが合同して反対派ブロックが結成されたのは一九二六年四～五月頃である。中国革命をめぐる反対派の独自の立場が形成されてくるのもこの頃からである。しかし、永続革命論に対する断固たる反対派であったジノヴィエフとカーメネフは、その信念を持ったままトロツキー派と合同した。そして、トロツキー派自身も、官僚主義に反対して党内民主主義を擁護すること、大胆な計画化と工業化の路線を推進すること、国際戦線での階級協調主義に反対して国際革命の路線を堅持すること、といった当面する切実な諸論点で結成されたのであって、けっして永続革命論への理論的支持を共通の理論的基盤にしていたわけではなかった。ヨッフェのように永続革命論の支持者もいたが、逆にラデックのように最初から明確な反永続革命論の立場の者もいた。したがって、合同反対派結成後も、永続革命論はけっして反対派の共通の立場ではなかったし、ありえなかった。*39

このことは、中国革命の展望に関する反対派の立場にはっきり示されている。合同反対派は、その反対派としての存在期間中一貫して、中国革命に関しては「四月テーゼ」以前のレーニンの立場、すなわち「プロレタリアートと農民の民主主義独裁」という立場を堅持していた。このことは、当時におけるトロツキーおよび反対派の無数の諸文献から簡単に証明することができる。たとえば、トロツキーが四・一二クーデターを受けて、政治局に対して書き送った「中国におけるソヴィエトのスローガン」では次のように書かれている。

たしかに、ソヴィエトは権力のための闘争機関である。しかし、それは最初からそういうものとして生まれるのではない。それはそうした方向に向けて発展していくのである。それは、闘争の経験を通じてのみ独裁（今回の場合は民主主義独裁）の機関としての役割を果たすところにまで至る。労農民主独裁に向けたコースを真剣に考慮するなら、ソヴィエトが形成され、それが事態の発展（軍事的なそれを含む）に介入するための必要な時間がなければならないし、そうして初めてソヴィエトは、確固たるものになり、経験を積んで、その後でようやく権力へとその手を伸ばすことができるのである。*40

このようにはっきりと、「今回の場合は民主主義独裁」と限定している。トロツキーがあえてそう書いたのは、ロシアにおけるソヴィエトが「プロレタリア独裁」の機関として形成され、そうした役割を担ったことの対比としてである。さらにこの同じ文書でトロツキーは次のように述べている。

> ソヴィエトの結成を呼びかけ、それに着手することは、中国においても二重権力の要素を導入することを意味するだろう。これは不可避であり、これは有益である。これがあって初めて、プロレタリアートと農民の革命的民主主義独裁に向けたさらなる展望を切り開くことができるのである。[*41]

さらにこの文書の直後にトロツキーが書いた「蒋介石クーデター後の中国情勢と展望」でも、はっきりと当面する目標が「労働者と農民の民主主義独裁」であることが言われている。

> プロレタリアートの指導のもとに都市と農村の勤労大衆の民主主義独裁を打ち立てることは、革命のさらなる発展の必然的段階である。しかし、この必然的段階は、その本質そのものからして、最終段階ではありえない。プロレタリアートと農民の民主主義独裁からは二つの道が可能である。後方への道、すなわち議会的ないしボナパルティズム的ブルジョア共和制か、あるいは、前方への道、すなわち社会主義革命への過渡的段階か、である。これらの道のいずれを中国革命が今後進むのか、これは決定的に国際的事情に依存している。すなわち、先進資本主義諸国におけるプロレタリア革命の発展に依存している。復興期の終わりに近づきつつある世界資本主義の現状、その諸矛盾の途方もない増大は、中国の民主主義革命が社会主義革命へと

成長転化すること――正しい指導が存在する場合には――がまったく現実的な展望になること、なりつつあることを物語っている。[*42]

このように、当面する目標は「民主主義独裁」であり、この民主主義独裁が社会主義革命へと「成長転化」できるかどうかは、「先進資本主義諸国におけるプロレタリア革命の発展に依存している」と言われており、これは一九〇五～〇六年におけるレーニンの立場とまったく同じである。「中国革命と同志スターリンのテーゼ」でも次のように書かれている。

反対派は、国民党内の革命的分子とのブロックを強化し発展させること、労働者と都市および農村の貧民層との最も緊密な戦闘的同盟、そして労働者、農民、都市小ブルジョアジーの革命的独裁に向けた路線を全面的に支持するものである。[*43]

また先ほど少し引用した「理解し、再検討し、変更するべき時だ」という文書においても、箇条書きの方針のところで、「全般的な路線は、労働者・農民代表ソヴィエトを通じた民主主義独裁の確立であること」[*44]と明言されている。ジノヴィエフが執筆し、トロツキーら反対派メンバーの名前で出された「国民党からの即時脱退を！」においても、「プロレタリアートと農民の革命的民主主義独裁万歳！」というスローガンが提出されている。[*45] また、中国革命に関する最もまとまった綱領的文書である「中国革命の新段階」でも、次のように書かれている。

> 統一的なスローガンになるべきは、プロレタリアートと農民の革命的民主主義独裁のための闘争であり、それは、ソヴィエトを通じて実現され、外国の帝国主義者、中国のブルジョアジー、地主、軍閥、高利貸、郷紳に対抗するものである。[*46]

しかし何よりも、ジノヴィエフが一〇月におけるトロツキーへの反論文でも指摘しているように、[*47]一九二七年九月初頭に発表された合同反対派の政綱において、はっきりと中国革命においては「労農民主独裁」の実現が目標だと語られているのである。

> 中国にソヴィエトが存在したならば、それはプロレタリアートの指導のもとに農民勢力を結集する形態になりえだろうし、プロレタリアートと農民の革命的民主主義独裁の真の機関になりえただろう。
>
> ……以上のことから次の結論になる。プロレタリアートと農民の革命的民主主義独裁は、現在の帝国主義戦争とプロレタリア革命の時代においては、中国ではソヴィエトの形態を取ったであろうし、ソ連邦の存在ゆえに、比較的急速に社会主義革命へ転化するあらゆるチャンスを有していたであろう。この政策の他には、労働者階級の敗北を不可避的に導く自由主義ブルジョアジーとの同盟というメンシェヴィキ的な道があるだけである。これこそが、中国において一九二七年に起こったことなのである。[*48]

このように、当時における反対派の公式の立場は明確である。したがって、当時の反対派がすでに「中国におけるプロレタリア独裁樹立」をめざす立場であったかのような認識が一部に存在するが、それはまったくの誤解なのである。[*49]

トロツキーの立場の変遷

問題はその先にある。では、トロツキー自身はどうだったのか？　中国における永続革命の展望を本当は（最初から？）抱いていたのだが、ここでもラデックやジノヴィエフらに妥協して労農民主独裁論を心ならずも受け入れたのか？　それとも、最初はトロツキー自身も中国における労農民主独裁論を正しいと思っていたのだが、その後、中国における事態の展開を受けて、永続革命論の立場へと移行したのか？　もし後者だとすれば、いつ移行したのか？

まず最初の問題から見ておこう。トロツキーが、最初から中国革命において永続革命的展望を持っていたわけではないのは、発表を予定していなかったトロツキーの覚書や内輪の手紙の中でも、そうした議論が明示的には見られないことから明らかである。トロツキーは自ら書いた諸文書の中でも、すでに引用したように繰り返し「民主主義独裁」と書いている。トロツキーが初めて明快に中国において永続革命的展望を当てはめたのは、一九二七年九月の半ば頃に書かれた「中国革命の新しい可能性、新しい課題、新しい誤り」においてである。まず、トロツキーは、中国革命の最初の段階（北伐開始時点）では「プロレタリアートと農民の革命的民主主義独裁」は進歩的な役割を果たしえただろうと述べながら、そのような時期は完全に過ぎ去ったと述べ[*50]、蔣介石のクーデターと左翼国民党の裏切り以降、革命からすでにブルジョアジーと小ブルジョアジーが離反しているのだから、そういう段階でそのスローガンを繰り返すのは危険だと言う。

このような状況のもとで、プロレタリアートと農民の民主主義独裁のスローガンは――新しい革命的高揚が起きた場合には――あまりにも曖昧で無定形であることがわかるだろう。だが、革命においてあらゆる曖昧で無定形なスローガンは、被抑圧大衆の革命政党にとって危険なものになる。ほとんど疑いえないことだが、プロレタリアートと農民の民主主義独裁というスローガンに協調主義的性格を付与した上で、明日にもスターリンはそのスローガンのもとに立つだろう[*51]。

では、このスローガンに代えてどのようなスローガンを提起するべきなのか？　この時点になって初めてトロツキーは次のような展望を提起する。

プロレタリアートと農民の民主主義独裁というレーニンのスローガンは適切な時期に適用されなかったのであり、それを、新しい力関係のもとで形成される第二の段階に機械的に持ち越すことはできない。はっきりと理解しなければならないのは、一般に国民党との、特殊に左翼国民党との経験の後では、歴史的に時期遅れのこのスローガンは、革命に敵対する勢力の道具になるということである。われわれにとって問題になるのはもはやプロレタリアートと農民の民主主義独裁ではなく、農村と都市の膨大な貧困大衆に依拠したプロレタリアートの独裁である。この独裁は、国の、そしてその勤労大衆の最も切実で死活にかかわる諸課題の解決という目的を自らの前に立て、その際、不可避的に所有関係に対する社会主義的介入の道へと移行するだろう。*52

このように、トロツキーはこの文章で初めて、現在では「プロレタリアートと農民の民主主義独裁」ではなく、農民に依拠した「プロレタリアート独裁」だけが問題になるのであり、そしてこの後者は、「勤労大衆の最も切実で死活にかかわる諸課題の解決」を通じて、「不可避的に所有関係に対する社会主義的介入の道へと移行する」と述べられている。これはまったく永続革命的展望である。とはいえ、後のトロツキーの主張とは違って、ここでは、中国における労農民主主義独裁というスローガンは最初から間違っていたとまでは述べられておらず、最初の段階は正当であったとされていることに注意するべきだろう。このような「留保」は後述するように、一九二八年にはなくなる。さらに、同じ文書の少し後の部分でも次のように繰り返されている。

まさにこの帝国主義の時代こそ、中国における階級関係を徹底的に先鋭化させて、革命の最重要課題をブルジョアジーの指導のもとでだけでなく、小ブルジョアジーとプロレタリアートの民主主義独裁という形態でも解決することを不可能にしているのであり、したがってまた農村の貧農と都市の貧困層に依拠したプロレタリアートの独裁という課題を日程にのぼせているのである。プロレタリアートの独裁は、所有関係への社会主義的介入を意味し、国家の責任による生産への移行を、すなわち社会主義革命の軌道への移行を意味している。この途上における成功は、ヨーロッパ・プロレタリアートの革命に巨大な刺激を与え、ソ連を強化し、まさにそのことによって中国革命に新しい可能性を開くだろう。[*53]

このような主張がここではじめて言われたものであることは、トロツキー自身にも十分に自覚されていた。それゆえトロツキーは、このテーゼをジノヴィエフに送る際に、それに付した手紙の中ではっきりと次のように書いている。

テキストから見て取れるように、テーゼの中心は「プロレタリアートと農民の独裁」というスローガンから「プロレタリアートの独裁」というスローガンに変更する問題である。[*54]

ジノヴィエフはしかしながら、このような「変更」を断固として拒否した。ジノヴィエフは、これまでの反対派としての、あるいはトロツキーとジノヴィエフの連名による諸文書が明白に「プロレタリアートと農民の革命的民主主義独裁」の路線を取っていたことを指摘しつつ、次のように述べている。

われわれは現時点で中国におけるプロレタリアート独裁のスローガンを提起することができるだろうか？　われわれは現在、プロレタリアートと農民の民主主義独裁のスローガンを放棄しなければならないだろうか？　いやけっして。

……スターリンとブハーリンがプロレタリアートと農民の民主主義独裁のスローガンを繰り返しているからといって、われわれが常にこのスローガンを放棄するというのは、けっしてわれわれにとってふさわしいことではない。これはまったく正しくないだろう。[*55]

ジノヴィエフにとってこれは中国における当面する革命が「ブルジョア民主主義革命」であることを否定するものであり、「農民を飛び越す」を意味したのである。[*56]彼にとってはどこまでも、当面する革命が民主主義革命であるかぎり、それを実現する権力形態は「民主主義独裁」でなければならず、「プロレタリアート独裁」の出番は、あくまでも民主主義革命の段階が過ぎた後でしかなかった。永続革命のダイナミズムは結局、ジノヴィエフにとって「七つの封印」がなされた箱でしかなかった。

中国革命の独自のダイナミズム

それにしても、一九二七年の九月半ばになるまで、トロツキー自身も中国における永続革命的認識に達することができなかったのはなぜだろうか？

トロツキーは、ロシア社会の独自性の具体的分析、一九〇四〜〇五年におけるロシア・プロレタリアートの嵐のようなストライキ運動の経験などにもとづいて、一九〇五年に永続革命の定式にたどり着いた。それは何らかのドグマからアプリオリに演繹されたのではなく、ロシア社会とロシア・プロレタリアートの生きた現実から理論的に帰納されたのである。トロツキーは当初、この自分の永続革命論を後進国に普遍的に適用可能な理論だとはみなさなかった。そのための決定的な事実的材料が欠けていたからである。たとえば、一九一〇年代にバルカン半島の各地で起きたブルジョア民主主義革命はけっしてプロレタリア独裁に行きつかなかった。[*57] マルクス主義が早くから浸透し西方的部分と東方的部分とが合体したロシアのような特殊な国家にあってこそ永続革命論が成り立つのだと考えていた。

だが、ロシアにおける十月革命の成功とロシア労働者国家の成立、そしてそれをバックにしたコミンテルンとボリシェヴィズムの世界的発展は、単独では永続革命的過程を経過しそうになかったより後進的な諸国をもこの過程に巻き込んだのである。一九一七年以前のロシアに対してヨーロッパ社会主義が果たした役割を、いっそう凝縮しいっそう急進化した形でソヴィエト国家とコミンテルンとがより東方の国々に対して果たした。さらに帝国主義諸国の植民地支配は、反対側からこの過程を促進した。すでにロシアのブルジョアジーはフランス金融資本に従属していたが、帝国主義国によるアジア支配はこの従属性を何倍も深刻なものにした。後進諸国のブルジョアジーは単に経済的のみならず政治的・軍事的にも帝国主義に従属する存在となり、しばしばロシア・ブルジョアジーよりも反動的で反革命的となった。こうして、一九一七年以前のロシア・プロレタリアートよりも急進化した中国プロレタリアートに、一九一七年以前のロシア・ブルジョアジーよりも反動化した中国ブルジョアジーが対峙することになったのである。

だが、歴史の恐るべきパラドクスだが、このようなより先鋭な対立をつくり出す要因となったソヴィエト国家とコミンテルン自身がこの対立を和解させ、両者の間に入って、労働者の従属と引き換えにブルジョアジーをコントロールしようとしたのである。後進的な中国労働者やできたばかりの中国共産党にロシアで実現されたようなプロレタリア革命を遂行する能力などあるわけがないと信じ込んでいたソヴィエト官僚とコミンテルン指導部は、何よりもソ連に好意的なブルジョア政治家や軍人の関心を引きつけ、彼らを援助し、彼らを支配者につけることによって東方の安全を保とうとした。

だが、コミンテルンも中国共産党も、労働者や農民の下からの闘争をコントロールすることはできなかった。ソヴィエト国家の存在そのもの、ロシア十月革命の模範そのものが、ソヴィエト官僚とコミンテルン指導部の意図を越えて、大規模な農民反乱や都市労働者のストライキ闘争を鼓舞したのである。中国共産党は必然的にその闘争に関わり、しばしばその指導を引き受けざるをえなくなった。国民党の指導者や軍人たちのほとんどは地主階層出身であり、地主は都市ブルジョアジーと不可分に結びついていた。労働者・農民の闘争は、一方では、中国南部を基盤としていた国民党の北伐を助け、各地で国民軍（国民党の軍隊）は労働者と農民の歓呼で迎えられ、ほとんど戦闘することなく次々と拠点を落していった。だが、他方で、労働者と農民の闘争は国民党の幹部と指導的軍人たちにとって恐怖の対象となり、やがて弾圧の対象となった。

中国の労働者と農民にとっての唯一の活路は、国民党から分離し独立したプロレタリア政党を確立し、その指導のもとで労農兵士ソヴィエトを結成し、明確な永続革命の路線を取ることだった。スターリン＝ブハーリン派のコミンテルン指導部は、この三点セットすべてに反対し、ブルジョアジーとの協調というメンシェヴィキ的路線に固執した。合同反対派は、この三点のうち、遅ればせながら最初の二点については正しい立場を取った。しかし、最後の三点目だけはそうはならなかった。そして、すでに述べたように、トロツキー自身も九月半ばまでは明確には永続革命論の立場に立てなかったのである。だが、トロツキーは、蒋介石のクーデターと左翼国民党の惨めな屈服ぶりを見て、そして中国の具体的な情勢分析とその複雑で悲劇的な経験を踏まえて、永続革命的展望が中国にも適用しうるし、適用しなければならないことを正しく認識するに至った。永続革命という図式を機械的に他の後進国に当てはめるという態度と無縁だったからこそ、トロツキーの中国革命論はすぐには永続革命論的なものにはならなかったのである。だが、一九二七年九月半ばにこの認識に至って以降、トロツキーは二度とぶれることなく、中国における永続革命的展望を堅持するようになる。それは、その後に書かれた、中国革命に関するトロツキーのあらゆる文献に示されており、そのことはよく知られているので、ここで繰り返さないでおこう。だがこのトロツキーの立場は最後まで、反対派の他のメンバーには受け入れられなかった。そのことを、反対派が完全に敗北して、流刑地に流された後に行なわれた、トロツキーとプレオブラジェンスキーとの論争を概観することで確認しておこう。

流刑地でのプレオブラジェンスキーとの論争

トロツキーは一九二八年三月二日付けのプレオブラジェンスキーへの第一の手紙の中で、広州蜂起が拙劣に実行されたとはいえ、その内容においてプロレタリア社会主義的なものであったことを踏まえて、「中国に適用された『労働者と農民のブルジョア民主主義革命』という定式は、現在の時期において、発展の現段階において、無内容な虚構であ」ると指摘し[*58]、ロシア革命と同じく、中国においても農民の土地問題などのブルジョア民主主義的課題は「プロレタリアートの独裁という形態においてのみ」可能になるのであり、それは「すでにその最初の時期から不可避的に社会主義的方策に成長転化する」と述べている[*59]。これは明確な永続革命的展望である。

そして、トロツキー自身がこの見地に到達したのが一九二七年の半ば以降であったことが、この手紙に対するプレオブラジェンスキーの反論を受けて書いた第二の手紙（四月二〇日付）の中で述べられている――「一九二七年四月から五月まで、私は中国のためのプロレタリアートと農民の民主主義独裁というスローガンを支持していた（より正確に言えばこのスローガンを受け入れていた）」と[*60]。だが、この記述はいささか不正確である。「五月まで」ではなく、九月半ばまでトロツキーは、少なくとも表面上はこのスローガンを受け入れていたのである。

とはいえ、この記述はまったくの嘘というわけでもない。一九二七年六月二五日に書かれた覚書（「民族的抑圧と民族ブルジョアジーに関する第二の覚書」）では、明らかに労農民主独裁論とは異なる論調が見られるからである。

いかにしてなぜ後進国ロシアの階級闘争の歩みが、先進資本主義国よりも早くプロレタリアートの手中に権力を移行させたのかを思い起こすならば、中国における多くのことがより理解可能なものになるだろう[*61]。

さらに、「中国プロレタリアートの革命性、大胆さ、自己犠牲は……けっしてロシア・プロレタリアートにひけを取らない」とも言われている。[*62] このように、永続革命的展望が明示的に出されているわけではないが、そこには従来の労農民主独裁論からの離脱と永続革命的展望への移行の兆候がはっきりとうかがえる。では、トロツキーは何をきっかけにして、最終的に中国版「労農民主独裁」論を乗り越えたのだろうか？　プレオブラジェンスキーへの第二の手紙での説明によれば、武漢政府の経験である。先の文章に続いてトロツキーはこう書いている。

〔労農民主独裁論を受け入れたのは〕中国の状況がこのスローガンにとってロシアよりもはるかに不利であったとしても、社会的諸勢力がまだ現実による政治的検証を受けていなかったからであった。この検証が巨大な歴史的事件（武漢の経験）の中でなされた後は、この民主主義独裁のスローガンは反動的なものとなったし、不可避的に日和見主義か冒険主義に至ることになるだろう。[*63]

また、同じ手紙の中でトロツキーは「中国においていかなる『プロレタリアートと農民の民主主義独裁』も起こりえないという点に関しては、私は武漢政府が形成された頃から考えはじめた」とも書いている。[*64]「武漢政府が形成された頃」とはまさに、先の覚書が書かれた頃を含む時期だから、武漢政府の反動的姿勢を日々確認するにつれて、トロツキーは労農民主独裁論が中国でも妥当しえないことを確信していったのだろう。

いわゆる「労農民主独裁」は、ロシアにおいてはブルジョア的臨時政府と協調主義的ソヴィエトとの連携という外的二重権力として「実現」され、中国においては国民党内におけるブルジョア的指導部のヘゲモニーと共産党の政治的・組織的従属という内的二重権力として「実現」された。つまりどちらも不安定な二重権力としてのみ「実現」され、短期間のうちに二重権力の解消と単独の階級的権力の確立に行きついた。だが前者が、ソヴィエトのボリシェヴィキ化と臨時政府の打倒に、つまりはプロレタリア独裁に行きついたのに対し、後者はブルジョア指導部による共産党の血の弾圧に、つまりはブルジョア独裁に行きついたのである。

この対照性は、永続革命的過程を主導すべきプロレタリア党がどのような立場に立っていたかに決定的に依存している。もし中国共産党が一九二五年の段階で国民党から離脱して大衆運動を指導し、一九二六年の段階でソヴィエトを結成していたら、それは最初から革命的なソヴィエトと、コルニーロフ的なブルジョア的国民党との外的二重権力になっていたかもしれない。そうなっていたら、一九二七年四月一二日の蒋介石クーデターは、むしろロシア革命におけるコルニーロフ反乱のように、革命派が決定的な勝利へと突き進む絶好のきっかけにさえなっただろう。そうなれば中国革命はロシアと同じく永続革命的軌跡をたどっただろうし、農村から都市へではなく、ソヴィエト（労働者民主主義の機関）に基づいて都市から農村へと革命が拡大する過程をたどっただろう。少なくともその可能性はきわめて高かった。だが主流派は一貫してこの立場を排撃し、反対派は数カ月か一年遅れでしか方針転換を主張できなかった。そして、最後の論点に関しては、結局、トロツキーだけがしかるべき結論を引き出した。

武漢政府の崩壊は、労農民主独裁（あるいはもっとひどい「四階級ブロック」）のあらゆる可能性を追求したことの最終的結果を示すものだった。主流派は、最初に国民党全体にその可能性を見出し、次に右派を除いた残りの国民党にその可能性を見出し、最後に左翼国民党にその可能性を見出した。「労農民主独裁」は、レーニンが二月革命以前に想定していたような断固として土地革命を推進する革命政府としてはけっして実現されなかったのであり、「実現」された場合にはそれは反革命政府としてのみ実現されたのである。トロツキーは、七月における武漢政府崩壊から二ヵ月後の九月半ばになってようやく、自分の到達した結論を論文にして反対派内部に回覧する決意をした。

すでに述べたようにトロツキーは、七月以前から「労農民主独裁論」の有効性に疑問を抱き始めていた。だが、それを反対派内部でもはっきりと述べる機会は訪れなかったし、トロツキー自身も十分に確信にはいたっていなかった。だが、中国共産党自身が武漢政府の崩壊を受けて左翼転換し、葉挺と賀竜という二人の軍事党員による自立した軍事行動が開始されたとき、トロツキーはようやく「労農民主独裁論」が中国でも成り立たないことを最終的に確信したのだろう。先に紹介したように、トロツキーは、「労農民主独裁論」になお固執していた反対派政綱を中央委員会に提出したわずか半月後に、プロレタリア独裁と永続革命への転換を主張する論文を書き、それをジノヴィエフに送った。だが、すでに述べたように、この論文はまったく受け入れられなかった。ジノヴィエフにとってトロツキーの永続革命的展望は、どこまでも革命の民主主義的段階を飛び越す極左理論でしかなかったのである。

このような反応は、ジノヴィエフ派だけでなく、トロツキー派の内部でも同様だった。トロツキーに反論したプレオブラジェンスキーの手紙によれば、一九二七年の一一月頃にこの問題でトロツキーとプレオブラジェンスキーやラデックとの間で議論が闘わされたようだ。[*65] 両名とも、その場では言い負かされたが、トロツキーの主張に納得しなかった。それが革命の民主主義的段階の飛び越しに見えたからである。ジノヴィエフとプレオブラジェンスキーの反論を読むと、いかに彼らが革命過程の弁証法を理解していないか、いかに、革命の社会的内容とその推進的権力主体との関係を機械的に見ていたかがわかる。

日常的にトロツキーと接していた反対派の幹部でさえこうだとすれば、主流派が永続革命論の複雑な内実を理解できるはずもなかった。トロツキーの悲劇はここにあった。彼の永続革命論は革命過程の複雑な弁証法を理解することなしには理解できないものであり、それゆえ、トロツキー以外のほとんど誰にも理解されなかったのである。それは正しすぎたために、ほとんど受け入れられなかった。

そう考えれば、レーニンが二月革命後に「四月テーゼ」を打ちだして、ボリシェヴィキの思想的再武装を実現できたのは一個の奇跡に思える。こんなことはレーニン以外の誰にでもできない芸当だったろう。そしてこのレーニンでさえ最初は少数派に陥ったのだ。だがレーニンがそれまでのボリシェヴィキ党建設と長い陣地戦的闘争の中で獲得していた圧倒的な権威とそのたゆまぬ精力的な努力、そして下からの革命的大衆の巨大なエネルギーのおかげで、ごく短期間でボリシェヴィキを永続革命の路線に転換させることができたのである。しかし、このようなことは中国では起こらなかった。そこにはレーニンもトロツキーもおらず、その代わりに頑強にメンシェヴィキ的路線を押しつけるコミンテルンによる指導があった。

もし中国共産党がコミンテルンの従属下になく、独力で、自分の頭で考えて、中国革命を指導しようとしたなら、どうなっていただろうか？　これはまったく推測の域を出ないが、陳独秀が除名後に書いた文書から判断するに、おそらく、レーニンより手際は悪かっただろうし、トロツキーのように明確に理論化できなかっただろうが、それでも手探りで永続革命的過程に順応しようとした可能性はきわめて高い。ちょうど一九〇五年革命当時のボリシェヴィキとメンシェヴィキがそうであったように。少なくとも、コミンテルン指導下の中国共産党がたどったような惨めな屈服と破局的敗北はこうむらなかっただろうし、たとえ最終的に敗北してもその打撃ははるかに少なかっただろう。[*66]

トロツキーにとってこの中国革命の敗北は、自己の永続革命論の正しさを最終的に確認するものだった。ロシア革命が肯定的な形で永続革命論の正しさを証明したとすれば、第二次中国革命は否定的な形で永続革命論の正しさを証明した。このことを踏まえてトロツキーは、一九二七年九月半ばの論文で初めて中国革命における永続革命的展望を語ったのである。[*67]　だが、反対派の内部で同意が得られなかったため、トロツキーは公式には引き続き「労農民主独裁論」の立場をとった。たとえば、一九二七年九月二七日の「コミンテルン執行委員会幹部会での演説」では、「労農民主独裁論」を主張している例の五月声明を再び引用している。[*68]

結局、一九二七年中は文章としてはそれ以上この問題に関する叙述は残さなかったようだ。一〇月始めになされたジノヴィエフの反論に対しても、トロツキーは直接答えていない。党大会の接近と反対派の大量除名の問題が最も差し迫った問題としてトロツキーの思考と行動を支配したからである。しかし、一九二八年にアルマ・アタ〔アルマータ〕に流刑になると、トロツキーはさっそくこの中国革命の問題に立ち戻った。プレオブラジェンスキーへの手紙によると、トロツキーは「アルマ・アタに着いた瞬間からもっぱら中国（インド、ポリネシア、その他類似の諸国）の問題に取り組んできた」[*69]。そして、この研究にもとづいて、トロツキーは改めて、中国およびそれに類似した諸国においても労農民主独裁論は妥当せず、農民に依拠したプロレタリア独裁がブルジョア民主主義的課題を完成させるとともに、ただちに社会主義革命を開始するという永続革命論が妥当するとの確信を得た。すでに述べたように、トロツキーはこのことをプレオブラジェンスキーへの第一の手紙の中で書いた。これは個人的手紙ではなく、反対派全体への「回状」でもあった。しかし、プレオブラジェンスキーは説得されず、正面からの反論を試みた。こうして、この中国における永続革命をめぐる論争は両者間の手紙のやり取りとして行なわれた。トロツキーの第二および第三の手紙はきわめて理論的に整理されたものであり、実際、これらの手紙の内容は後に、『レーニン死後の第三インターナショナル』の第三章の各所にほぼそのままの形で再現されている[*70]。

トロツキーはここで得た結論を踏まえて、その後に執筆した『永続革命論』において、ロシアを越えて、帝国主義の支配下にある植民地・半植民地諸国においても妥当するものとして自己の永続革命論を一般化するに至っている。そして、その後に起きた後進国革命の歴史は、このことを今度は肯定的な形で証明した。第三次中国革命も、ベトナム革命も、ユーゴスラビア革命も、キューバ革命も、すべて永続革命的軌跡をたどった。封建的遺物や帝国主義的支配に反対する闘争はプロレタリアートの独裁を導き、それはただちに社会主義革命と結合した。後にチェ・ゲバラは、彼独特の言葉で永続革命の真髄を語った。「社会主義革命か、さもなくば革命の戯画か」と。

五、中国革命敗北の歴史的意味

最後に、この第二次中国革命の敗北の歴史的意味について簡単に論じておこう。

まずもってこの敗北は、トロツキー個人と反対派の運命にとって、そしてソ連自身の運命にとっても決定的な役割を果たした。一方ではそれは、反対派と主流派との闘争を決定的で引き返し不可能なものにするとともに、トロツキーの永続革命論を国際的なものに拡大する役割を果たした。他方ではそれは、主流派の中国政策の決定的な失敗を意味しただけに、なおさら反対派に対する弾圧と一掃を主流派にとって必要不可欠なものにするとともに、ソ連を決定的に孤立させることによって、一国社会主義論を絶対的なドグマに押し上げる役割をも果たした。つまり第二次中国革命の歴史的敗北は、反対派の解体と主流派の独裁化を決定づけるとともに、永続革命論と一国社会主義論のそれぞれの発展・強化・固定化をもたらしたのである。

より広い歴史的視野で見れば、この第二次中国革命の敗北は、ソ連と世界の運命を大きく左右する役割を果たした。まず、ソ連の東方の広大な領域に脆弱なブルジョア独裁政権を成立させたことによって、中国大陸の支配をねらっていた日本帝国主義の侵略衝動を決定的に強める役割を果たした。もし第二次中国革命が勝利をおさめ、そこに、世界最大の人口を有する強力な労働者国家が成立していたならば、それはソ連と有機的に連携して、日本帝国主義の侵略企図を早期に打ち砕くことができたろう（もちろん、スターリニストではない、まともな指導者たちが両国のトップにいることが前提だが）。

したがって、日本の中国侵略による一〇〇〇万人以上の犠牲者は生まれずに済んだことだろう。それどころか、この巨大な中国労働者国家は、日本自身に、ロシア革命以上の巨大なインパクトを与えることができたろうから（ちょうど一九四九年の第三次中国革命がそうなったように）、すでにロシア革命のインパクトを受けて一九二〇年代から急速に盛り上がっていた日本の労働運動とマルクス主義の知的影響力ははるかに強化され、内部からも日本帝国主義の手を縛り、場合によっては、その支配を打ち砕くこともできたかもしれない。中国労働者国家の革命的インパクトはもちろん、朝鮮半島、インド、東南アジアにも直接的に強大な影響を及ぼしただろう。朝鮮労働者は、日本帝国主義からの独立という要求を、プロレタリア独裁の展望に有機的に結びつける道を見出しただろう。

また、ソ連と中国の共同による社会主義建設の壮大な試みは、東方だけでなく、西方の労働者階級や社会主義政党にも巨大な影響力を与えただろう。第二次中国革命敗北の直後の一九二九年に世界恐慌が起きているが、もし一九二六〜二七年の第二次中国革命が成功していたなら、一九三〇年代における西方資本主義諸国における悲惨な恐慌と、東方労働者国家における計画経済にもとづく工業化の巨人的歩みの対照性は、世界の多くの人々に未来は社会主義のもとにあるとの確信を抱かせただろう。

しかし、第二次中国革命の敗北はこうした壮大な可能性のいっさいを雲散霧消させた。人民の強固な支持を持たない蒋介石の軍事的徒党によって支配された中国大陸は、日本帝国主義によって思うままに蹂躙された。日本帝国主義は何よりも、中国革命の震源地であった上海などの中国の工業諸都市を占領・破壊し、すでに蒋介石によって十分に弱められていた中国労働者階級の精鋭を徹底的に弾圧した。あまり指摘されないが、日本帝国主義の中国侵略の重大な動機の一つは、中国におけるこの革命的・共産主義的要素を根絶することだった。

しかし、都市から一掃された共産主義者たちは中国の農村的奥地に逃げ込み、そこでの膨大な貧農大衆に依拠してその力を再結集し強化した。こうして、毛沢東路線はその物質的・社会的基盤を獲得した。それは、事前に予測可能な普遍的戦略ではなく、第二次中国革命の敗北と日本帝国主義による主要都市の占領・破壊によって決定づけられた「次善の策」であった。しかし、毛沢東は後にこれを後進国における普遍的戦略に転化した。

他方、東方に蒋介石の軍事独裁政権と日本軍国主義という脅威を抱え続けたソ連は、一時の極左主義の時期を除いては、西方資本主義に対する、そしてドイツ・ファシズムに対してさえ、協調主義的な路線をいっそう追求するようになった。この最後の点は、次に見るスペイン革命の敗北によっていっそう決定的なものになるのである。


(二〇一七年執筆)

(二〇二〇年一月修正)

注
＊1 トロツキー「マックス・シャハトマンへの手紙」、『トロツキー研究』第七〇号、二〇一七年、一二〇頁。
＊2 Alexander Pantsov & Gregor Benton, 'Did Trotsky Oppose Entering the Guomindang "From the First"?', *Republic China*, Vol. 19, No. 2, 1994.

＊3　トロツキー「中国共産党と国民党」、『トロツキー研究』第六九号、二〇一七年、一五頁。
＊4　Pantsov & Benton, 'Did Trotsky Oppose Entering the Guomindang "From the First"?', p. 60.
＊5　トロツキー「中国共産党と国民党」、『トロツキー研究』第六九号、一五〜一六頁。
＊6　トロツキー「ラデックへの手紙」、『トロツキー研究』第六九号、三〇頁。
＊7　Leon Trotsky, The Opposition's errors: real and alleged, *The Challenge of the Left Opposition: 1928-29*, Pathfinder Press, 1981, p. 108.
＊8　前掲トロツキー「マックス・シャハトマンへの手紙」、『トロツキー研究』第七〇号、一二二頁。トロツキーはこの中でこのテーゼの提案が一九二五年であったと書いているが、一九二六年の書き間違いである。
＊9　ブハーリンとスターリンは一九二六年七月の中央委員会総会において、トロツキーと（少し遅れて）ジノヴィエフからこの脱退の提案がなされたことに言及し、それゆえ政治局は四月二九日にこの脱退提案を断固退ける決議を採択したのだと説明している。Pantsov & Benton, 'Did Trotsky Oppose Entering the Guomindang "From the First"?', p. 58; Alexander Pantsov, *The Bolsheviks and the Chinese Revolution 1917-1927*, Honolulu, 2000, pp. 110-111.
＊10　Pantsov, *The Bolsheviks and the Chinese Revolution 1917-1927*, p. 110.
＊11　トロツキー「第一五回党協議会によせて――覚書」、『トロツキー研究』第四六号、二〇〇五年、一八五頁。
＊12　この演説の全訳は以下に収録されている。トロツキー「第一五回党協議会における演説」『ニューズレター』第三七／三八号、二〇〇四年。
＊13　トロツキー、ジノヴィエフ他「国民党からの即時脱退を！」、『トロツキー研究』第六九号、一二五

〜一二六頁。

＊14　たとえば、一九二七年五月七日に書かれた、中国革命に関するトロツキーの最重要文書の一つである「中国革命と同志スターリンのテーゼ」では次のように言われている――「以上述べたすべてのことから、共産党と国民党との決別を云々するおしゃべりがどの程度根拠のあるものかは明らかである。……われわれは、共産党員が国民党の内部でも活動し、労働者と農民を粘り強くわれわれの側に獲得することに賛成である」（トロツキー「中国革命と同志スターリンのテーゼ」、『中国革命論』現代思潮社、一九六一年、四八〜四九頁。ロシア語原文にもとづいて訳文を修正）。同じく、一九二七年五月二五日に出された反対派の綱領的声明「八四人の声明」でもこう書かれている――「『プラウダ』や『ボリシェヴィーク』の紙面で展開されている一方的な『討論』と、反対派の見解に対する意図的な歪曲（たとえば、国民党からの脱退要求を反対派に帰していること）は、中央委員会の指導グループが反対派を迫害することによって自らの誤りを覆い隠そうとしていることを物語っている」（トロツキー、ジノヴィエフ他「八四人の声明」、『トロツキー研究』第四二／四三号、二〇〇四年、一六〇頁）。

＊15　前掲トロツキー「シャハトマンへの手紙」、『トロツキー研究』第七〇号、一二〇頁。

＊16　カール・ラデック「中国における共産党の基本政策について（テーゼ）」、『ニューズレター』第六二／六三号、二〇一七年、一二頁。

＊17　前掲トロツキー「ラデックへの手紙」、『トロツキー研究』第六九号、一二一〜一三頁。

＊18　前掲ラデック「中国における共産党の基本政策について（テーゼ）」、『ニューズレター』第六二／六三号、一三頁。

＊19　トロツキー、ジノヴィエフ、ラデック他「中国革命の新段階」、『トロツキー研究』第六九号、一六〇頁。

＊20　ロシアのアルヒーフ資料を十分に調べているパンツォフの著作でさえ、このジノヴィエフ声明の中

身にいっさい触れていない（Pantsov, *The Bolsheviks and the Chinese Revolution*, p. 112）。この声明はロシアのアルヒーフにさえないのかもしれない。「中国革命の新段階」では、ジノヴィエフのこの「声明」は「議事録にさえ記録されなかった」とある（前掲トロツキー、ジノヴィエフ、ラデック他「中国革命の新段階」、『トロツキー研究』第六九号、一六〇頁）。

＊21　とはいえ、ジノヴィエフの場合、一九二六年初頭までコミンテルンの議長だったのであり、コミンテルンの中国政策のいわば最高責任者であったため、自分が議長時代の中国政策については当然ながらきわめて弁護的であった。同じくラデックもジノヴィエフの指導下で、東方政策の中心的策定者の一人であった。それゆえ一九二〇年代初頭から一九二六年までの時期の中国政策をめぐって、トロツキーとジノヴィエフおよびラデックとのあいだで内部論争が闘わされたことが、パンツォフによってアルヒーフ資料に基づいて明らかにされている。それによると、ラデックは一九二七年五月に中国革命の敗北に関する長い論文を書いたが、その中の「コミンテルンは警告し、中国共産党は危険に気づいていた」と題された章の中で、一九二〇年から一九二六年半ばのコミンテルンの中国政策を擁護した。それに対してトロツキーは手紙で次のような批判を加えた――「私の意見では、『コミンテルンは警告し、中国共産党は危険に気づいていた』という章は現実に起きたことを不正確に特徴づけている。コミンテルンは実際には何も警告しなかったし、中国共産党は危険に気づいていなかった。そうでなかったとしたら、実際に起こったことをどうやって説明するのか？……私見では、この章は書き直すか、完全に削除するべきだ」（Pantsov, *The Bolsheviks and the Chinese Revolution*, pp. 142-144）。この一連のやり取りのロシア語原文はどこにも発表されていない。

＊22　ラデック「中国革命に関するテーゼ」、『トロツキー研究』第六九号、二二六頁。

＊23　同前、二二六～二二七頁。

*24 前掲トロツキー「ラデックへの手紙」、『トロツキー研究』第六九号、三一頁。

*25 Gregory Zinoviev, Theses on the Chinese Revolution, in Leon Trotsky, *Problems of the Chinese Revolution*, Pioneer Publishers, 1932, p. 356. このテーゼが送付された日付（四月一五日）は、蒋介石の四・一二クーデター後であるが、テーゼの大部分はそれ以前に書かれた。

*26 トロツキー「どうしてわれわれはこれまで国民党からの脱退を要求しなかったのか？」、『トロツキー研究』第六九号、一二四頁。

*27 「共産党はその完全な独立性を確保し、日刊紙を創刊し、ソヴィエトの結成を指導すること」（トロツキー「理解し、再考し、変更すべき時だ」、『トロツキー研究』第六九号、一一五頁）。

*28 トロツキー「アリスキーへの手紙」、『トロツキー研究』第六九号、四三頁。

*29 トロツキー「第八回執行委員会総会における第一の演説」、『ニューズレター』第六二／六三号、一二頁。

*30 この第八回執行委員会総会においてトロツキーは、ラデックの「労農政府」論を情報不足のせいだとして擁護したのだが、その後、ラデックが反対派を裏切ってスターリンの軍門に下った後には、トロツキー自身がこの時期のラデックの「労農政府」論をラデックの年来の日和見主義を示す証拠として持ち出すことになる。（トロツキー『永続革命論』光文社古典新訳文庫、二〇〇八年、一八七～一八九頁）。

*31 陳独秀「全党同志に告ぐる書」『陳独秀文集』第二巻、東洋文庫、二〇一六年、三五一～三五二頁。

*32 「われわれはただちに国民党から出て独立する準備をしなければならないし、そうすることではじめて、自らの政治的立場を保持し、大衆を指導し、国民党の政策の制約から脱することができる。この私の提案に対して、当時のコミンテルン代表と中共中央の責任ある同志たちはそろって激しく反対し、これは中共党員大衆に国民党に反対する道に向かうよう暗示するものだと言い立てた」（同前、三五二

頁)。

*33 「われわれは、独立の軍事勢力を準備して蒋介石に対抗するよう主張し、彰述之同志を党中央代表として広州に特派し、コミンテルン代表と直接会い、その計画について協議したが、コミンテルン代表は賛成しなかった。そればかりか、引き続き蒋介石を極力武装させ、われわれは全力で蒋介石の軍事独裁を擁護し、それによって広州国民政府を強固にし北伐を推進しなければならないのだ、と強く主張した。……この時こそは最も重大な時期だった。具体的に言えば、ブルジョワジーの国民党がプロレタリアートに対して公然と力ずくでその指導と指揮に服従するよう迫った時期であり、プロレタリアート自身がブルジョワジーに投降、服従し、甘んじてその従属物となることを正式に宣言した時期であった」(同前、三五四頁)。

*34 トロツキー『レーニン死後の第三インターナショナル』現代思潮社、一九六一年、二〇二、二〇三頁。

*35 トロツキー「アリスキーへの手紙」、『トロツキー研究』第六九号、四〇頁。

*36 トロツキー「労働者中心地にソヴィエトを――政治局への手紙」、『トロツキー研究』第六九号、四七頁。

*37 同前、四五頁。

*38 **Zinoviev, Theses on the Chinese Revolution, pp. 323, 361.**

*39 当時のスターリン=ブハーリン派と合同反対派との対立を、一国社会主義論と永続革命論との対立に単純化する解説の類が無数に存在するが、それはスターリニストの側が作り出した伝説にすぎない。

*40 トロツキー「中国におけるソヴィエトのスローガン」、『トロツキー研究』第六九号、六八頁。

*41 同前、七三頁。

*42 トロツキー「蒋介石クーデター後の中国情勢と展望」、『トロツキー研究』第六九号、八一頁。

*43 前掲トロツキー「中国革命と同志スターリンのテーゼ」、『中国革命論』現代思潮社、一九七〇年、

四九頁。訳文はロシア語原文にもとづいて修正。

＊44　前掲トロツキー「理解し、再検討し、変更するべき時だ」、『トロツキー研究』第六九号、一一五頁。

＊45　トロツキー、ジノヴィエフ他「国民党からの即時脱退を！」、『トロツキー研究』第六九号、一二六頁。

＊46　前掲トロツキー、ジノヴィエフ他「中国革命の新段階」、『トロツキー研究』第六九号、一六六頁。

＊47　ジノヴィエフ「現在における中国の情勢」、『トロツキー研究』第七〇号、八〇頁。

＊48　トロツキー他「合同反対派の政綱」、『ソヴィエト経済の諸問題』現代思潮社、一九六八年、二四五〜二四六頁。訳文はロシア語原文にもとづいて修正。

＊49　たとえば、中国革命研究者の緒形康氏は次のように述べている――「中国革命の進展は、武漢国民政府から共産党がただちに撤退し、ソヴィエトを建設して、プロレタリア独裁の道を進めというトロツキー派の主張の正しさを証明した」と述べているが（『中国革命のディスクール――中国革命一九二六―一九二九』新評論、一九九五年、二〇九頁）、「トロツキー派」（合同反対派？）は「プロレタリア独裁の道を進め」などとは言っていなかった。この不正確な記述は、「トロツキー派」ならきっとそう言っているに違いないという思い込みに基づくものだろう。

＊50　トロツキー「中国革命の新しい可能性、新しい展望、新しい誤り」、『トロツキー研究』第七〇号、四九頁。

＊51　同前、五〇頁。

＊52　同前、五一頁。

＊53　同前、五三頁。

＊54　同前、五五頁。

＊55　ジノヴィエフ「現在における中国の情勢」、『トロツキー研究』第七〇号、八四頁。

＊56　同前、八四〜八五頁。

＊57　この点については、本書の第四章「トロツキーの第三世界論と永続革命」を参照。
＊58　トロツキー「プレオブラジェンスキーへの第一の手紙」、『トロツキー研究』第七〇号、九三頁。
＊59　同前、九五頁。
＊60　トロツキー「私の返信――プレオブラジェンスキーへの第二の手紙」、『トロツキー研究』第七〇号、一一一頁。
＊61　トロツキー「民族的抑圧と民族ブルジョアジーに関する第二の覚書」、『トロツキー研究』第六九号、一二九頁。
＊62　同前、一二九〜一三〇頁。
＊63　前掲トロツキー「私の返信」、『トロツキー研究』第七〇号、一一一頁。
＊64　同前、一〇二頁。
＊65　プレオブラジェンスキー「中国革命について――トロツキーへの返信」、『トロツキー研究』第七〇号、九八頁。
＊66　トロツキーも、次のように述べている――「もし中国革命の成り行きへのスターリン＝ブハーリンの介入がなかったならば、中国プロレタリアートの自立性と力の成長ははるかに順調かつ着実に進んだだろう。もし中国共産党がそれ自身の力に委ねられていたなら、これほどまで深く右に突き進むことはけっしてなかったろう」（トロツキー「新しい段階における古い誤り」、『トロツキー研究』第七〇号、六一頁）。
＊67　トロツキーはその数日後にロゾフスキーの最新論文を批判した「新しい段階における古い誤り」を執筆して、それを再びジノヴィエフに送ったが、それは公開を目的としたものなので、永続革命論的展望は直接的には語られていない（トロツキー「新しい段階における古い誤り」、『トロツキー研究』

第七〇号)。

＊68 トロツキー「コミンテルン執行委員会幹部会での演説」、『トロツキー研究』第七〇号、七五頁。

＊69 前掲トロツキー「私の返信」、『トロツキー研究』第七〇号、一一〇頁。

＊70 たとえば以下の部分。前掲トロツキー『レーニン死後の第三インターナショナル』、一七八～一七九頁、一八〇～一八一頁、一八三頁、一八七～一八八頁、一九一頁、一九二頁、一九五頁、一九七頁など。

第六章　トロツキーとスペイン革命

【解題】本稿は、『トロツキー研究』第二二号（一九九七年）掲載の「特集解題」にかなりの加筆修正を施したものである。とくに、冒頭部分と帰結部分を全面的につけ加えた。

一九二六～二七年の第二次中国革命においてソ連共産党とコミンテルンの指導部（スターリン＝ブハーリン派）が中国共産党に対してメンシェヴィキ的路線を押しつけたことで壊滅的な敗北を喫し、蔣介石の軍事独裁政権を成立させたのとまったく同じく、ヨーロッパの中の後発国であるスペインで一九三六～三九年に起きたスペイン革命においても、コミンテルン指導部（スターリン）はスペイン共産党に対してメンシェヴィキ的路線を押しつけた。ただ違うのは、スペインは中国よりもはるかに先進資本主義的要素が強く、長い社会主義的伝統を持っていたこと、したがって中国では共産党に対抗する強力な社会主義的ライバルが存在しなかったのに対して、スペイン革命においては、アナキストと社会党という強力な社会主義的ライバルが以前から存在していたことである。また、すでにスターリニズムの台頭に対抗する別のより左派的なマルクス主義政党であるマルクス主義統一労働者党（POUM）も成立していた。そのため、スペイン共産党は、そのメンシェヴィキ的路線を貫徹するために、左のライバルであるアナキストとPOUMを弾圧しなければならなかった。これこそまさに、一九〇五～〇六年にトロツキーが、革命の指導部が永続革命の客観的論理にあくまでも逆らった場合に予想した最悪のパターンだった。

スペイン革命の全体としての方向性、すなわち、「反ファシズム」「土地を農民に」「共和制防衛」

などの民主主義的諸要求を梃子としての永続革命的な発展力学(ダイナミクス)に逆らったことでスペイン革命は崩壊し、スペインはフランコの軍事独裁政権のもとに置かれ、その後のファシズムの支配というヨーロッパの運命を半ば決定づけたのである。

本章ではスペイン革命の具体的な推移に即して、こうした流れを解明するとともに、トロツキー自身もその過程で——基本的な方向性に関しては正しかったとはいえ——しばしば判断ミスを犯したことを明らかにする。たとえどんなに正しい理論をもってしても、きわめて複雑で変転きわまりない事態の推移を正しく評価することはきわめて困難なのであって、それが可能となるためには、事態そのものの渦中に身を置いて、実践的参加者として判断しなければならない。だが、スペインから遠く離れた亡命地にいたトロツキーには不可能なことだった。

一、一九三〇〜三六年の変動

君主制から共和制へ

革命前のスペインは、革命前のロシアと非常に似通った社会関係にあった。農村での半農奴的な農業関係と土地を渇望する農民、都市での集中した重工業(とりわけカタロニアのバルセロナ)と組織された労働者階級、その中での左翼の長い伝統、外国資本に従属し政治的に臆病なブルジョアジーとブルジョア政党、貴族・将軍・教会・大地主を中心とする旧社会の強固で頑迷な寄生物、「萎縮した経済と肥大化した国家」[*1]、カタロニアやバスクを中心とする深刻な民族問題、モロッコに代表される先鋭な植民地問題…。これらはまさに、スペインが永続革命の古典的な国であったことを示していた。[*2]

したがって、一九三〇年に独裁者プリモ・デ・リベラが退陣し、一九三一年四月に君主制が崩壊することで始まったスペイン民主主義革命は、トロツキーがロシアにおける特殊な社会関係の分析から導きだした永続革命の過程を急速にたどるかに思われた。だが、そうはならなかった。それは、トロツキー自身が一九三一年の論文「スペイン革命」で冷静に分析しているように、リベラ政権の崩壊は腐敗と行き詰まりゆえの自己崩壊であり、「恐るべきプリモ・デ・リベラは……釘の刺さったタイヤのように、ただしぼんだだけ」だったからである。[*3] リベラ政権の崩壊は、急速に頂点へと高まっていく過程を開始したのではなく、それが展開するための最初の前提条件を与えたにすぎなかった。

ロシア革命の例に当てはめるなら、一九〇五年革命の始まりを告げた「血の日曜日事件」の直前に、ツァーリ政権が自己崩壊したようなものである。この崩壊をすぐさま利用して、革命の主導権を握る準備は労働者階級にはできていなかったし、そのような行動を指導するべき共産党は、度重なる除名劇とコミンテルンのジグザグのためにまったくの極小党派にすぎなかった（一九三〇年の時点で数百人程度）。[*4] まさにそれゆえ、リベラ政権の崩壊にもかかわらず、急速な革命過程が始まるのに、一九三六年二月の人民戦線の勝利と七月のフランコの反乱を待たなければならなかったのである。

共和制下の左翼

一九三〇～三一年から一九三六年までの数年間は、ロシア革命における一九〇五年から一九一七年までの一二年間と同じく、革命党がさまざまな経験を経て鍛えられ、しだいに自己の周囲に経験を積んだカードルを結集していく過程とならなければならなかった。だが、不幸なことに、コミンテルンの支配下にあったスペイン共産党は、自らの経験と判断でこの時期を過ごすことはできなかった。さらに、ロシアと違って、都市の中核的組織労働者の戦闘的部分を支配していたのは、マルクス主義派ではなく、CNT（全国労働連合）に代表されるアナキストとサンディカリストであり、これが社会党系のUGT（労働総同盟）と並んで組織労働者の主要勢力であった（カタロニアとその首都であるバルセロナでは最大勢力）。

スペインの左翼反対派、後の左派共産党（ICE）は、小さいながらもスペインの最もすぐれた共産主義者を結集しており、当時の国際左翼反対派の支部としては最有力支部の一つであったが、[*5] この重要な時期、党を大きくする可能性のあった「社会党への加入戦術」を拒否した。彼らは、一九三四年の一〇月事件（後述）によって生じた統一の機運を背景に、一九三五年九月、カタロニアに基盤を有していた労農ブロック（指導者はホアキン・マウリン）と合同してマルクス主義統一労働者党（POUM）を結成した。

だが、この数年間に起きた諸事件は、左翼諸政党にとって貴重な学校となり、労働者・農民の急進化を促すのに十分なほど波乱に富んだものだった。国王アルフォンソの退陣後に成立した左翼共和派アサニャを首班とする共和党政権は、その民主主義的美辞麗句にもかかわらず、スペインが直面していた主要な民主主義革命の諸課題を何一つ解決することができなかった。農民への土地分配は遅々として進まず、旧社会の支配層とは妥協を重ね、民族問題も中途半端な措置に終始し、植民地問題には手もつけられなかった。その一方で、労働者運動や左翼政党に対する弾圧は激しく、人民の間でブルジョア共和派に対する幻滅を急速に作り出した。これらの事態はまさに、トロツキーの永続革命論が指摘しているとおりの事態であった。すなわち、遅れて資本主義秩序に参入した後発国においては、ブルジョアジーはもはやブルジョア民主主義の実現という歴史的使命を果たすことができず、旧秩序の擁護者に成り果てること、そして農民と結合したプロレタリアートの権力だけがその歴史的使命を果たすことができるという命題である。

だが、共和派に対する人民の幻滅の政治的成果を最初に刈り取ったのは左翼ではなく、右翼であった。アサニャ政権の中途半端な改革は、人民の幻滅を生み出すに十分なほど日和見的であったが、右翼の憎悪と敵意を引き出すには十分なほど急進的であった。右翼は態勢を整え、政治的組織化を急速に進め、各地で労働者・農民組織に対し攻勢に出た。彼らはついに一九三三年一一月の総選挙で勝利し、これまでの中途半端な改革さえ清算しようとした。だが、これは逆に労働者・農民の大規模な反撃を生み、左翼の伸長を促した。

とりわけ、一九三四年に右翼のCEDA（スペイン自治権連盟）が入閣したのをきっかけに起こった一〇月事件は、ロシアで一九〇五年革命が果たしたのと同じ歴史的役割をスペインで果たした。社会党左派の主導のもと全国でゼネストが起こり、とりわけ鉱山地帯のアストゥリアスでは、共産党、左派共産党、社会党左派、アナキストらによる激しい武装闘争が闘われた（その時結成された「労働者同盟」は一九〇五年革命時のペトログラード・ソヴィエトのような役割を果たした）。[*6] それに対する政府と右翼の弾圧はすさまじく、多くの労働者が最も残酷な方法で虐殺された。この英雄的闘争は、それ以降の左翼の上げ潮をもたらすとともに、統一の気運をも生み出した。これが、増大する国際ファシズムの脅威、一九三五年のコミンテルンの方針転換やフランス人民戦線の経験とも結びついて、スペインにおける人民戦線の結成へとつながるのである。

二、一九三六年のスペイン革命

反乱から革命へ

一九三〇～三六年まで比較的緩やかに進んだ情勢の展開過程は、一九三六年二月にスペインで人民戦線が選挙で勝利し、七月にフランコ派が内乱を起こしたことで、目もくらむような激しい革命的プロセスに取って代わった。

まず、ごく一般的な統一綱領にもとづいて人民戦線は右翼に対し僅差の勝利を獲得し、再びブルジョア共和派政府を成立させた。だが最初の場合（一九三一～三三年）と同じく、新しい共和党政府は土地問題や民族問題を初め、本格的な民主主義的変革に手をつけようとしなかった。だが今回は労働者も農民も我慢してはいなかった。労働者は次々と都市で大ストライキを展開し、農民は各地で地主の土地を占拠しはじめ、街頭では左翼とファシストとの間に激しい小競り合いが頻発し、双方に死者が続出した。これはまぎれもなく革命的危機の情勢であった。

だが、七月一七～一八日にモロッコから始まったフランコ派の反乱は、この革命的危機を革命そのものに転化した。反乱を知った労働者は、政府を無視して自ら一両日中に武装し、本土のファシスト反乱を各地で粉砕しただけでなく、またたくまに街頭を実効支配した。ブルジョアジーの権力は外部からのファシスト反乱と内部からの社会革命に挟撃されて、事実上崩壊した。[*7] 武装労働者は、即席で民兵を結成して残りのファシスト支配地域に進撃し、スペインの半分を取り返した。この過程には、あらゆる大革命につきものの、無数の英雄行為と無数の残虐行為がともなった。革命直後の一九三六年八月にスペインに乗り込んだフランツ・ボルケナウは、そのような英雄行為の一つをこう記している。

真っすぐな道路上を、アサルトス〔共和国防衛警察軍〕の下士官に率いられた武装労働者の一隊が、反乱軍の大砲に近づいた。大砲は一発で彼らを吹き飛ばせただろう。彼らは小銃の口を上に向け、使えないようにして大砲の方に走っていった。砲兵はこの攻撃的でない振る舞いに当惑して次に何が起こるか待った。命令が発せられる前に労働者は兵士たちのところに達し、熱烈な言葉で兵士に、民衆を撃つな、共和国や父や母に対する反乱に加わるな、そして銃の矛先を向きかえて将校を逮捕しろと説得した。そしてそのことが起きたのである。兵士たちはすぐに労働者の側に寝返った。[*8]

同時に、全土で大規模な大衆テロリズムが生じた。とりわけスペインで民衆の憎悪の対象とされていた教会の司祭が大量に銃殺され、ほとんどの教会が焼き払われた。正真正銘のファシストだけでなく、ファシストと疑われた者もまとめて大量に銃殺された。[*9] これらはすべて、ロシア革命において一九一八年以降にボリシェヴィキ支配下で見られたのと基本的に同じ現象である。

革命の特殊アナキスト的性格

だが、この革命を主導した勢力は単にファシストを殺したり教会を焼いただけでなく、大規模な社会革命的行動をも展開した。大工場だけでなく、しばしば、小さな工場や小規模零細自営業者の店舗までが組合に接収され、集産化された。農村でも、大地主の土地はほとんど接収され集産化されただけでなく、その地域を支配した労働者民兵の影響のもとに、小規模自営農民の土地までもがしばしば集産化された。カタロニアやアラゴンやアンダルシアなどを中心に展開されたこの運動は、一部は自然発生的なものであり、一部はアナキズムの影響を受けた先進的労働者・農民の自発的行動であったが、基本的にはCNTの全体とUGTのかなりの部分を巻き込んで展開された。[*10] それはまさにアナキスト革命というにふさわしいものであった。

だがこの革命の特殊アナキスト的性格は、スペイン革命の悲劇につながるある決定的に重要な要素をも準備した。すなわち、革命的労働者の主導勢力であったアナキストが、そのアナキスト的確信にもとづいて、ロシア革命における戦時共産主義期以上の社会革命を下から遂行しながら、同じアナキスト的確信にもとづいて、中央銀行（およびそこに保管されている大量の金）を接収することも、[*11] 中央の政治権力を奪取することもしなかったことである。[*12]

このアナキストの致命的誤りは、彼らの「リバタリアン（絶対自由主義的）共産主義」という思想的・理念的立場の論理的帰結であった。彼らは開始された革命を国家権力を使って貫徹することはアナキズムの否定を意味し、自らの理想に反する独裁に突入することだと思われたのである。こうした理念上の問題とは別に、アナキスト指導部が逡巡したより現実的な理由は、第一に、カタロニアでアナキストが第一の勢力でも、他の地方ではそうではないこと、第二に、アナキストが労働者階級で多数派であっても、農民と都市の小ブルジョアジーにおいてはそうではないこと、第三に、スペイン革命が公然と社会主義革命の姿を取ると、国際的に、とりわけ英仏資本主義国から孤立し干渉を招きかねないことだった。[*13] これらの躊躇理由は、一九一七年二月革命後にメンシェヴィキとエスエルが抱いた危惧と非常によく似ていた。

こうして彼らは、この決定的瞬間において権力の問題を回避し、他党派との協調とブルジョア政府の受容へと足を踏み出すことになる。当時CNT書記長であった穏健派のオラシオ・プリエトを父に持つセサル・ロレンソは次のように述べている。

革命の理想を実現することもできず、後退することもできなければ、CNTに残された道は協調だけだった。……カタロニア政府を倒すことがもってのほかだとすれば、入閣することももってのほかだった。ではどうするべきか。新しい秩序を維持しファシズムに対する戦いを組織するための機関、すべての左翼諸党派からなり、真の権力を行使する、したがってジェネラリタトゥ（カタロニア政府）を廃止することなき機関〔革命委員会〕を創設することが決定された。実質的権威を持たず、……穏健な共和主義政党からなるカタロニア政府は諸外国に対する建前として役立つだろう。カタロニア自治区の共和制という見せかけの後に、カタロニア政府という傀儡政権を舞台裏で操るプロレタリア・リバタリアン社会主義体制を隠すことができるのではないか。そうすれば、アナキズムの思想を無傷なままでおけるし、全面革命への危険な飛躍をすることなく、社会主義的な革命事業をすっかり実現することができるだろう。[*14]

すなわち、ブルジョア政府と革命委員会との二重権力は、早急に解消すべき過渡的形態としてではなく、アナキズムの思想を「無傷なまま」にしておくための好都合な緩衝物として受け入れられたのである。ちょうど、二月革命直後に、メンシェヴィキとエスエルを多数派とするソヴィエトが臨時政府に対してそうしたように。

だがその後、事態がこうした思惑どおり進まないことがわかると、アナキスト指導部は、これまた一九一七年におけるメンシェヴィキ＝エスエルと同じく、ブルジョア政府への入閣という選択を行なった。革命的アナキストのダニエル・ゲランは次のように辛辣に指摘している。

〔革命〕委員会は、すでに事実上掌握していた権力を正当な名目で手中にしようとは――ことにバルセロナでは妨げるものは何もなかったにもかかわらず――しなかった。……革命の入り口にいて、アナキストたちは次のように考えていた。政治屋どもには好きなことをさせておこう。われわれ「非政治的な人間」は経済を手に入れるのだ。……しかし、政府へのこの低い評価は、急速に逆の態度に変わった。スペインのアナキストはにわかに政府の与党になった。[*15]

このようなアナキストの立場は、スターリニストの立場と実に好対照をなしていた。なぜなら、スターリニストは、後述するように、下からの社会革命に敵対的である一方で、国家権力を掌握することには全力を集中したからである。だが同時に、両者はある重要な一点において軌を一にしていた。すなわち、どちらも、政府が西欧民主主義国向けにブルジョア民主主義的体裁を保持することを望んでいたのである。違いは、スターリニストがブルジョア民主主義的体裁を上から下まで貫徹しようとしたのに対し、アナキストはその体裁を上だけにとどめようとしたことである。

このように、上部におけるブルジョア政府の維持・温存と、下部における徹底した社会革命の進行、これがスペイン革命の第一の特殊性を形づくっている。

フランコ反乱の性格

また、このフランコの反乱は、ロシアの十月革命以前に起きたコルニーロフの反乱とまったく性質を異にしていた。コルニーロフの反乱はまったくエピソード的なものであり、他の反革命派の将軍や外国勢力も十分本格的に革命を押しつぶす準備ができていない段階で生じた事件であった。それは事実上コルニーロフという一将軍の勇み足の冒険であり、ボリシェヴィキは、ケレンスキー政権を維持したままコルニーロフをアジテーションだけで粉砕することができた。

それに対し、フランコの反乱は、ほとんどすべての反動的将軍との密接な連携と統一した計画のもとに起こされたものであり、ほとんど最初からドイツとイタリアのファシスト政権による本格的な軍事援助と軍事干渉を伴っていた。スペインの陸軍はこぞってそれに参加し、海軍と空軍の一部も合流した。すなわちそれは、ロシア革命において一九一八年以降に生じたような本格的な反革命的反乱であった。

ロシアで革命派がこの本格的な反乱に直面したのは二重権力状態を解消し、労農権力を確立した後であり、したがって、全国家的に統一された指導と方針のもとで迎え撃つことができたが、スペインの革命派はなお二重権力状態が存続しているもとで、すなわちブルジョア政府のもとで、本格的な内戦および外国干渉戦を戦わなければならなかったのである。

君主制の崩壊から一九三六年の革命までの数年間、情勢の展開が比較的間のびした分、一九三六年七月以降、あたかも、その遅れを取り戻すかのようにいっさいが圧縮して起こった。ロシア革命において、君主制の崩壊と同時にソヴィエトが結成され二重権力状態に突入したが、スペインの場合は君主制の崩壊から二重権力状態に至るまでに五年もの歳月を費やした。逆に、ロシアの場合、二重権力状態の開始、社会主義革命の開始、本格的な内戦の開始は、それぞれ間に数ヵ月を置く比較的長期の過程であったが、スペインの場合はこの三つが七月一七～一九日にほぼ同時に起きた。この点がスペインの二重権力をロシアのそれから区別する重要な特徴である。[*16]

スペイン共産党の存在

スペインの革命の特殊性はこれだけにとどまらない。スペイン革命においては、ロシア革命の場合と違うある決定的な条件があった。すなわち、ロシア十月革命とボリシェヴィキの伝統を受け継いでいるはずのスペイン共産党が、ブルジョア政党との連合を堅持し、社会革命の過程を押し止め、都市および農村の中産階層を擁護するという立場に立ったことである。

彼らのこうした姿勢は、国際的および国内的な要請によって決定されていた。国際的要請としては、何よりもスターリンの思惑である。ますます増大するファシズムの脅威に対して、スターリンは、世界の革命勢力に頼るのではなく、もっぱら大国との友好や連合によって対処しようとした。できればドイツと和解して安全を保ちたかったが、それが非現実的である間は全力で英仏に取り入ろうとした。そのためには、スペイン革命が勝利して、それが公然と社会主義革命の姿をとることは何としてでも避けなければならなかった。そんなことをすれば、共産主義に対する恐怖感が、ただでさえファシズムに寛容な英仏帝国主義者をしてドイツと手を結ぶ結果をもたらしかねなかったからである。同時に、ドイツと協定する可能性がない段階で、スペインでファシストが勝利するのもソ連にとって重大な脅威であった。それゆえ、スターリンは、革命を勝利させることなくスペイン内戦に勝利する、あるいは少なくとも共和派が敗北しないことを望んだのである。

同時にスペイン共産党は、共和党や社会党と同じく、あるいはアナキストの指導部とさえ一致して、公式政府のブルジョア共和主義的体裁を維持することで英仏の軍事援助を受けることができると信じていた。だがこの援助はついに来なかった。なぜなら、まず第一に、英仏支配層は、共和派側に立ってスペイン内戦に干渉することでナチス・ドイツと敵対関係になることを極端に恐れていたからであり[*17]、第二に、共産党がいかにブルジョア共和制への忠誠を誓い、いかに国内の革命派を弾圧しようとも、共和派の勝利が必然的に共産党の権力を意味し、それは結局のところ国内のブルジョア支配と相容れないことを、英仏の支配層が十二分に知っていたからである。

国内的要請としてはこうである。スペインの労働者階級のうちブルーカラーの組織労働者はほぼC

NTによって強固に支配され、そこに浸透するのは、歴史の浅い小政党の共産党にとってははなはだ困難であった。また急進主義の点でアナキストと競いあうのは、いかにも分が悪かった。彼らがその組織を拡大する可能性は、CNTの支配が弱い、公務員、ホワイトカラー、技術者、農民、小店主、中小の工場主層にあった。こうした組織拡大戦略、あるいはヘゲモニー戦略の一貫として、社会革命の過度の進行に反対することは大いに有用だった。

このように共産党がスペイン革命においてとった立場は、ロシアにおいてメンシェヴィキがとった立場と形式的には似通っていた。だが、その実質において両者はかなり異なったものだった。ロシア革命においてメンシェヴィキは、その二段階革命論的ドグマに支配されて、あくまでも当面する革命はブルジョア革命であり、そこにおいてヘゲモニーを握るのはブルジョア政党でなければならないと考えて、革命の客観的過程に逆らい、こうして日々、泡沫政党へと縮小再生産していった。彼らには、革命派を実力で粉砕する意志も、その能力も持ち合わせておらず、規律も組織性なく、簡単に崩壊を遂げた。

だが、スペインにおいて、客観的にメンシェヴィキの位置にいたのは、メンシェヴィキのような軟弱な党派ではなく、ソ連という超大国にバックアップされ、鉄の意志と戦闘性、きわめて高度な規律性と組織性を備え、どんな残酷なこともやってのける用意のあるスターリニストだった。メンシェヴィキは本気でブルジョアジーにヘゲモニーを譲ろうとしていたが、スターリニストは、口先ではブルジョア民主主義の堅持を言いながら、ブルジョアジーを含め他のどんな勢力にも権力を引き渡すつもりはなかった。彼らがあくまでも共和党や社会党右派との連合に固執したのは、英仏の援助を引き出すためと、それらの組織を利用して、自分たちより左の勢力を粉砕するためであった。彼らはいかなる意味でもブルジョアジーに従属するつもりはなかった。そしてまたブルジョア政党自身も、共産党を従属させる能力をまったく持ち合わせていなかった。この点が、同じ階級協調主義が追求された一九二六～二七年の第二次中国革命の場合との根本的な差でもある（そもそも中国では共産党は国民党の一部だったが、スペインでは、共産党は独立した党だった）。

実際、共和派が内戦に勝利していたとしたら、権力を握る共産党と旧来のブルジョア諸政党とはやはり相容れなかっただろう。どちらかが粉砕され、放逐され、解体されただろう。そしてスターリン自身が共産党に敗北を無理やり押しつけないかぎり（おそらく押しつけただろうが）、共産党が勝利して、彼らは自ら中断し後退させた永続革命の過程を上から官僚的方法で再開せざるをえなくなっただろう（第二次世界大戦後の東欧のように）。だが、スペイン共産党は革命派を粉砕するのに十分なだけ強かったが、革命派ぬきでファシストを粉砕するほど強くはなかったのである。

三、スペイン革命のジレンマ

革命の直面した諸困難

さて、以上の特殊性はいずれもスペイン革命にとって特有の困難をもたらした。

まず第一の特殊性、すなわちブルジョア政府のもとで、下部で社会革命が生じたことがもたらす困難について見てみよう。この困難は二重である。まず一方では、政府があいかわらずブルジョア政府であったため、下部での社会革命を国家的に承認し擁護し打ち固めることがなされず、また自然発生的な地域差が放置され（つまり、地域によっては、土地を得た農民もいれば、以前と変わらない状況にとどめ置かれた農民もいた）、逆に、時が経つにつれてますます革命の成果に対する国家の側からの敵対と攻撃が行なわれた。他方では、下部での急速な社会革命には地域によってしばしば集産化の行きすぎを伴ったが、これは、ロシア革命の場合と同様、不可避的に小ブルジョアジー（都市の自営業者と農村の自営農あるいは富農）の反発をもたらした。たとえば、スペイン革命研究の第一人者ボロテンは次のように述べている。

マドリードでは、組合は靴製造、家具製造その他零細製造業の土地・店舗や設備を接収しただけでなく、美容院や理髪店のすべてを集産化し、経営者の賃金は従業員と同一と定めた。……バレンシアでは、ほとんどすべての工場が規模のいかんを問わずＣＮＴやＵＧＴに押さえられ、……カタロニアでは、多くの町で大工場は言うに及ばず、およそ重要性を持たない職人たちの分野にまで集産化が徹底的に実施された。[*18]

農村部の集産化は、土地なき農民が革命前、日雇い労働者として働いていた大規模農場ではほとんど例外なく実施されたが（この場合、集産化は農民が自然発生的に採用した耕作形態だった）、無数の中小農民も革命開始から数週間のうちに集産化運動の流れに巻き込まれていった。すぐに影響を受けなかった者でも、運動の急速な拡大に心底怯えるようになった。……実際のところ、多くの小地主や借地農には自由意志で決定する機会などなく、その前に集産体への加入を強制されていた。[*19]

このような政策は、アナキストによる大規模なテロリズムや穀物徴発と合わせて、都市の小ブルジョアジーと農村における自営農・富農層に不満や反発をもたらした。ロシア革命の場合も、徹底した国有化政策と穀物徴発によってこれらの層に大きな不満や反発を呼び起こしたが、革命派が全一的に権力を握り国家的に統一していたので、このような反発に持ちこたえることができた（そして内戦終了後にはネップを導入して、これらの層との和解を達成した）。ところが、二重権力状態が維持されていたスペインでは、このような小ブルジョアジーの敵対と反発は革命にとって大きな脅威となった。

しかも、すでに述べたように、すべての土地を農民に引き渡すという国家的政策はなかったので、地域によっては土地を得られないでいる農民がなお多数存在していた。すなわち、民主主義革命すらきちんと実施されずに不満を持つ農民（主として貧農）と、社会主義革命の進行によって不満を抱いた農民（主として富農）とが、同時に存在することになったのである。

次に、第二の特殊性、すなわち二重権力状態のもとで、本格的な反革命的反乱が発生したことがもたらす困難について見よう。ロシア革命の場合、すでに述べたように、二重権力状態の時に起きた反革命的反乱はコルニーロフの反乱のようなエピソード的なものにすぎなかった。ボリシェヴィキは、先にコルニーロフを片づけ、次にケレンスキー政権を倒すという過程をまったく短期間のうちに果たすことができた。

だが、ケレンスキー政権のスペインにおける等価物、すなわち人民戦線政府が維持されているもとで、本格的な反革命的反乱が生じたスペインの場合、事情はまったく変わる。なぜなら、政府を倒すより先にまず反乱を粉砕するという選択をした場合、この反乱派との戦争はロシアと違って短期間ではすまず、きわめて長期間にわたって戦われることになる。すると、その間に、政府が最初のパニック状態を抜け出し、態勢を整え、地歩を取り戻し、革命派を粉砕するまでに強くなる可能性があるからである（そして、実際にそうなった）。

逆に、フランコ反乱のもとで政府を打倒することを選択した場合、フランコ反乱の脅威が非常に大きいので、もし政府打倒に手間取って長期化したなら、フランコに対する抵抗力自体を弱めて、政府ともどもフランコに粉砕される可能性がある。実際、ごく短期間に政府を打倒することができた反乱直後の一時期を逃したのち、つねに革命派の手を縛り続けたのは、この点の考慮だった。

だが第三の特殊性がもたらした困難こそ、スペイン革命の直面した最大の困難である。本来、反ファシスト派としてともに革命派と協力して戦うべきスペイン共産党が、ソ連にバックアップされたその警察力と軍事力を背後から革命派自身に向けたのである。彼らはしばしば、前線よりもすぐれた装備と人員を後方に配置して、アナキストとＰＯＵＭに対する弾圧を遂行していった。共産党が、革命派なしでフランコに勝てるほど強くなかったとすれば、革命派はなおさら、ソ連にバックアップされ規律・組織性・実行力の点でずば抜けていた共産党と戦争しながらフランコに勝てるほど強くはなかったのである。

スペイン共産党の急成長

スペイン革命の困難をもたらしたその特殊性は同時に、スペイン共産党の急成長をもたらした要因でもあった。内戦直前にはせいぜい四万人程度にすぎなかった党が、一九三七年初頭には二五万人、同年半ばには一〇〇万人以上を自称できるまでに膨張し、わずか一年強で数十倍になった。

この膨張はまずもって、一九三六年七月以降の革命の沸騰状態の中で、急進左翼が受けた巨大な革命的圧力の一貫として説明できるだろう。共産党に限らず、反ファッショ勢力内の左翼はすべて急成長した。ＰＯＵＭも数千人から数万人に増大したし、ＣＮＴを指導していた急進的アナキスト・グループのＦＡＩ（イベリア・アナキスト連盟）も急拡大し、十数万の隊列にまで増大した。

だが、スペイン共産党のこの膨張にはなお説明されるべき二つの問題が残っている。まず第一に、他の左翼の成長に比べて、スペイン共産党の膨張度がとりわけ大きかったことである。第二に、通常、人民大衆の意識が急速に急進化する革命期においては、この急進化の流れに逆らう勢力は、たとえ社会主義の看板をもった政党であっても、必然的に大衆から見離され、没落することになる。ロシア革命時におけるメンシェヴィキの運命はその典型だろう。だが、スペイン共産党は、この革命の中で下部での社会革命の動きに反対し、形式的にメンシェヴィキの役割を担ったにもかかわらず、没落するどころか急速に組織を拡大したのはなぜか、という問題である。

こうした点を説明するものこそ、スペイン革命の特殊性である。まず第一の特殊性との関連では、すでに述べたように、下部において急速に社会化・集産化が生じたことは、都市の小ブルジョアジーと農村の自営農・借地農の反発を生んだ。だが、本来これらの勢力の政治的代弁者となるべき共和諸党はいずれも茫然自失の体たらくで、およそ頼りになる存在ではなかった。その中で、これらの階層の利益を守ることを公然と表明したのが共産党であり、この層の不満の受皿として効果的に機能した。[*20]

また、アナキストが国家権力を握ろうとしなかったことは、その領域に浸透しそれを支配する可能性をスペイン共産党に与えた。彼らは形式だけになった政府の中身を自らの頭脳と身体で埋めはじめた。この領域では彼らはプロフェショナルであることがわかった。そして、アナキスト自身が政府のブルジョア的体裁を保持することを望んでいたために、ブルジョア政府に食い込んだスターリニストはますます容易にその策動を強めることができた。ソ連の武器援助がこの過程を加速したのは言うまでもない。

第二の特殊性との関連では、ブルジョア政府のもとで本格的な反革命的反乱が生じたために、革命よりまず戦争（フランコとの内戦）に勝つことが先だという共産党の主張を説得力あるものにし、この戦争を遂行する必要性という名目で、内乱初期のさまざまな革命的措置（武装労働者の民兵、革命委員会の支配、労働者パトロール、等々）を効果的に一掃することを可能にした。そして、この本格的内戦を効果的に遂行する能力のある規律ある中央集権的党として共産党を魅力的なものに見せた。ジェラルド・ブレナンは次のように述べている。

共産党の成功が単にロシアの武器を支配し、社会革命を嫌ったためだけであると考えるのは誤りである。彼らは政府側の他の党が持っていないダイナミズムを持っていた。その規律、組織力、活動において、そして中でも近代の軍事的・戦略的技術の理解において、スペインの歴史上何か新しいものを表現していた。その布教の熱心さによって(青年の多くは共産党の側だった)、共産党はスペインの官僚気質の伝統である惰性と無為を征服しはじめたのである。[*21]

スペイン共産党は、一方でメンシェヴィキと同じ政策を遂行しながら、他方ではボリシェヴィズムと共通する戦闘性と規律性と堅い意思を保持していた。共産党の部隊(第五連隊)、および各国の共産党員を中心とした国際旅団は、彼ら自身が宣伝するほどではないにせよ、勇敢かつ熱狂的にファシスト軍と戦い、大量の犠牲を払いながら大きな戦果を収め、とりわけ一九三六年一〇月のマドリード攻防戦では絶大な威力を発揮した。これは、ソ連の武器援助とともに、共産党の膨張に大きく貢献した。

だが同時に指摘しておかなければならないのは、共産党に多くの中産階級が流入したとはいえ、党員構成の六割は労働者(工業労働者と農業労働者)によって占められており、[*22]この部分を中心にした下部活動家や基幹活動家層はやはり社会主義とロシア革命の理念によって鼓舞されていたという事実である。また、スペイン防衛のために各国から駆けつけた共産党員についても同じことが言えるだろう。

スペイン共産党はその看板と実態との間にはいわば二重のズレがあったのである。まず第一に、共産主義あるいはレーニン主義という一般的看板にもかかわらず、その革命観や組織形態や実践ははるかに日和見主義的あるいは官僚主義的で、実践的には反革命的ですらあった。だが、同時に、スペイン共産党が革命の過程でブルジョアジーを安心させるために宣伝した、ブルジョア民主主義の守護者としての特殊な看板にもかかわらず、基幹活動家層の意識の上でははるかに革命的で戦闘的であった。

共産党に対する左翼的批判者は最初のズレだけを問題にするが、しかし、メンシェヴィキや社会民主主義とは異なるスターリニストの特殊性を正確に理解するうえでは、後者のズレをも念頭に置いておかなければならない。フランコを片づけた後に本気で社会主義革命に取りかかるつもりでいた多くの活動家・労働者層が共産党の中に厳然と存在していたのである。[*23] 国内の小ブルジョアジーと国外の大ブルジョアジー向けの共産党の宣伝を――肯定的であれ、否定的であれ――真に受けるべきではない。

この点で注意しておくべきことは、スペイン革命におけるスターリニストの「反革命」的役割と言うとき、スターリニストの宣伝に目を奪われてその「反革命」の意味を通常の「ブルジョア反革命」として理解してはならないということである。革命の成果と革命派に対する共産党の無法な攻撃が、結果としてフランコの勝利をもたらし、こうして本物のブルジョア反革命を招来したという意味では、たしかに共産党の役割は「ブルジョア反革命」的なものだと言えるが、それはあくまでもフランコに敗北した場合のことである。

当時スペイン共産党が推進した「反革命」とは、ロシア革命後に生じた「テルミドール反動」にきわめて近い意味での「反革命」(すなわち、プロレタリア独裁の枠内での下部労働者から上層官僚への権力の移行)と本来の「ブルジョア反革命」との一種のアマルガムであった。ロシア革命の場合、プロレタリア独裁はあくまでも自分の名で統治し、ブルジョア政府は名前も残らなかったのに対し、スペイン革命においては、地域差がありながらもすでにプロレタリア革命が下部でかなり進行し、ブルジョアジーの権力も実質的に粉砕されたにもかかわらず、ブルジョア政府の形式だけが残った。共産党は空洞化した政府権力の中身を自ら埋め、こうしてプロレタリア革命が不貫徹なまま、半ブルジョア的

「テルミドール反動」を上から実行していったのである。

POUMのジレンマ

スペイン革命において、ロシア革命時のボリシェヴィキの位置に最も近い位置にいたのはPOUMであった。しかし、POUMはボリシェヴィキのように勝者になれなかった。アナキストとスターリニストというスペイン革命の二大勢力に挟まれたPOUMの立場は、すでに述べたスペイン革命一般の困難だけでなく、特殊な困難をも抱えていたのである。たしかに彼らは多くの——しかも深刻な——誤りを犯したが、彼らが有していた客観的な可能性を慎重に考慮に入れる必要がある。そこで、POUMがなぜボリシェヴィキのようには革命のヘゲモニーを握れなかったのかを、彼らの主体的誤り以外の要因を、スペイン革命の特殊性との関連で検討しよう。

ロシア革命でボリシェヴィキがあれほど短期間に革命のヘゲモニー勢力となり権力をとることができたのは、当時における圧倒的多数の人民大衆にとっての誠実な諸要求（過渡的綱領）をボリシェヴィキがほとんど一手に体現していたからである。まず、それ自体としては超階級的な要求である「平和」と「即時停戦」についても、土地を農民へ、工場を労働者へという直接的に階級的な要求についても、「すべての権力をソヴィエトへ」という権力論的要求についても、体系的な形ではただボリシェヴィキだけが掲げていた。政府を支配していたブルジョア政党はもとより、ソヴィエトを支配していたメンシェヴィキもエスエルも、これらの要求を回避するか、あるいは口先だけで唱えてその実行をサボタージュするか、あるいはそれらに公然と敵対した。それゆえ、単に平和を求めるだけの大衆も、階級的自覚を持った労働者も、こぞってボリシェヴィキを支持したのである（ボリシェヴィキの権力獲得後、この二つの潮流はブレスト講和をめぐって分裂することになる）。

だが、スペイン革命においてはこのような有利な状況はＰＯＵＭにはなかった。ソヴィエトの萌芽である地域の革命委員会を支配していたアナキストは、ブルジョア政府を打倒しようとせず、自ら二重権力状態を受け入れていたという点で、ロシア革命時のメンシェヴィキやエスエルと同じ立場にあったが、メンシェヴィキやエスエルと決定的に違って、その他の点では革命的立場に立っていた。ロシア革命における「平和」のスローガンと近い位置にあった「反ファシズム」というスローガンについても、土地を農民へ、工場を労働者へ、という階級的要求についても、アナキストはそれらを断固擁護し、武器を手にその実現に（しばしば過剰に）力を尽くしていた。[*24] スターリニストも、当初は階級的要求についてもきわめて限定的ながら受け入れ[*25]（後にそれに敵対したとはいえ）「反ファシズム」の要求については、それを断固擁護し、武器を手にその実現に尽くしていた。

つまり、ＰＯＵＭがたとえボリシェヴィキ並みの革命的指導部を持っていたとしても、その党派の優位性が広範な大衆から見て歴然とするような有利な状況は存在していなかったのである。革命においてヘゲモニーを握るためには、単に少数の先進部分を結集するだけでは不可能であり、広範な一般大衆をも自党の周囲に糾合できなければならない。それを可能にするのが過渡的綱領なのだが、スペインにおいてはその綱領は各部分に分裂して、各党派によって担われていたのである。

それゆえＰＯＵＭは、他の党派を押しのけて自ら革命のヘゲモニーを握るという戦略をとることができず、革命の指導部に最も近い位置にあると思われたＣＮＴを説得することに努力を傾注した。トロツキーは言う。

POUMの指導者は、社会主義革命の道をとるようカタロニア政府を哀願調で説得しようとしている。POUM指導者は、国家に関するマルクス主義の教えについて何とかCNT指導者に理解させようとうやうやしく努力している。POUMは自らを人民戦線の「革命的」助言者とみなしている。こうした立場は無力で、革命家にふさわしくないものである。[*26]

周知のように、この説得は成功せず、POUM自身の誤りも手伝って、POUMは袋小路に陥り、結局、スターリニストの弾圧によって粉砕されることになる。

四、トロツキーのスペイン革命論

トロツキーは一九三〇年にプリモ・デ・リベラ政権が崩壊した直後からスペイン革命についてきわめて先見の明のあるすぐれた論文を大量に書いている。とりわけ初期(一九三〇〜三二年)の諸論文で提起されている指針にしたがってもし当時のスペイン共産党が活動していたならば、スペイン革命が勝利する可能性ははるかに高まっていただろう。もちろんこれは、ないものねだりである。

数年間の中断後、再びトロツキーがスペイン革命について集中的に書きはじめるのは、一九三六年になってからである。とりわけ、一九三六年七月一九日の革命が勃発してからは、スペイン問題は再びトロツキーの関心の中心になった。

一九三六年におけるトロツキーのスペイン革命論

まず、トロツキーはこの動乱の報を聞くや、第四インターナショナル・ジュネーブ協議会で採択予定の決議にすぐさま後記を加え、次のように訴えた。

ブルジョア国家機関を維持しておきながらファシスト団体を行政的に解散するということは、スペインの実例が証明しているように、嘘であるとともに欺瞞でもある。武装労働者のみがファシズムに抵抗できる。プロレタリアートによる権力獲得はブルジョアジーの国家機関に対する武装蜂起の道によってのみ可能である。ブルジョア国家機関を労働者・兵士・農民評議会によって置きかえることは、社会主義綱領を実現する必要条件である。*27

この走り書き的なアドバイスの数日後には、もう少し体系的な闘争の方向性が書かれる。蜂起から一〇日ばかり経った時に書かれた論文「スペインの教訓」の中で次のように述べられている。

内戦というものは、周知のように、単に軍事的武器によってのみ戦われるのではなく、政治的武器によっても戦われる。純軍事的な観点から見れば、スペイン革命はその敵よりもはるかに弱い。その強みは、圧倒的多数の大衆を行動に立ち上がらせる能力にある。……これを成し遂げるためには、社会主義革命の綱領を真剣かつ大胆に提起するだけでよい。今すぐ土地と工場と店舗とは資本家の手から人民の手に引き渡されると宣言しなければならない。労働者が権力を握っている地方では、この綱領の実現に向けた措置をただちにとらなければならない。ファシスト軍といえども、このような綱領の影響に二四時間と抵抗することはできないだろう。[*28]

論調はあまりに楽観的だが（この点については後述する）、その基本線は明瞭である。そしてこの論文は次のような力強い言葉でしめくくられている。

人民の勝利は人民戦線の終わりとソヴィエト・スペインの始まりを意味する。スペインの勝利した社会革命は不可避的に他のヨーロッパ諸国に広がるだろう。イタリアとドイツのファシストの死刑執行人にとって、それは、どんな外交的協定やどんな軍事同盟よりもはるかに恐ろしいものとなるだろう。[*29]

この革命直後のある時期、興味深いことに、トロツキーは、これまでずっと厳しい批判ばかりを加えてきたPOUMの指導者たちに対して、きわめて和解的な姿勢を見せている。たとえば、スペイン革命勃発から一ヵ月近く経った八月一六日に、国際書記局のスペイン責任者であったジャン・ルーに宛てた手紙の中では次のように言われている。

スペインでは直接的な武装闘争が今や進行中であり、状況は日々変化しています。私に届く情報レベルはほとんどゼロです。人々はマウリンが姿を消したことについて語っています。いったいどういうことでしょうか？　殺されてなければいいのですが。ニンやアンドゥラデその他に関して言えば、この偉大な闘争において、過去の時期の記憶にいつまでも引きずられているのは犯罪的なことです。これまでいろいろないきさつがあったとはいえ、綱領および方法における意見の相違は、けっして誠実で永続的な和解を妨げるものではありません。今後の経験が残りの仕事をするでしょう。私個人に関して言えば、遠くからの単なる観察者としてとはいえ、この闘争において喜んで援助する用意があります。……私としては、ありうるあらゆる意見の相違にもかかわらず、闘争の渦中にいる同志たちと相互理解に達したいと心から願っていると誓うことができます。現在と未来が共通の闘争への道を切り開いているならば、過去を振り返ることは恥ずべき些事です。[*30]

この手紙はＰＯＵＭ指導者との和解を目的としたものであって、実際、その「追伸」にははっきりと次のように書かれていた。

この手紙は、あなたが必要と思えば、ニンやその他の人々に見せてもかまいません。この手紙の中で私が言っていることはけっして外交的なマヌーバーではありません。もう一度言いますが、柔軟性と断固さとが結びつかなければなりません。[*31]

また、このルーへの手紙の中では、アナキストやサンディカリストに対してさえきわめて融和的な姿勢が示されている。

私の心を占めている最大の問題はPOUMとサンディカリストとの関係です。これは、もっぱら、ないし、主として教条的な考慮が優先しかねない危険性が大いにあるのではないかと思います。何としてでも、サンディカリストとの関係を――彼らのあらゆる偏見にもかかわらず――改善する必要があります。倒すべきは共通の敵です。闘争の中で、最良のサンディカリストたちの信頼を獲得しなければなりません。もちろんこうしたことはあなたにとってわかりきったことだと思いますが、念のため言っておきます。私は状況について十分知りえていませんので、具体的な助言をすることはできません。せめて指摘しておきたいのは、十月革命以前、われわれが最も純粋なアナキストとさえ協力して活動するためにあらゆる努力をしたということです。

ケレンスキー政府はしばしばボリシェヴィキとアナキストとの対立を利用しようとしました。レーニンは断固としてそれに反対しました。彼は言いました、この状況のもとでは、一人の戦闘的なアナキスト活動家は、一〇〇人の右顧左眄するメンシェヴィキよりも価値があると。ファシストによって諸君に押しつけられた内戦において、最も大きな危険は断固たる姿勢の欠如、曖昧さの精神、つまり一言で言えば、メンシェヴィズムです。[*32]

この手紙の直後（八月一八日）におけるヴィクトル・セルジュに宛てた手紙でも、ＰＯＵＭとアナキストに対する同様の和解的姿勢が示されている。[*33] これらの手紙は、その数ヵ月前に書かれたＰＯＵＭの青年メンバーに対する手紙や、わずか三週間前の七月二七日に書かれた「書記局への手紙」での、ＰＯＵＭとその指導者に対する激しい攻撃とはあまりに対照的である。[*34] 明らかにＰＯＵＭやアナキストに対するトロツキーの態度が八月半ばに大きく変化したのである。その原因は、フランコの反乱に対するスペイン人民の熱狂的な反撃（ＰＯＵＭとアナキストはもちろんその中心勢力であった）がトロツキーに伝わったことにある。

しかし、この手紙はルーの手には渡らず、スペインにいたイタリアの秘密警察の手に落ちた。しかも、その直後、トロツキーは、ソヴィエト政府の圧力に負けたノルウェー政府によって軟禁状態に置かれ、外部との連絡がほとんど取れなくなる。こうしてこの決定的な数ヵ月間、トロツキーはスペイン情勢に介入できなくなる。その間に、スペインのボリシェヴィキ＝レーニン主義者（トロツキスト）は、トロツキーのこの和解的態度を知らないまま、以前からのトロツキーの助言に従ってＰＯＵＭの糾弾と「暴露」を熱心に展開し、ＰＯＵＭとの関係をいっそう悪化させた。そして、トロツキーの「助言」から切り離されたＰＯＵＭは、同年九月末にカタロニア政府に入閣してしまうことになる。

また、すでに述べたように、革命の主導勢力であったアナキストも決定的な瞬間に権力をとろうとせず、その後も権力獲得のための周到の準備を行なうどころか、ＰＯＵＭとともにブルジョア政府に参加し、ソヴィエトの萌芽であった革命委員会の解散と後方の労働者の武装解除に同意してしまった。トロツキーはこの決定的な期間、ノルウェーで身動きがとれず、情報からも遮断され、スペインについてまったく書くことができなかった。

メキシコ到着直後のトロツキーの見解

こうして、一九三七年一月にメキシコに落ち着いて再びスペイン問題に注意を向けることができるようになったときには、事態はすでに取り返しのつかないものになっていた。それでもトロツキーは、一方ではますます激しく、スターリニストのみならずＰＯＵＭとアナキスト指導部に対する批判をも強めると同時に、他方では、最重要の原則問題を倦まずたゆまず繰り返した。たとえばトロツキーは、戦争と革命の関係をめぐる左右の誤りを的確に批判し、原則上の基本点を確認している。まずスターリニストらの「まず戦争での勝利、次に革命」というスローガンに対し、メキシコ到着後の最初のインタビューの中でこう述べている。

この定式はスペイン革命にとって致命的である。実際において〔共和派とファシストの〕二つの綱領の間に根本的相違を見いだせない勤労大衆、とりわけ農民は、無関心に陥るだろう。こうした状況のもとでは、ファシズムは不可避的に勝利するだろう。なぜなら、純軍事的な優位性はファシストの側にあるからである。大胆な社会改革は内戦における最も強力な武器であり、ファシズムに勝利するための根本的条件である。[*35]

同時に、この内戦において〈祖国〉敗北主義的あるいは中立的立場をとる極左主義をも、トロツキーは批判している。

「自国政府の敗北はより小さな悪である」という……ルールをこの内戦に適用できるだろうか？　いやできない。二つのブルジョア国家間の戦争においては、その目的は帝国主義的征服であって、民主主義とファシズムとの戦争ではない。だが、スペイン内戦において問題になっているのは、民主主義かファシズムかである。……革命的プロレタリアートは相戦う両陣営をいっしょくたにするべきではない。彼らの闘争を自分たちの利益のために利用するべきである。革命家が成果を収めることができるのは、中立の政策によってではなく、第一の敵たるファシズムに軍事的打撃を与えることによってである。[*36]

同じ論文の中で、さらによりはっきりとした表現でこう述べている。

われわれは「防衛主義者」である。「敗北主義者」はネグリンとスターリンとその同類連中である。われわれはフランコとの闘争に最良の兵士として参加する。だが同時に、ファシズムに対する勝利のために、社会革命に向けた扇動を行ない、ネグリンの敗北主義政府を打倒する準備をする。[*37]

また別の論文でトロツキーはこう述べている。

社会主義かファシズムかという二者択一が意味しているのは単に、スペイン革命はプロレタリアートの独裁を通じてのみ勝利しうるということだけである（そしてそれで十分だ）。しかし、これは前もってその勝利が保証されているということではまったくない。問題は今なお、この雑種的で混乱した中途半端な革命を社会主義革命に転化させることである。そしてここにいっさいの政治的課題があるのだ。[*38]

つまり、「民主主義かファシズムか」という現状から出発して、いかにして「社会主義かファシズムか」という二者択一に――理論的にだけではなく、大衆の意識とその準備において実践的に――高めるかをトロツキーは問題にしているのであり、この課題は、フランコに対してブルジョア政府を軍事的に防衛しながら、いかにしてブルジョア政府の打倒を政治的に準備するか、という先に示した課題と一体のものであった。

バルセロナ五月事件

以上のように原則問題においては一般に正確であったとはいえ、情報不足ゆえに、個々の具体的な事件に関する評価においては、トロツキーはしばしば誤りを犯した。ＰＯＵＭの指導者に対する明らかに過剰な批判と並んで、とくに顕著だったのは、一九三七年五月にバルセロナで起きた労働者の蜂起、いわゆる五月事件[*39]に関する評価である。

すでに五月のはるか以前から、バルセロナは険悪なムードに包まれていた。アナキストがその絶対的優位を誇っていたこの町において、しだいにスターリニスト政党のカタロニア統一社会党（ＰＳＵＣ）が勢力をのばし、このアナキストの町においてヘゲモニーを一気に奪うべく、政府権力を背景に小刻みな攻撃や挑発を繰り返していたからである。四～五月にはもはや一触即発の雰囲気にあった。五月三日、ついにスターリニストの部隊はＣＮＴの拠点であるバルセロナ中央電話局への襲撃を試みた。この攻撃に反撃して、バルセロナ全土でアナキスト系労働者が自然発生的に決起し、バリケードを築き、治安部隊と対峙し、各地で銃撃戦を起こした。ことの重大さを理解したＰＯＵＭ指導部は、すぐさまＣＮＴ－ＦＡＩ指導部に共同闘争を提起したが、ＣＮＴ－ＦＡＩ指導部はあっさりその申し入れを拒否した。アナキスト指導部は最初から事態の早期収拾に汲々としていた。数日間の苦労の末、アナキスト指導部は武器を置くよう蜂起労働者を説得することに何とか成功し、ＰＯＵＭ指導部も誠実な休戦を期待して結局それに追随した。

だが労働者がバリケードを解いたのち、一万二〇〇〇名もの軍隊がカタロニアに派遣されて、この地方を制圧した。ボロテンは言う、「スペイン無政府主義運動の牙城たるカタロニアのアナルコ・サンディカリストの権勢も今や粉砕されてしまった。数カ月前、ＣＮＴ－ＦＡＩの全盛期には思いもよらなかったことが今や現実となった。革命の開始以来、共産党の最も驚くべき勝利が現実となったのである」[*40]。この事件はいわば、プロレタリア政権が成立する以前に起きたクロンシュタット反乱のようなものだった。

事件後、ＰＯＵＭによる意図的な反革命的挑発という話がスターリニストによって大宣伝された。

ＰＯＵＭは非合法化され、指導者は逮捕され、ニンを始めとする多くの革命家がスターリニストの秘密警察によって殺された。[*41]また、ＰＯＵＭに甘い社会党左派のカバリェロ首相は更迭され、社会党右派のネグリンが首相になり、政府内での共産党の影響力は決定的なものとなった。かくしてこの事件はスペイン革命の変質と敗北へと向かう重大な転機となったのである。

トロツキーは、カタロニア・プロレタリアートがこの一九三七年五月に、一九三六年七月とまったく同じく、権力をとって革命をスペイン全土に波及させることは容易なことであったと考え、この絶好の機会をみすみす逃したとしてアナキスト指導部とＰＯＵＭ指導部を激しく糾弾している。[*42]この時権力をとることができた証左として、トロツキーはアナキスト指導部自身の「もしわれわれが権力の奪取を望んでいれば、五月に確実にそうすることができたろう」という主張を持ち出している。[*43]だが、一九三六年七月の時と違って、このアナキスト指導部の言を真に受けるわけにはいかない。なぜなら、彼らは、反逆者と言われないために、そして自らの「権力への意志」を否定するために、当時における自分たちの力量を明らかに過大評価しているからである。この問題を正確に理解するためには、何よりも、一九三七年五月の状況を一九三六年七月の状況と比較しなければならない。

一九三六年七月の時点では、国家権力は空中分解し、ブルジョアジーはフランコ側に逃げるか茫然自失状態であり、スターリニストはまだ小政党で、独自の治安部隊も軍隊も有しておらず、ソ連の援助も国際旅団もまだなかった。アナキストが革命派の中で圧倒的な主導勢力であり、彼らと社会党左派のＵＧＴとＰＯＵＭによって構成されていた革命委員会と武装労働者が主要な諸都市を支配していた。フランコの側も、反乱直後の混乱で陣容を整えていなかったし、イタリア、ドイツの支援も始まったばかりであった。隣国フランスでは五〜六月にプロレタリアートのゼネストが爆発的に盛り上がり、その余韻もまださめやらぬ状況にあった。このように国内情勢も国際情勢もすべて革命派に有利であった。この時か、あるいはその数カ月以内にもしアナキスト指導部が断固としてイニシャチブを発揮し、カタロニアで革命権力を樹立し、それを共和派支配地域全土に広げたなら、それはPOUMの確固たる支持を得、社会党左派も追随したであろう。共産党を含めそれにまともに抵抗しうる勢力は少なくとも共和派陣営内にはなかったろう。そしてそれはフランスの労働運動にも巨大な革命的刺激を与えただろう。

だがこうした様相は、一九三七年五月にはまったく変わっていた。国家権力は態勢を立てなおし、ブルジョアジーは最初のショックから立ち直って手綱を握り直し、治安部隊は復活し、共産党は二、三〇万の隊列に膨れ上がり、ソ連の軍事援助と内政干渉は本格化し、強力な国際旅団も存在した。革命委員会は解散させられ、後方の労働者は徐々に武装解除されていた。POUMは全国で弾圧されつつあった。アナキスト指導部は、自らブルジョア政府に入ることによって、その信頼と権威を掘り崩していた。一般民衆の革命的情熱も下り坂にあった。フランコは、ドイツ、イタリアの圧倒的支援のもと日増しに力を増していた。フランスの運動もすっかり下火になっていた。アナキストの牙城であるカタロニアでさえ、力関係はすでにかなりスターリニストに有利になっていた。したがって、アナキストがカタロニアで権力をとることは、ましてやそれをスペイン全土に広げることは、きわめて困難だったろうし、少なくとも長期にわたる激戦となっただろう。[*44] そしてカタロニアでさえ圧倒的少数派のPOUMには、権力獲得はまったく不可能だったろう。

農村を中心とする持久人民戦争型の革命ならいざ知らず、都市型の革命において、全国的に革命を勝利させるチャンスがそう何度も訪れるわけではない。トロツキーが言うように、たしかにスペインの一九三七年五月はロシアの一九一七年七月とは似ていないが[*45]、一九一七年一〇月とも同じぐらい似ていなかったのである。

だが、こう言ったからといって、ＰＯＵＭ指導部がやったような無防備な退却をするしかなかったという結論にはもちろんならない。なぜなら、彼らが対峙していた相手は、一九一七年七月にボリシェヴィキが対峙したメンシェヴィキやエスエルのような軟弱な相手ではなかったからである。ＰＯＵＭ指導部は、この敗北を「半ば勝利」と偽り、当然予想されるべきスターリニストによる弾圧を想定した秘密指導部の建設や秘密活動への着手をおこたり、こうしてスターリニスト秘密警察の餌食となってしまった[*46]。

総括論文における問題——二つの還元傾向

いずれにせよトロツキーにとってこの事件は、革命党としてのＰＯＵＭの破産を最終的に確認するものだった。ＰＯＵＭを基本的に左翼中間主義政党として規定しながらも、何らかの事態の転換が起こるたびにＰＯＵＭに多少の希望を寄せてきたが[*47]、そうした希望もこの事件以降はまったく潰えた。そのためトロツキーの論文は書かれた時期が後になるにしたがって、ますますイライラした、不機嫌で、不寛容な調子になる。とりわけ、スペイン革命の敗北が決定的となった時の総括論文「再びスペイン革命の敗北の原因について」において、この革命を敗北に導いた勢力に対する怒りが先行してか、かなり一面的ないし抽象的な結論を引き出している。

まず第一に、スペイン革命の特殊性の分析に代わって、永続革命論的命題を抽象的に提示する場合が見受けられることである。たとえば、トロツキーは、「もし……アサニャ政権の全国家機構を転覆し、ソヴィエト権力を樹立し、土地を農民に与え、工場を労働者に与え」ていたならば、「スペイン革命は社会主義革命となり、無敵となっただろう」[*48]と述べている。問題は、社会主義革命が足りなかったことだ、というわけである。だが、すでに述べたように、反乱直後、主要都市では下からの工場の接収と集産化、農村でも地主の土地の収奪と集産化の過程が大規模に進み、しばしば行きすぎていた。同時に、政府そのものはなおブルジョア政府ないしブルジョア政党との連合政府であり、この下からの社会革命の過程を国家的に承認し支援し打ち固めるようなことは十分行なわれず、スペイン共産党が主導権を握ってからは逆にこの社会革命そのものに対する攻撃と弾圧が実施された。このように、いわばスペイン革命は、社会革命の過剰（下部での）と不足（上部での）の両方に苦しんだのである。トロツキーは後者だけを見、スターリニストは前者だけを強調した、と言えよう。

第二に、注28のついた引用文（三七七頁）でも見られた傾向だが、戦争の帰趨を決定する上で社会主義革命の遂行以外の諸要因（たとえばロシア革命の際にはあれほど重視された、社会の後進性、農村への社会主義の導入による農民との衝突、国際革命の有無、戦争の独自の論理、等）が無視されている。トロツキーはたしかに、戦争が「民主主義かファシズムか」の水準にとどまっているかぎりファシズムに勝利することはできないということを説得的に示した。だがその逆、すなわちスペイン革命が社会主義革命になれば「無敵である」とは、けっして証明されていない。

たとえば、ロシア革命が当初の予想に反して内戦と軍事干渉に勝利できたのは、社会主義革命を遂行したおかげだけでなく、トロツキーの軍事指導力や、軍事能力に長けたボリシェヴィキの堅固な規律・組織性・行動力、それに広大な領土のおかげでもあった。戦争には戦争の独自の論理があり、そこにおいては時間と空間が決定的な役割を果たす。そして、広大な空間は時間を効果的に代替する。もしロシアがスペイン並みの小国であったならば、ボリシェヴィキはあの軍事干渉と内戦に耐ええただろうか？　そもそもトロツキーは、一九〇五～〇六年にその永続革命論を確立したとき、たとえロシアがプロレタリア独裁を確立して社会主義革命に足を踏み出しても、農民が離反するやいなや反革命によって粉砕されてしまうだろうと予測していたのではなかったか？　社会主義革命にさえ着手すれば「無敵」などという楽観論は、その本来の永続革命論からはけっして出てこない。永続革命の軌跡をたどることは勝利を可能とする条件ではあっても、それを必然化する条件ではない。

第三に、ＰＯＵＭやスターリニストに対する批判に熱中するあまり、しばしば極左的な文言が見られることである。たとえば、同じ一九三九年の論文でトロツキーは、「『反ファシズム』と『反ファッショ』という概念そのものがフィクションであり嘘である」[*49]と述べている。だが、すでに引用したように、トロツキー自身が一九三七年においては、このスペイン内戦において争われているのは「民主主義かファシズムか」だと主張していたのである。このような批判は、第一次大戦中にレーニンが「平和」のスローガンに対して放った非難に酷似している。この時トロツキーは、「革命家の課題は、このスローガンを『坊主的』だと言って中傷することにあるのではなく、このスローガンを革命的内容で満たすことにある」[*50]と言って反論した。同じことは「反ファシズム」というスローガンについてもあてはまるし、実際、トロツキーが一九三七年初頭の時点で言っていたのはそういうことであった。

さらにトロツキーは、イタリアとドイツにおけるファシズムの勝利の原因について、次のようにまったく歴史的事実に反する主張さえしている。「それはまさに、両国〔イタリアとドイツ〕の指導的諸党が、問題を『反ファシズム』闘争に切り縮めたからである」[*51]。ドイツでファシズムが勝利したのは、トロツキーが言うのとは反対に、ドイツ共産党が当時のコミンテルンの極左主義に追随して、反ファシズム統一戦線という方針を拒否し、社会民主党を社会ファシズムとして攻撃し、単純な「階級対階級」の路線に固執したからである。このことは、トロツキー自身が当時ドイツについて書いた無数の論文から証明することができる。

このように、この総括論文においてトロツキーは、問題を社会主義革命を遂行するかいなかにますます還元していったことがわかる。だが、この還元傾向は、もう一つの還元傾向と密接に結びついていた。すなわち、トロツキーは、革命党およびその指導部の問題を徹底的に強調し、社会主義革命を遂行できなかったのはひとえにスペインに真の革命党ないし革命的指導部が存在していなかったからであるとみなしたのである。たとえばトロツキーは、先に引用した文章の前後でこう述べている。

もしプロレタリアートが、裏切り的でない革命的な指導部を有していたなら……スペイン革命は社会主義革命となり、無敵となっただろう。しかし、スペインに革命党が存在していなかったため、そしてその代わりに存在していたのが、自分のことを社会主義者あるいはアナキストと考える有象無象の反動家たちであったために、彼らは「人民戦線」の旗のもと、社会主義革命を圧殺しフランコの勝利を確保してやることに成功したのである。[*52]

かくしてトロツキーは、スペイン革命の屍と世界的に荒れ狂うファシズムのうねりの中、真の革命的指導部をひたすら目指して、第四インターナショナルの建設に邁進していくのである。

五、スペイン革命敗北の歴史的意味

最後に、スペイン革命の敗北の歴史的意味について論じておこう。

ソ連の西方におけるスペイン革命の敗北は、その一〇年前に起きた、ソ連の東方における中国革命の敗北と並んで、ソ連の孤立をいっそう深める役割を果たし、ソ連内部でのスターリン独裁を強める働きを果たした。それと同時に、この西方と東方における永続革命の敗北は、それぞれ世界の運命に対して深刻な結果をもたらした。すでに前章で述べたように、一九二六〜二七年における中国革命の敗北は、東方において蔣介石によるきわめて脆弱で人民の広範な支持を持たない軍事独裁政権を成立させたことで、日本帝国主義による中国侵略を著しく容易にした。しかし、第二次世界大戦の切迫性がまだ弱かった当時と違って、スペイン革命の敗北は、ファシズムによるヨーロッパ支配と第二次世界大戦の現実的脅威が目の前に迫っている段階で起きた。それはドイツ・ファシズムとイタリア・ファシズムにとって西方の脅威を決定的に取り除き、その主要な打撃を東欧諸国とフランスに向けることを容易にした。それは、ファシズムが世界戦争へと突き進む決定的な跳躍台となった（ドイツ・ファシズムによるポーランド侵攻)。

もしスペイン革命が一九三六〜三七年に永続革命として勝利し、スペインに労働者国家が成立していたならば、ドイツ・ファシズムとイタリア・ファシズムにとって、その手を縛る決定的な要因になっただろう。一九三六年に爆発的に盛り上がったフランス労働者の運動は、いっそう勢いを増し、そこでも労働者国家か、あるいはそれに近い体制を成立させたかもしれない。それによってドイツ・ファシズムそのものの打倒まで一直線に行けたとまでは言えないだろうが、一九三九年にあれほどやすやすとドイツがフランスを粉砕し、大陸ヨーロッパをあれほど急速に席巻するような事態にはけっしてならなかっただろう。

英仏帝国主義は、スペイン共和国を積極的に支援しなかったことで、結局、自らドイツ・ファシズムによる侵略と攻撃を受ける羽目になるという代償を払うことになった(もちろん、真にその代償をその命で払ったのは、英仏両国の人民である)。また、ソ連のスターリン指導部は、スペイン革命の敗北によって、決定的にヨーロッパにおける下からの革命の展望を放棄するに至り、ヨーロッパの強者との同盟を通じて自国の安全を確保しようとした。スペイン革命における英仏の臆病な態度、そしてその間におけるドイツ・ファシズムの強化を見て取ったスターリン指導部は、英仏との協調路線からドイツとの協調路線へと大きく舵を切ることにした。これが結局、一九三九年八月二三日の独ソ不可侵条約に至るのであり、そしてそれが第二次世界大戦の勃発に向けた決定的な最後の一歩となるのである。

こうして見ると、一九二〇年代後半の東方における中国革命の敗北と、一九三〇年代後半の西方におけるスペイン革命の敗北とは、それぞれの国の運命を決定づけただけでなく、ソ連の運命をも、そして世界全体の運命をも左右する意味を持ったと言えるだろう。両国において永続革命の路線を裏切り、それぞれの革命を敗北に導いた代償を、全人類はその八〇〇〇万人もの生命であがなったのである。

（一九九七年執筆）
（二〇二〇年一月修正）

注
＊1　ホアキン・マウリン「崩壊するスペイン資本主義」、『スペイン革命（ドキュメント現代史7）』、平凡社、一九七三年、一〇二頁。
＊2　革命前のスペイン社会の概観については、以下を参照。斉藤孝『スペイン戦争――ファシズムと人民戦線』中公新書、一九六六年、第一章。フェリックス・モロウ『スペインにおける革命と反革命』現代思潮社、一九七三年、第一章。
＊3　トロツキー「スペイン革命」、『トロツキー研究』第二二号、九〇頁。
＊4　この時期のスペイン共産党について詳しくは、E・H・カー『コミンテルンの黄昏』岩波書店、一九八六年、第一五章を参照。
＊5　Les Evans, Introduction to Trotsky, *The Spanish Revolution: 1931-39*, Pathfinder Press, 1973, p. 31.
＊6　この事件に関連してトロツキーは当時、カタロニア・プロレタリアートの革命的陣地を防衛する行

動に立ち上がり、この闘いをスペイン革命の新たな出発点にするよう熱烈に訴えている――「カタロニアの衝突とそこから生じる可能性を評価することは、カタロニアが疑いもなく今日、スペインの反動とファシズムの危険性に対する防衛勢力の最も強力な陣地であるという事実を出発点にしなければならない。この陣地が失われたなら、反動は決定的な勝利を獲得するだろうし、しかも来る長期間にわたってそうなるだろう。正しい政策をもってすれば、プロレタリア前衛は、この強力な防衛陣地をスペイン革命の新しい攻勢の出発点として利用することができるだろう。これがわれわれの展望でなければならない」(トロツキー「国際書記局への手紙――中央政府の衝突とプロレタリアートの課題」、『かけはし』二〇一八年五月一四日号)。

＊7 実際、この時、政府の軍隊と治安警察はファシストの側にこぞって参加し、警察は四散し、司法は崩壊し、労働者民兵と革命委員会が全権力を握っていた。政府はまったくの裸で士気阻喪状態であった。「実際、崩壊が壊滅的であったため、ある共和派の法律家の言葉を借りれば、『国家の塵芥と灰燼』しか残らなかった」(バーネット・ボロテン『スペイン革命――全歴史』晶文社、一九九一年、八七頁)。

＊8 フランツ・ボルケナウ『スペインの戦場――スペイン革命実見記』三一書房、一九九一年、三九～四〇頁。

＊9 ヒュー・トマスは、ナショナリスト側(フランコ派)の発表数字として、約八〇〇〇人の宗教関係者が共和派によって殺害されたとしている(ヒュー・トマス『スペイン市民戦争』みすず書房、一九八八年、一五四頁)。教会の焼き打ちに関しては、内乱直後にバルセロナにいた人々(ジョージ・オーウェルやボルケナウ)が、焼かれずにすんだ教会がほとんどなかったことを証言している。ファシストとして共和派陣営で殺された人の数は、同じくナショナリスト側の発表数字として約八万六〇〇〇人で、そのほとんどは内乱直後に殺されたとされている(同前、一五五頁)。これらの数字はすべてナ

ショナリスト側の発表数字であるから、かなり割り引いて見る必要がある。

＊10　この社会革命のダイナミックな過程について詳しくは、以下を参照。前掲ボロテン『スペイン革命』、第二～四章。前掲『スペイン革命（ドキュメント現代史7）』の第三編。前掲ボルケナウ『スペインの戦場』、第一章。東谷岩人『スペイン――革命の生と死』三省堂選書、一九八三年、第Ⅴ、Ⅵ章。

＊11　あらゆる権力を失った中央政府に唯一残された力の源泉こそ中央銀行とそこに保管されている正貨準備金であった。戦闘的アナキストのヴァーノン・リチャーズは、それをそのまま放置したことをアナキスト指導部の致命的誤りの一つであると述べている（ヴァーノン・リチャーズ『スペイン革命の教えるもの』創樹社、一九七九年、三一～三二頁、四三～四五頁）。そしてこの大量の金は後に、武器と引きかえにソ連の手に渡ってしまう。

＊12　トロツキーもニンも、この時点での権力獲得が十分可能であったことを認めている。「一九三六年の七月事件は、カタロニア・プロレタリアートが正しい指導部を持っていれば、新たな努力や犠牲を払うことなく、権力を奪取することができ、スペイン全土のプロレタリア独裁の時代を切り開いたであろう」（トロツキー「スペインの経験を通じた諸個人と諸思想の検証」、『トロツキー研究』第二二号、一二二頁）。「七月一九日のファシストの反乱は、権力獲得のためのあらゆる客観的条件をつくり出した。……今や資本主義権力の無能な残存物を決定的に粉砕して、労働者階級の権力を樹立しようと欲するだけで十分だった」（アンドレウ・ニン「権力の問題」、前掲『スペイン革命（ドキュメント現代史7）』、一七八頁）。ＣＮＴ－ＦＡＩの指導者サンティリャンもガルシア・オリベルも同意見であった（前掲ボロテン『スペイン革命』、四〇四頁）。

＊13　セサル・ロレンソ『スペイン革命におけるアナキストと権力』ＪＣＡ出版、一九八二年、一一四～一一五頁。

＊14　同前、一一五〜一一六頁。
＊15　ダニエル・ゲラン『現代のアナキズム』三一書房、一九六七年、一八六〜一八七頁。
＊16　モロウは、真の革命党の有無という点以外では、スペインの二重権力とロシアの二重権力との間にいかなる本質的区別も認めていない（前掲モロウ『スペインにおける革命と反革命』、三二〜三三頁）。
＊17　前掲ボロテン『スペイン革命』、第一〇章。ウォルター・クリヴィツキー『スターリン時代――元ソヴィエト諜報機関長の記録』（第二版）、みすず書房、一九八七年、第三章、も参照。また、内戦に生き残ったある左翼共和派活動家は、当時ソ連から派遣されていた高官が「ソ連はスペイン人民戦線が戦いに敗れることは望んでいないが、勝利も望んでいない」と語ったと証言している（野々山真輝帆『スペイン内戦――老闘士たちとの対話』、講談社新書、一九八一年、八〇〜八一頁）。
＊18　前掲ボロテン『スペイン革命』、九五頁。
＊19　同前、九九頁、一一三頁。アナキズムの影響が強く貧農の多いアラゴン地方では集産化はかなり自発的なものだったが、他の地方においては必ずしもそうではなかった。アナキストやトロツキストの文献には、農村の集産化において強制や行きすぎなどまったくなかったと主張する傾向が見られるが（たとえば、前掲モロウ『スペインにおける革命と反革命』、一六四〜一六五頁、）、ボロテンは多くの事実資料とCNTのメンバー自身の証言を挙げて反証している（前掲ボロテン『スペイン革命』、一一三〜一一四頁）。他方、共産党は、のちに集産体に対する攻撃を開始したとき、その集産体が自発的である場合も強制的に解体した。
＊20　詳しくは、前掲ボロテン『スペイン革命』の第八章を参照。一九三七年三月におけるスペイン共産党自身の発表によれば、二五万人の党員のうち、農民（自営農や小作農）が七万六七〇〇人（三〇％）、都市の中産階級が一万五四〇〇人（六％）、インテリゲンツィア七〇〇〇人（三％）であり、これらの

諸階層だけで党員の四割を占めた（前掲ボロテン『スペイン革命』、一五五頁）。当時カタロニアにいたボルケナウは非常に象徴的な光景を記している。「共産党本部に行き、事務室に入ると、スターリンの大きな写真とキーロフの小さな写真に目を奪われた。この他にスローガンの書いてあるポスターがあり、そこには『小農の所有権の尊重』と『小工場の所有権の尊重』とあった」（前掲ボルケナウ『スペインの戦場』、七一頁）。また、スターリンは一九三六年一二月に首相のカバリェロにわざわざ書簡を送って、中産階層の利益を守るよう訴えている（E・H・カー『コミンテルンとスペイン内戦』岩波書店、一九八五年、一六三頁）。

＊21　ジェラルド・ブレナン『スペインの迷路』合同出版、一九六七年、二九二頁。

＊22　前掲ボロテン『スペイン革命』、一五五頁。CNTの支配する工場組織労働者には共産党はあまり浸透できなかったが、代わりに社会党系のUGTをたちまち支配して、工場労働者階層にも食い込んだ。

＊23　POUMの民兵の一員として内戦に参加し、スペイン革命における共産党の「反革命的」役割をはっきりと確信していたジョージ・オーウェルでさえ次のように述べている――「しきりと繰り返されたスローガン『戦争が第一、革命は次』を、一般のPSUC〔カタロニアのスターリニスト党〕の民兵たちは本気で信じていたし、戦争に勝利した暁には革命が続くものと正直に考えていた」（ジョージ・オーウェル『カタロニア讃歌』現代思潮社、一九六六年、六六頁）。また、POUMの元書記長は、スターリンが介入する以前の内戦初期にはスペイン共産党も「戦争＝革命」の立場をとっていたと証言している（『週刊かけはし』一九九六年二月一一日付）。

＊24　もっとも、この場合、アナキストの指導部と下部とを区別する必要がある。下部の末端活動家たちは社会革命に対し積極的であったが、アナキスト指導部は実はかなり消極的だった（前掲リチャーズ『スペイン革命の教えるもの』、一五〇頁）。

＊25　この問題をめぐる共産党とアナキストの争点は主として二つあった。まず第一に、工場と土地の接収の範囲であるが、共産党は、ファシスト側に逃亡したかファシストとして逮捕ないし銃殺された工場主と地主の資産のみを接収するよう要求し（実際には、工場と土地の接収はすでにファシスト派の資産の範囲を越えて進んでいたので、共産党の政策は現状からの後退を意味した）、アナキストは基本的にすべての工場と地主の土地の接収を要求した。第二に、接収後の所有形態であるが、共産党は工場に関しては国有を、農村の土地に関しては個々の農民の個人所有を主張し、アナキストは工場の組合所有を、農村の土地に関しては集団所有を主張した。

＊26　**Троцкий, Возможна ли победа в Испаний?**, ***Бюллетень оппозиций***, **No. 56-57, 1973, c. 12.**

＊27　トロツキー「新たな革命的高揚と第四インターナショナルの任務」、『トロツキー著作集 1935-36』上、柘植書房、一九七五年、一二八頁。

＊28　トロツキー「スペインの教訓」、『トロツキー研究』第二二号、一一一頁。

＊29　同前、一一六頁。

＊30　**L. Trotsky, Letter to Jean Rous, *The Spanish Revolution*, p. 240.**

＊31　**Ibid, p. 241.**

＊32　**Ibid., pp. 240-241.**

＊33　**L. Trotsky, For Collaboration in Catalonia, ibid, pp. 241-242.**

＊34　四カ月前にＰＯＵＭの青年メンバーからの手紙に対して与えた四月一四日付のトロツキーの回答では次のように述べられている――「あなた方に関して言えば、親愛なる同志諸君、けっしてＰＯＵＭをマルクス主義の側に獲得することはできないでしょう。なぜならそれは大衆組織ではなく、マウリン、ニンなどの周囲に集まった小セクトでしかないからです。この五年間の経験は、その方面

においてはこれ以上なすべきことは何もないことを証明しました。あなた方は青年の方に、大衆組織の方に顔を向けなければなりません」(L. Trotsky, Orient to the Spanish Youth, *Writings of Leon Trotsky: Supplement (1934-40)*, Pathfinder Press, 1973, p. 656)。また、ルーへの手紙の三週間弱前の一九三六年七月二七日に書かれた「書記局への手紙」でも次のように書かれている――「われわれはまた、今年の始めにPOUM指導者のマウリンとニンによって犯された犯罪行為をより明確に理解しなければならない。……労働者は特別の怒りをニンとその友人たちに向けなければならない」(L, Trotsky, Letter to the International Secretariat, *The Spanish Revolution*, p. 232)。この手紙はもともと発表を予定しない内部向けのものであったにもかかわらず、一九三六年八月にフランスの主流派トロツキストの機関紙『労働者の闘争』に掲載されてしまった。これによって、トロツキーおよび国際書記局とスペインのPOUM指導者との関係はなおさら悪化することになった。

＊35 Trotsky, Interview with Havas, *The Spanish Revolution*, p. 243. この原則的立場の正しさは、当時スペインにいたボルケナウの観察によっても繰り返し確認されている(たとえば、前掲ボルケナウ『スペインの戦場』、一六二頁)。

＊36 トロツキー「スペイン情勢に関する質問への回答」、『トロツキー研究』第二二号、一三五～一三六頁。

＊37 同前、一四四頁。

＊38 トロツキー「極左一般について、とりわけ救いがたい極左について」、『スペイン革命と人民戦線』現代思潮社、一九六九年、二八五～二八六頁。

＊39 バルセロナ蜂起について詳しくは、前掲ボロテン『スペイン革命』、第二八章、前掲オーウェル『カタロニア賛歌』、第一〇、一一章、前掲リチャーズ『スペイン革命の教えるもの』、第一二、一三章を参照。

＊40 前掲ボロテン『スペイン革命』、四六一～四六二頁。

＊41　ゲ・ペ・ウのスペイン責任者オルロフは、モスクワ裁判のように、ニンを拷問して偽りの罪を白状させ、彼の仲間をすべてファシストとして血祭りにあげようとしたが、成功しなかった。「ニンは考えられていたよりもはるかに不屈な男で、自分や仲間の罪状承認をきっぱりと拒否した。オルロフはもし尋問過程が報告できなければ、自分の方がかえって危険になると判断し、ニンの殺害を計画した。国際旅団のドイツ人部隊一〇人が、ナショナリスト陣営からの救出部隊を装って、ニンの捕らえられている家を襲った。ニンは密閉した護送者で連れ去られ、銃殺された。ニンの勇気ある行動は、彼の旧友の多数の命を救ったが、自分の党を救うことはできなかった」（J・ギブス『スペイン戦争』れんが書房新社、一九八一年、一五五頁）。また、当時におけるスターリニストによる反対派弾圧について詳しくは、ピエール・ブルーエ「反対派の追放」、前掲『スペイン革命（ドキュメント現代史7）』、三三八〜三五五頁を参照。ニンの死に際して、トロツキーは短いが温かい追悼文を書いている。**L. Trotsky, The Murder of Andres Nin by Agent of the GPU, *The Spanish Revolution*, pp. 267-268.**

＊42　トロツキー「スペインの経験を通じた諸個人と諸思想の検証」、『トロツキー研究』第二二号、一二八〜一二九頁。モロウは同じ主張をさらに楽観的な調子で語っている。「労働者共和国がカタロニアに樹立されていたなら、それが孤立するはずはなく、粉砕されもしなかったろう。それはたちまちスペインその他の地域にも広がっていっただろう」（前掲モロウ『スペインにおける革命と反革命』、一一七頁）。当時の国際書記局のスペイン代表であったジャン・ルーも、このとき権力獲得に挑戦するべきであったとしているが、トロツキーやモロウのような楽観論には立っていない。「バレンシア、ロンドン、パリのブルジョアジーとモスクワの政治家たちはこれ〔CNTとPOUMの権力〕にけっして『我慢』しないだろう。……それは生死をかけた闘争になるだろう。……粉砕されるのを防ぐ最も確かな保障は、権力を獲得し、人民戦線の頭越しに国際プロレタリアートに訴えることであった」（**Jean**

Rous, Spain 1936-39 : The Murdered Revolution, *The Spanish Civil War: The View From the Left, Revolutionary History*, Vol. 4, No. 1/2, pp. 373-374)。

＊43　トロツキー「革命のカレンダーについて」、『トロツキー研究』第二二号、一四九～一五〇頁。

＊44　たとえば先述のロレンソは、カタロニアでは権力獲得は容易だったろうが、マドリードにおける共産党の支配力を考えれば、他の地域に波及させることは不可能であったと予想している（前掲ロレンソ『スペイン革命におけるアナキストと権力』、二九一頁）。

＊45　トロツキー「スペインの経験を通じた諸個人と諸思想の検証」、『トロツキー研究』第二二号、一二八～一三〇頁。

＊46　M. Casanova, Spain Betrayed, *The Spanish Civil War: The View from the Left*, pp. 174-175. ただし、弾圧後にＰＯＵＭは地下執行委員会を結成し、『ラ・バターリャ』を地下発行しつづけた（前掲ボロテン『スペイン革命』、四九四頁）。

＊47　一九三六年七月のスペイン革命直後におけるトロツキーの「ジャン・ルーへの手紙」についてはすでに紹介したが、一九三七年五月のバルセロナ蜂起の第一報を聞いたトロツキーは、そこにおけるＰＯＵＭの役割について、「われわれは、この蜂起におけるＰＯＵＭの実際の立場についてまったく、ないしほとんど知らない。しかしわれわれは奇跡を信じていない。この決定的瞬間におけるＰＯＵＭ指導者の立場は、これまでの全時期における立場の単なる延長だろう」（Trotsky, The Insurrection in Barcelona , *The Spanish Revolution*, p. 264）と否定的に予測しつつも、同時に、次のような可能性についても論じている――「だが、あらゆることにもかかわらず奇跡が起き、大衆の圧力に押されてニンがボリシェヴィキ的立場に立ったとすればどうか。もしそうなればそれは実際すばらしいことであろう。そしてわれわれは新しい歴史的経験にもとづいてニンと共同の仕事をする可能性を喜ぶだろう」（Ibid,

p. 265)。だが結局はそうはならなかった。
＊48 トロツキー「再びスペイン革命の敗北の原因について」、『トロツキー研究』第二三号、一六〇頁。
＊49 同前、『トロツキー研究』第二二号、一五八頁。
＊50 トロツキー「平和綱領（オリジナル版）」、『トロツキー研究』第一四号、一九九五年、四五頁。
＊51 トロツキー「再びスペイン革命の敗北の原因について」、『トロツキー研究』第二三号、一六一頁。
＊52 同前、一六〇～一六一頁。

終章　ロシア革命——一〇〇年目の総括と展望

【解題】本稿はもともと、光文社古典新訳文庫から出版されたトロツキーの『ロシア革命とは何か――トロツキー革命論集』（二〇一七年）に付された解説である。本書に収録するにあたって、独立の論文の体裁にするとともに、若干の修正をしている。ロシア十月革命の一〇〇周年を記念して独自に編集出版された『ロシア革命とは何か』に付したこの解説は、革命から一〇〇年目の地点から、永続革命としてのロシア革命の歴史的正当性を論じたものであり、本書の最後を締めくくるにふさわしいものであろう。

一九一七年二月、戦争に疲れ果て飢えに苦しんでいた首都ペトログラードにおいて、国際女性デーに平和とパンを求めてデモに立ちあがった女性たちの行動から始まった革命は、わずか数日で、数百年の長きにわたってロシアを支配してきた帝政を崩壊させ、ブルジョア政治家を中心とする臨時政府を成立させた。だがこの臨時政府は、民衆が何よりも望んだ戦争の終結も土地問題の解決も実現することができず、わずか二ヵ月後には社会主義者との連立政府に席を譲ったが、この連立政府もすぐに使い果たされ、何度も内閣改造を繰り返した挙げ句、二月革命からわずか八ヵ月後には、二月革命直後の時点では一握りの少数派にすぎなかったボリシェヴィキによる十月革命が起こり、世界で初めて社会主義をめざす労働者国家が成立するに至る。

一、トロツキーの予測

事態のこのような目も眩むような展開は、世界中の人々にとってはまさに晴天の霹靂以外の何ものでもなかったが、トロツキーにとってはけっしてそうではなかった。アメリカの亡命地で二月革命のニュースに接したトロツキーは、この革命が、革命的労働者政府の樹立まで永続することをただちに予測した。二月末から三月初頭にかけて、トロツキーはアメリカの亡命ロシア人革命家の新聞『ノーヴィ・ミール』でこう書いている。

もしロシア革命が自由主義の要求通り今日ここで立ち止まったならば……明日にはツァーリと貴族と官僚の反動勢力が力を結集して、ミリュコーフ派とグチコフ派をその不安定な内閣の塹壕から追い払うことだろう。だが、ロシア革命は立ち止まりはしない。革命は、それが現在ツァーリ反動を一掃しつつあるように、さらに発展していって、前に立ちふさがるブルジョア自由主義をも一掃するだろう。[*1]

都市プロレタリアートを先頭とする革命勢力と、一時的に権力に就いている反革命的自由主義ブルジョアジーとの間の公然たる衝突は完全に不可避である。……したがって、現在すでに革命的プロレタリアートは臨時政府の執行機関に自らの革命的機関を、すなわち労働者・兵士・農民ソヴィエトを対置しなければならない。この闘争においてプロレタリアートは、決起しつつある人民大衆を自己の周りに結集しつつ、権力の獲得を自らの直接的な目的として設定しなければならない。[*2]

土地問題こそ、軍隊のプロレタリア的中核部分と農民的兵士大衆との団結という事業に巨大な役割を果たすであろう。……プロレタリアートと彼らにつき従う下層農民に直接依拠した革命的労働者政府がどれだけ急速に自由主義的・帝国主義的臨時政府に取って替われるかは、われわれによる反戦のアジテーションと闘争とが――まず第一に労働者の兵士大衆の間で、次に農民の兵士大衆の間で――成功するか否かにかかっている。

大衆の圧力を押さえるのではなく、逆にそれを発展させるような政権だけが、革命と労働者階級の運命を保障することができる。このような政権を創出することが現在、革命の根本的な政治的課題なのである。[*3]

土地革命と共和制の旗のもとに、自由主義的帝国主義者に対抗して数百万農民を団結させなければならない。この仕事を完全にやり遂げることができるのは、プロレタリアートに依拠した革命政府だけである。それはグチコフやミリュコーフといった輩を政権から追い払うだろう。この労働者政府は、都市と農村の最も遅れた勤労大衆を立ち上がらせ、啓蒙し、団結させるために、国家権力のあらゆる手段を行使するだろう。[*4]

このようなきわめて正確な予測と方向設定とが二月革命勃発直後に可能になったのは、その一二年前の一九〇五〜〇六年の時点ですでに、若きトロツキーが、ロシア革命の基本的な発展曲線をかなり正確に描き出していたからである。その後に起きたストルイピン反動と第一次世界大戦の勃発とは、この発展曲線の基本を変えず、むしろそれをより先鋭化させた。

一九〇五年革命において二六歳の若さでペテルブルク・ソヴィエトの議長となったトロツキーは、獄中でこの第一次ロシア革命の教訓と展望を明らかにする論考「総括と展望」を執筆し、それは一九〇六年に『わが革命』という大部の著作の最終章として公表された。その出版は一九〇六年であったとはいえ、その主要部分はすでに一九〇五年に書かれていた。[*5] それは、わずか二六〜二七歳の青年が書いたとは思えないほどの鋭さと洞察力に満ちている。マルクス主義の革命論としては、いまだこれを凌駕するものは出ていないのではないか？　しかし、一九二三〜二四年からの反トロツキズム・キャンペーン以降、トロツキーの永続革命論は政治的に抹殺され、理論的にも、ごく一部を除いては、マルクス主義革命論の世界からも消し去られた。そのため、主流のマルクス主義革命論（異端派の革命論もそうだが）は今日に至るまで、青年トロツキーが書いた『総括と展望』以前の状態をさまよっている。

二、二つの誤解

ここではトロツキーの永続革命論について一から論じるようなことはせず、二つの典型的な誤解についてのみ取り上げよう（「民主主義革命の飛び越し」なるあまりに初歩的な俗論についてはもはや取り上げないでおく）。

一、トロツキーの永続革命論は、ロシア革命を無理やり社会主義革命に移行させようとする極左的な理論（強制転化論）であるという誤解

実際にはその逆である。むしろ問題は、ロシア革命の内的発展傾向に逆らって、無理やり革命をブルジョア民主主義的段階にとどめておこうとする人々に対して、トロツキーは、ロシア革命の客観的な論理、その内的な発展力学を対置したのである。後発国ロシアの複合的な社会構造のせいで、ロシアのブルジョアジーも小ブルジョアジーも、帝政ロシアの巨大な反動勢力を向こうに回して民主主義革命を最後まで遂行するほどの力量もその意欲も持ち合わせていなかった。後発的なロシア・ブルジョアジーは、帝政を憎悪する以上に革命的プロレタリアートを恐れていたし、旧体制のもとで旧体制に庇護されて成長したがゆえに、大地主や官僚と不可分に結びついていた。小ブルジョアジーは、その物質的基盤である分厚い都市手工業者層を欠き、またその革命的急進主義を発揮しうる以前に、大ブルジョアジーと台頭するプロレタリアートによって、すなわち上からの圧力と下からの突き上げによって、無力化されていた。

その一方で、若いロシア・プロレタリアートは、経済的には、その集団的力量を発揮しうるに十分なほどロシア資本主義が発達していた一方で、プロレタリアートを完全に取り込んでしまうほどには資本主義は発達していなかった。さらに、彼らは、出身階層たる農民との紐帯を失う以前に、上から

の工業化によって促成栽培された大工場にいきなり集中された。また政治的には、先進ヨーロッパ諸国の最も革命的な理論と経験を身につけうるほどには十分発達していた一方で、ブルジョア議会主義や改良主義によって政治的に統合されてしまうほどには発達していなかった。そして何よりも、ロシア・プロレタリアートという前衛には、自己の近代的解放の希望を（ブルジョアジーにではなく）プロレタリア前衛の階級闘争に託さざるをえなかった広大な農民的・少数民族的同盟者がいた。

これらの（またそれ以外の）複合的な諸要素の独特の組み合わせの結果として、ロシアにおけるブルジョア民主主義革命は、農民と同盟したプロレタリアートの権力としてしか実現しようがなかった。だが、権力に就いたプロレタリアートは、それ自身が置かれた状況の論理にしたがって、不可避的に社会革命的措置に進まざるをえない。なぜなら、徹底した民主主義的措置はいずれも、その実現の半分もいかないうちに、ブルジョアジーと旧体制との連合勢力という障害物にぶつかるからである。ブルジョアジーの経済的権力を覆さないかぎり、民主主義革命の遂行さえ不可能であり、そのことを回避するならば、一時的に政権に就いたプロレタリアートと農民のブロックはすみやかに、旧体制の実体的勢力（将軍と官僚）と結託したブルジョア反革命によって覆され、ブルジョア的・旧体制的な軍事独裁に取って代わられてしまうだろう。そうなれば、プロレタリア革命家たちは文字どおり肉体的に絶滅させられるか四散させられ、ロシア社会は民主主義革命段階よりもはるか後方に投げ返されてしまうだろう。[*6]

したがって社会主義革命への部分的移行は、民主主義革命を完遂するためだけであっても必要なのであり、それは恣意的な強行措置でも何でもなく、その反対に革命そのものの自己保存法則にのっとつたものなのである。一般に段階革命論にあっては（通俗的な連続革命論にあってもそうだが）、民主主義革命は社会主義革命に至るまでの中間項であって、前者が手段で後者が目的だとされている。しかし実際には、民主主義革命を実現するためには社会主義革命を遂行しなければならないのであり、むしろある意味では後者こそが前者のための手段なのだ。「労働者階級は、自らの民主主義的綱領の限界を乗り越えずして、自らの独裁の民主主義的性格を保障することはできない」[*7]。ブルジョア反革命によって粉砕されないためには、最小限綱領（ブルジョア民主主義）と最大限綱領（社会主義）とのあいだに人為的に設定された垣根を越えなければならない。それをどこまで越えることができるかはまた別問題であり、トロツキーが言っているようにその時々の力関係による。以上がトロツキーの立場である。

二、トロツキーは農民を無視ないし軽視し、農民抜きでプロレタリアートだけで革命を遂行しようとしたという誤解

この種の誤解も、「一」の誤解とまったく同じ性質のものであり、むしろ「一」の裏面である。そもそも、当面するブルジョア民主主義革命においてプロレタリアートが権力を取らざるをえないのはまさに、農民の解放と地主の土地没収という近代ブルジョア革命の最大の課題が、ブルジョアジーや小ブルジョアジーのヘゲモニー下では実現されえないからである。つまり、トロツキーの永続革命論にあっては、プロレタリアートは何よりも農民を解放するために権力に就くのである。それが農民軽視ならば、いったい農民重視とは何か？

だが、権力に就くのはプロレタリアートだけではないのか？　だとするとやはり革命的主体としての農民は軽視されているのではないか？　このような異論はそもそもヘゲモニーという概念をまったく理解していない。トロツキーにとって、「プロレタリアートの独裁」とは、最初からプロレタリアートの単独権力のことではなく、農民や小ブルジョアジーの代表者を含む連合権力におけるプロレタリアートのヘゲモニーのことである。トロツキーは、「プロレタリアートの独裁」を「労農ブロックにおけるプロレタリアートのヘゲモニー」として理解した最初の革命家である。トロツキーは「総括と展望」の中で次のように述べている。

ロシア・ブルジョアジーは、革命の陣地をすべてプロレタリアートに明け渡しており、農民に対する革命的ヘゲモニーをも明け渡さざるをえないだろう。[*8]

政府へのプロレタリアートの参加は、支配的で指導的な参加としてのみ、客観的に最も可能性があり、かつ原則的にも容認される。もちろん、この政府を、プロレタリアートと農民の独裁だとか、あるいはプロレタリアートと農民とインテリゲンツィアの独裁だとか、あるいはまた労働者階級と小ブルジョアジーの連合政府などと呼ぶことも可能である。しかしそれでも、当の政府内のヘゲモニー、およびそれを通じての国内のヘゲモニーは誰に属するのか、という問題は依然として残る。そしてわれわれは、労働者政府について語るとき、ヘゲモニーは労働者階級に属するだろうと答える。[*9]

農村それ自体は、封建制の廃絶という革命的課題を担いうる階級を登場させなかった。農業を資本に従属させたこの都市こそが、革命勢力を登場させたのであり、この革命勢力が農村に対する政治的ヘゲモニーを手中に収めて、政治関係や所有関係における革命を農村にまで拡大したのである。[*10]

以上のことは、それはそれで、農業に対する工業のヘゲモニー、農村に対する都市の優位性を前提している。[*11]

これら一連の文章で「ヘゲモニー」という概念が何度も登場しているのは偶然ではない。トロツキーは自己の永続革命論を何よりもプロレタリアートのヘゲモニー論として定式化した。しかもここでは二重のヘゲモニーが語られている。一方では、それは政府内におけるプロレタリアートの主体的ヘゲモニーが語られており、このヘゲモニーを実現するのは革命党をその代表者とするプロレタリアートの主体的な政策や綱領、その決然とした行動や指導力である。他方では、ここでは、国内における労働者政府のヘゲモニーが語られており、それを媒介するのは農村に対する都市の構造的ヘゲモニーである。この二重のヘゲモニーを通じて初めて、ロシアにおける少数派でしかないプロレタリアートの独裁が成立するのである。[*12]

以上の点については、一九〇五年夏ごろに書かれた「ラサール『陪審裁判演説』序文」の次の一節にも明らかである。

プロレタリアートは、自らの圧力によってブルジョアジーの保守性を克服しつつも、それでもやはり、事態が最も順調に「発展する」場合には、一定の時点で直接的な障害物としてのブルジョアジーと衝突する。この障害物を克服することのできる階級は、実際にそうしなければならないし、そうすることによってヘゲモニーの役割を引き受けなければならない……。このような状況のもとでは、「第四身分」〔プロレタリアート〕の支配が訪れるだろう。言うまでもなく、プロレタリアートは、かつてのブルジョアジーと同じように、農民と小ブルジョアジーに依拠しながら自らの使命を果たすだろう。彼らは農村を指導し、農村を運動に引き入れ、自らの計画の成功に関心を持たせるだろう。しかし、指導者として残るのは不可避的にプロレタリアート自身である。これは「農民とプロレタリアートの独裁」ではなく、農民に依拠したプロレタリアートの独裁である。[*13]

ここにもはっきり示されているように、トロツキーの言う「プロレタリアートの独裁」とは、「農民に依拠したプロレタリアートの独裁」のことであり、プロレタリアートは闘争の「ヘゲモニーを引き受け」、同盟者たる農民に対して「指導者」としての役割を担うのである。これのどこに農民への軽視があるというのか？

三、二つの弱点

ロシア革命の内的メカニズムの分析とそこから生じる革命的展望に関しては、一九〇五〜〇六年におけるトロツキーの理論は明らかに傑出したものだった。しかし、そこには——いくつかの部分的な見通しの誤りとは別に——二つの重要な弱点があった。

一つは、このような革命を実行するにふさわしい鍛え抜かれた革命党とはいかなるものであるのかが独自に考察されておらず、漠然と社会民主党（当時にあってはボリシェヴィキとメンシェヴィキと非分派派の一種の連合組織）の全体が想定されていたことである。たしかに、この社会民主党は、一九〇五年革命の時には、革命的熱狂の中でボリシェヴィキのみならずメンシェヴィキの一部の指導者でさえ「永続革命」について云々するほどに、トロツキーの言う「革命の内的論理」に従うようになったのだが、長い反動期において党内の政治的分化はますます進行し、一九〇五年における党全体の急進化の再来を期待することはしだいに非現実的となっていった。しかし、トロツキーは、第一次世界大戦が勃発する直前までボリシェヴィキとメンシェヴィキの和解と、党の統一のために奮闘しつづけるのである。

二つ目の弱点は、権力に就いたプロレタリアートが社会主義的な手段に訴えるにつれて農民層との対立が顕在化するようになった場合、そこからの活路は基本的に西方ヨーロッパ諸国におけるプロレタリア革命に見出されたのだが、その際、先進国における革命の独自の困難さの考察が不十分であったことである。先進ヨーロッパ諸国でプロレタリア革命がより困難なのは、後進国ロシアでプロレタリア革命がより容易だったのとちょうど反対の理由にもとづいている。すなわち、資本が労働者を取りこむことができるほど十分に資本主義が経済的に発達していたことと（資本の主体的ヘゲモニー）、ブルジョア議会主義と改良主義が労働者党内で支配的になりうるほどに資本主義が政治的に発達していたことである（ブルジョア国家の構造的ヘゲモニー）。トロツキーも、ロシアにおける発展力学の逆をなすヨーロッパのこのような社会的特徴については一定気づいてはいたのだが（その一端は「総括と展望」の叙述にも見出される）、そうした障害は、ロシアにおけるプロレタリア革命の衝撃によって克服されるだろうとみなしていた。

しかし、農村に対する都市のヘゲモニーというトロツキーの理論からすると、いくらロシアにおけるプロレタリア革命の衝撃が大きくても、そのインパクトが十分に発揮されるのは、ロシアよりも資本主義の発達が遅れた周辺国（ロシアに対して農村的地位にある国々）に対してであり、逆にロシアに比してより都市的地位にある先進ヨーロッパ諸国に対してではないはずである。そして実際、ロシア革命の衝撃は先進ヨーロッパ諸国にも大きな影響を与えたとはいえ、ヨーロッパ・プロレタリアートが独占資本の経済的ヘゲモニーとブルジョア国家の政治的ヘゲモニーから離脱しうるほどのインパクトにはならなかった。結果として、ロシア労働者国家は孤立し、激しい内戦や飢餓や封鎖などもあって、ロシア労働者国家は、民主主義的ヘゲモニーによる統治ではなく、しだいにヘゲモニーなき強制的統治へと変質していった。西方の社会主義革命による支えがなければ、ロシアのソヴィエト政権は速やかに崩壊するとレーニンもトロツキーも予測していたのだが、崩壊するのではなく、官僚主義的に変質しながら生き残った（七〇年後に崩壊したが）。

以上が、一九〇五〜〇六年段階におけるトロツキーの永続革命論に内在していた二つの弱点である。

第一の弱点を克服する理論と実践を発展させたのは、言うまでもなくレーニンである。レーニンの党理論とボリシェヴィキ党建設の諸実践は、しばしば深刻なセクト主義を伴いつつも、永続革命の過程を担いうるような優れた戦略的党を鍛えあげた。ただし、ただちに言っておかなければならないが、ボリシェヴィキ党はあくまでもレーニンあっての革命党なのであり、レーニンなきボリシェヴィキ党は単なる左翼中間主義の党でしかなく、レーニン亡き後、急速に保守化、官僚化して、トロツキーとともに永続革命論をも放逐するに至った。

実を言うと、ボリシェヴィズムのうちには最初から、労働者階級の下からの自己権力としての高度な民主主義（労働者民主主義）を追求する傾向（後にトロツキーの永続革命論を受け入れることを可能にした傾向）と、その反対に、狭い指導部の支配を上から貫徹しようとする官僚主義的統制の傾向とが矛盾しながら並存していた。この二つの傾向のそれぞれは、客観的情勢や党内および党間の論争や闘争に依存して弱くなったり強くなったりしたが、一九一七年の革命的熱狂下においては前者が圧倒的な優位を持つようになり、革命を勝利に導く上で決定的な役割を果たした。まさにそれゆえ、それまでボリシェヴィキの官僚主義やセクト主義に嫌悪感を抱いていたトロツキーのような人々さえ引きつけたのである。

しかし、何年にも及ぶ厳しい内戦と飢餓、政治的孤立、国土の極端な荒廃、党と労働者階級の最良の分子が内戦で死んだり疲弊したこと、等々の結果として、しだいに二つ目の傾向が強力になっていった。レーニンの死はこの流れを決定的にした。トロツキー自身を含む多くの党指導者や活動家たちは、この二つの傾向のどちらかに接近したり遠ざかったりしていたが、やがてこの二つの傾向はしだいに、特定の人物を中心とする特定の政治集団へ結晶化していった。一方におけるトロツキーを中心とする左翼反対派と、他方におけるスターリンを中心とする党官僚である（ちなみにブハーリンは、最初、前者に接近し、後に後者に接近した）。両傾向の政治的衝突は後者の圧倒的勝利に終わり、トロツキーは追放され、左翼反対派は解体し、スターリンの独裁が成立した。ボリシェヴィズムはスターリニズムとなった。

トロツキーは後に、「スターリニズムとボリシェヴィズム」（一九三七年）という論文において、主として客観的状況を理由にしてボリシェヴィズムのスターリニズムへの変質を論じたが[*14]、ボリシェヴィズムのうちに最初からスターリニズムの要素が存在していたからこそ、それは客観的情勢の困難さと不利さの中で支配権を確立するに至ったのである。他方、ボリシェヴィズムとスターリニズムとを区別しない人々は、ボリシェヴィズムにおける第一の傾向（一九一七年に圧倒的に支配的となり、その後も存在しつづけた傾向）の存在を認めようとしない。どちらも一面的であろう。

第二の弱点に関しては、一九二一年以降にコミンテルンの指導者であったレーニンとトロツキー自身によって、先進国革命の独自の探究、統一戦線と大衆の中でのより息の長いヘゲモニー闘争（陣地戦！）の追求によってしだいに克服されていったのだが、より徹底した克服をめざしたのが、獄中におけるグラムシであった。イタリア共産党の指導者であったアントニオ・グラムシは一九二〇年代終わりから一九三〇年代初頭にかけて、ムッソリーニの獄中で記したノート（『獄中ノート』）の中で、先進国におけるプロレタリア革命の独自の困難さについて探究し、そこでの近代国家およびブルジョア社会の諸装置による構造的ヘゲモニーの問題を深く考察した。その際、グラムシは、コミンテルン

第四回世界大会におけるトロツキーの報告のうちに、陣地戦への転換の端緒、その理論的手がかりを見出した。「獄中ノート」の各所に見られる「永続革命論」への悪罵にもかかわらず、グラムシは実際にはトロツキーが開始した仕事を獄中で継続していたのである。[*15]

戦後においてもこのような創造的探究はさまざまな人々によって継続されている。いっときは、ちょうどかつてトロツキーやレーニンがロシア革命のインパクトがヨーロッパ革命の引き金になると期待したように、第三世界の諸革命が先進諸国の革命を引き起こすかのような議論もなされたが（世界の農村が世界の都市を包囲する！）、それは結局間違いだった。先進国革命は他力本願ではなく、それ自体として探究され、遂行されなければならない。

四、ロシア革命の悲劇と正当性

一九三二年一一月、トルコの亡命地にいたトロツキーは、デンマークの社会民主党学生組織の要請を受けて、コペンハーゲンにおいて、「十月革命とは何か、それはどのように生じ、今日いかに正当化されるのか」というテーマで二〇〇〇人を越える聴衆に向けて大演説を行なった。[*16] それは、稀代の革命的雄弁家トロツキーが、亡命後に一般聴衆に向けて行なった最初で最後の演説であった。トロツキーがコペンハーゲンで演説したとき、ロシア革命の最終的なバランスシートはまだ出ていなかった。世界資本主義は一九二九年の大恐慌の影響からまだ脱しておらず、その一方でソ連は、スターリンの官僚的支配のもとでとはいえ、経済的大躍進を遂げつつあった。スターリンによる大粛清の開始はまだ四年も先の話であり、独ソ不可侵条約の締結も、戦後の冷戦も、そしてもちろんのことソ連そのものの崩壊も、もっとずっと先の話である。そうした限定された条件のもとで、トロツキーはロシア十月革命をロシアと世界の歴史に位置づけ、その正当性を力説した。

今日では、ロシア革命のバランスシートについて当時のトロツキーよりもずっと総合的で、そしてある程度最終的な判断を下すことができる。その判断はいかなるものだろうか？　ロシア十月革命の結果として成立したソ連邦そのものが崩壊し、ブルジョア国家に道を譲った。ソ連は、たしかに革命後の内戦と大飢饉と経済封鎖、第二次世界大戦での悲惨な被害にもかかわらず、革命から半世紀足らずで世界有数の工業国になったが、鉄と石炭の重厚長大の時代がすぎると、一九七〇年代以降、しだいに停滞を余儀なくされ、最後まで品不足による行列と品質の悪さを克服することはできなかった。そして今日では、ロシアそれ自身においてさえ、レーニンは最初の労働者国家の創設者としてではなく、グロテスクな全体主義国家の創設者として位置づけられている。今日もはや、八五年前にトロツキーがやったような正当化はできないように見える。

だが、ここでもしかるべきバランス感覚が必要である。もしロシアで十月革命が成功しなかったとしたら、あるいはその後の内戦でボリシェヴィキ側が敗北していたとしたら、いったいどうなっていただろうか？　この思考実験に大いなる具体性を付与してくれるのが、一九二七年の中国革命敗北後の中国の歴史である。蒋介石の軍事独裁は、都市部において共産党や労働運動を弾圧し粉砕するには十分に強力だったが、中国を強固に統一して近代的大国に引き上げる能力はまったく持ち合わせてはおらず、また日本軍による侵略に抵抗しうるほど十分に強力でも戦闘的でもなかった。蒋介石は自らの国民党軍を、日本軍との本格的な戦争によって消耗させるより、毛沢東率いる共産軍との将来の闘いまで温存しようとした。ドイツよりも明らかに技術水準も文化水準も立ち遅れていた日本が、枢軸国の中で最も長く粘れたのは、その主たる戦場がヨーロッパやソ連ではなく、強力な近代国家も労働者国家も存在していなかった中国大陸と東南アジアだったからである。

もしロシアで十月革命が失敗に終わったり、内戦でボリシェヴィキ政権が敗北していたとしたら、その後を継ぐのはけっして西欧型の近代統一国家ではなく、白衛派将軍に率いられた蒋介石型の（あるいはそれよりももっと反動的な）軍事独裁であり、しかも中国よりも広大な諸地方に多くのライバル的軍閥が並存したそれであったろう。このような軍事的モザイク国家は、ナチス・ドイツの電撃的攻勢に持ちこたえられるはずもなく、ドイツ軍は中国大陸における日本軍以上に、広大なロシアの地を思うままに蹂躙しただろう。日本軍と同じく農民ゲリラには悩まされただろうが、ナチス・ドイツが独ソ戦で遭遇したような、大都市における長期的な攻防戦や膨大な戦車と兵員が投入される大会戦には悩まされなかっただろう。そして、ナチス・ドイツは速やかにロシアの東端にまで侵攻し、ウラジオストクかその手前で日本軍と合流するに至ったかもしれない。また日本軍も、きわめて強力な中国共産党軍を相手にする必要がなかっただろうから（ソヴィエト労働者国家が一九一八～一九二〇年の内戦で消滅していたら、もちろん中国共産党も存在しない）、はるかに強力に中国大陸を支配することができただろう。そうなれば、日本軍国主義とドイツ・ファシズムがほぼユーラシア大陸全体を支配下に収め、たとえヨーロッパでナチス・ドイツが粉砕されても、ウラル以東の広大な後背地を基盤にしてさらに何年も、あるいは何十年も抵抗しつづけたかもしれない。

いやもっと深刻なシナリオも十分想定可能である。何といっても旧帝政ロシアは反ユダヤ主義の祖国であり、ユダヤ人に対する迫害と虐殺（ロシアではポグロムと呼ばれた）にかけてはナチスの大先輩であった。白衛派の将軍たちも同じであり、彼らはボリシェヴィキとユダヤ人を何よりも憎み、その占領地においてユダヤ人虐殺を公然と行なった。したがって、十月革命敗北後に成立する反動ロシアは、その激烈な反共主義と反ユダヤ主義を共通項にしてナチス・ドイツと積極的に攻守同盟を結び（独ソ不可侵条約のような消極的同盟ではなく！）、日独伊ではなく、日独露伊の巨大な四カ国枢軸を形成したかもしれない。そうなれば、ヨーロッパから、広大なロシアを挟んで、アジアの大部分にまで及ぶ一大ファシスト世界が成立することになっただろう。このような大勢力相手に英米の連合勢力がはたして勝利しえたかは大いに疑問である。

このような悪夢の実現を決定的に阻んだものこそ、十月革命によって広大なロシアの地に成立した強力な労働者国家の存在だったのである。この強力な統一国家はナチス・ドイツと日本軍国主義とを決定的に分断し、中国と朝鮮にレジスタンス勢力そのものと広大な「後背地」を同時に提供した。スターリニズム支配下のソ連指導層自身がいかにナチスと親和的になろうとしても、それが客観的に有する階級的基盤はけっしてナチスの野心と両立しなかった。独ソ不可侵条約から始まったヒトラーとスターリンとの蜜月はわずか二年たらずで崩壊し、ナチスによる電撃的なバルバロッサ作戦に続いて激烈な独ソ戦が勃発した。この独ソ戦におけるソ連の強力な軍事的抵抗と粘り強い反撃（それはヒトラーにとってまったく計算外だった）こそが、最終的にナチスの軍事力を麻痺させ、それを崩壊させたのである。

もちろんそれは、スターリンのおかげではなく、ロイ・メドヴェージェフがいみじくも言ったように、スターリンにもかかわらず、である。もしスターリンによるあの一九二九～三二年の強制的農業集団化による国土の荒廃や一九三六～三八年の大粛清、とくに赤軍の大粛清がなかったなら、またあの裏切り的な独ソ不可侵条約とナチスへの「信任」がなかったなら、はるかに容易かつ急速にナチス・ドイツを粉砕することができただろう。

また、ロシア十月革命は、その後のスターリン体制の成立にもかかわらず、世界中に巨大なインパクトを与えつづけた。労働者国家は成立するやいなや、帝国主義戦争からの離脱と、無賠償・無併合の講和を呼びかけ、諸民族の自決権を高らかに宣言してそれを実行に移し、秘密外交をなくし、ユダヤ人に対するあらゆる差別措置を撤廃し、ロシア帝政が周辺国に対して持っていた帝国主義的特権を自ら放棄した。ヨーロッパからアジアにまでまたがる広大な領土に打ちたてられたこの最初の労働者国家は、何よりも、中国、インド、東南アジア、ラテンアメリカなどの植民地・半植民地諸国に、帝国主義への従属でもブルジョア的開発独裁でもない形での進歩と「離陸」の巨大な希望とその現実的可能性を提供した。革命前の帝政ロシア自身が、植民地を持つ帝国であったと同時に、西欧資本主義国に対しては半ば植民地でもあった。だからこそ、ツァーリに代わって一時的に権力に就いたブルジョアジーや「社会主義」者たちは帝国主義戦争から離脱できなかったのである。ロシア十月革命だけがそのような植民地主義的紐帯を断ち切り、何をどのようになすべきかを世界中の植民地人民に示した。世界中でロシア革命の理念に鼓舞された諸民族が反植民地闘争に立ち上がった。

ソヴィエト国家が発したこれらの理念的政策は実際には実体と乖離していたし、スターリン時代にはその乖離は極端に広がったが、それにもかかわらず、その理念は世界的影響を及ぼしつづけた。第二次世界大戦後の旧植民地・半植民地諸国の解放と独立は、ソヴィエト国家とコミンテルンの巨大なインパクトなしには考えられない。その後、ソ連・東欧が崩壊し、「社会主義」が第三世界の多くにとって現実的な選択肢でなくなったとき、それに代わって登場したのが、いかなる意味でも進歩的とは言えない排外主義的民族主義やイスラム原理主義勢力であった事実は、ソ連ないし「社会主義」諸国が果たしていた相対的に進歩的な役割を逆照射するものである。ユーゴとアフガニスタンの悲劇はその最たる例であろう。

ロシア革命の進歩的インパクトは後進国に限定されない。ロシア革命は世界で初めて八時間労働制を導入し、勤労者の諸権利を宣言し、男女平等の選挙権と被選挙権を導入し、中絶の権利と母性保護の権利を承認し、同性愛に対する刑事罰を撤廃した。これらの諸措置は、スターリン体制下でしだいに形骸化され、時に否定させられていったが、それでも先進国を含む世界中に大きな影響を与えつづけた。

一九三〇年代以降におけるソ連の計画経済による急速な経済成長と、戦後のソ連がまがりなりにも実現した完全雇用と無償医療、無償教育は、先進資本主義国への政治的プレッシャーでありつづけた。また、先進国においてはたしかに社会主義革命の勃発には至らなかったが、各国で強力な共産党や労働者運動を生みだし、「社会主義」国に対抗して福祉国家の路線を取ることを支配層に余儀なくさせた。先進国における福祉国家の成立はもちろん「社会主義」国への対抗という次元だけで語ることはできないにしても、それはきわめて有力な要因の一つだった。ソ連・東欧諸国の崩壊後に、先進資本主義諸国で新自由主義が吹き荒れた事実はこのことを明瞭に物語っている。

旧ソ連諸国における資本主義への移行によって最も大きな被害をこうむったのは、もちろんのこと、何よりも旧ソ連諸国の国民自身である。一九九一年におけるソ連の崩壊とその後のショック療法による資本主義化とは、ロシアの経済と生活に壊滅的打撃を与えた。国民一人あたりGDPは三〇%以上も下がり（一九二九年の大恐慌期におけるアメリカに匹敵する）、失業率はほぼ〇%から二〇%以上にはね上がり、貧困率は一九八八年の二%から一九九五年には四〇%に急上昇した。そのため、ロシアの人口は、病気や自殺などの早すぎる死によって、ロシアだけで数百万、旧ソ連諸国全体で一〇〇〇万人近くも失われたという。[*17] スックラーとバスは次のように述べている。

ロシアの死亡危機が悲劇的だというのは、それをもたらしたショック療法が当初の目的を達成できなかったからである。……何百万人という死者を出しながら、ロシアの民営化（資本主義化！――引用者）が何をもたらしたかといえば、ほんの一握りの新興財閥（オリガルヒ）が富と権力を掌握する格差社会でしかなかった。[*18]

コペンハーゲン演説でトロツキーが言ったように、「今度はわれわれが問う番」である。民営化という名の資本主義化は何をもたらしたのか、その犠牲は正当化しうるのか？

五、次の一〇〇年に向けて

トロツキーがコペンハーゲンで演説した後に生起したさまざまな歴史的諸事件（ソ連の崩壊そのものを含む）は、一方では、ロシア十月革命とそれによって成立したソヴィエト国家に対するより厳しい審判を下すものであったと同時に、他方では、そのいっさいにもかかわらず、ロシア十月革命とソヴィエト国家の正当性を改めて、そしてより強力に証明するものでもあったと言える。

トロツキーはこのコペンハーゲン演説において、フランス大革命を擁護して、それはある程度まで近代文明の全体を生み出したと語ったが、一八世紀のフランスよりもはるかに広大で、はるかに複合的な社会で起こった二〇世紀のロシア大革命は、ある程度まで、社会的平等を重視する多元的な現代世界の全体を生み出したとも言えるだろう。数世代にわたって、その恩恵は世界中の人々によって享受された。したがってその崩壊は、世界をますますもって弱肉強食の新自由主義的資本主義によって一元化する方向へと（イスラム原理主義のテロや排外主義的民族主義によって補完されつつ）作用している。

ケン・ローチの映画『わたしは、ダニエル・ブレイク』で描き出されているように、先進福祉国家であったイギリスでさえ、新自由主義的福祉改革のもと、一握りの富裕層を除くすべての人々の尊厳と生存権とが容赦なく奪われている。日本でも大同小異であり、おそらくもっとひどい。それはけっして個人の問題ではなく、システムの問題である。すべての人々の尊厳と生存権が保障されるような新しい社会システムが必要なのだ。

ではそれに至る展望はいかなるものだろうか？　トロツキーのような予見能力を持たない私には、

それについて具体的に語ることはできない。しかし、少なくとも言えるのは、トロツキーが「スターリニズムとボリシェヴィズム」で述べているように、ロシア革命の正負の歴史をすっ飛ばして、「マルクスに帰れ」と呼号するような姿勢ではまったく不十分だということである。ロシア革命とそれを準備した種々の理論、革命後の労働者国家の苦闘と紆余曲折、さまざまな誤謬と敗北、同じくさまざまな成果と貢献を真摯に学び、それらを清算主義的にではなく建設的に教訓化しなければならない。過去を繰り返すためではなく、まったく新しい条件の下で、新しい希望を勝ち取るために、である。それは、次の一〇〇年に向けた貴重な準備作業になるだろう。

（二〇一七年五月執筆）
（二〇二〇年三月修正）

注

＊1　トロツキー「二つの顔」、『トロツキー研究』第五号、一九九二年、六四～六五頁。
＊2　トロツキー「発展する衝突」、同前、六六～六八頁。
＊3　トロツキー「誰からどのように革命を防衛するのか」、同前、七六～七七頁。
＊4　同前、七七頁。この引用文で農民がきわめて重視されていることにも着目せよ。
＊5　一九〇五年一二月に書かれた「マルクス『フランスにおける内乱』序文」（トロツキー『わが第一革命』現代思潮社、一九七〇年）を読めば、そのかなりの部分が「総括と展望」の文章と重なっていること

がわかるだろう。
＊6　この予想は一九一七年の一〇年後に中国革命の敗北と蒋介石の独裁として実現され、さらにその一〇年後にスペイン革命の敗北とフランコの独裁としていっそう確証された。本書の第五章と第六章参照。
＊7　トロツキー「総括と展望」、『ロシア革命とは何か――トロツキー革命論文集』光文社古典新訳文庫、二〇一七年、九九頁。
＊8　同前、八八頁。
＊9　同前、八二頁。
＊10　同前、八七頁。
＊11　同前、一一四頁。
＊12　この「主体的ヘゲモニー」と「構造的ヘゲモニー」との区別と連関については、以下の拙稿を参照。森田成也「ヘゲモニーと永続革命――トロツキーとグラムシ」、『ヘゲモニーと永続革命――トロツキー、グラムシ、現代』社会評論社、二〇一九年。
＊13　トロツキー「ラサール『陪審裁判演説』序文」、『トロツキー研究』第四七号、二〇〇五年、一九五～一九六頁。
＊14　トロツキー「スターリニズムとボリシェヴィズム」、前掲トロツキー『ロシア革命とは何か』所収。
＊15　トロツキーとグラムシとの複雑な関係については、前掲森田『ヘゲモニーと永続革命』を参照せよ。
＊16　トロツキー「十月革命とは何か――ロシア革命の擁護」、前掲トロツキー『ロシア革命とは何か』所収。
＊17　デヴィッド・スタックラー＆サンジェイ・バス『経済政策で人は死ぬか』草思社、二〇一四年。
＊18　同前、八六頁。

■著者　森田　成也（もりた　せいや）

大学非常勤講師

【主な著作】『資本主義と性差別』（青木書店、1997 年）、『資本と剰余価値の理論』（作品社、2008 年）『価値と剰余価値の理論』（作品社、2009 年）、『家事労働とマルクス剰余価値論』（桜井書店、2014 年）、『ラディカルに学ぶ「資本論」』（柘植書房新社、2016 年）、『マルクス剰余価値論形成史』（社会評論社、2018 年）、『ヘゲモニーと永続革命』、『新編マルクス経済学再入門』上下（社会評論社、2019 年）、『「資本論」とロシア革命』（柘植書房新社、2019 年）

【主な翻訳書】デヴィッド・ハーヴェイ『新自由主義』『< 資本論 > 入門』『資本の < 謎 >』『反乱する都市』『コスモポリタニズム』『< 資本論 > 第二巻・第三巻入門』（いずれも作品社、共訳）、トロツキー『わが生涯』上（岩波文庫）『レーニン』『永続革命論』『ニーチェからスターリンへ』『ロシア革命とは何か』、マルクス『賃労働と資本／賃金・価格・利潤』『「資本論」第一部草稿――直接的生産過程の諸結果』マルクス＆エンゲルス『共産党宣言』（いずれも光文社古典新訳文庫）、他多数。

トロツキーと永続革命の政治学

2020 年 10 月 15 日第 1 刷発行　定価 3200 円＋税

著　者　　森田　成也

発　行　　柘植《つげ》書房新社

〒 113-0001　東京都文京区白山 1-2-10-102

TEL　03（3818）9270　FAX　03（3818）9274

https://tsugeshobo.com

郵便振替 00160-4-113372

印刷・製本　創栄図書印刷株式会社

装　幀　　市村繁和（i-Media）

乱丁・落丁はお取り替えいたします。ISBN978-4-8068-0740-7　C0030

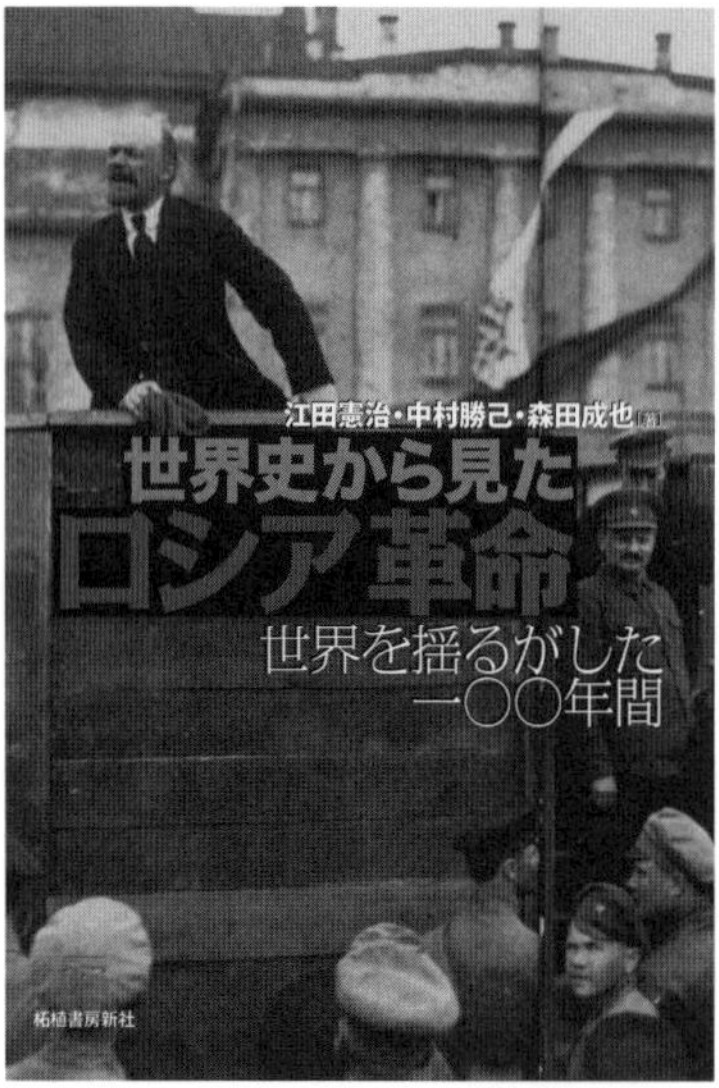

世界史から見たロシア革命

江田憲治・中村勝己・森田成也〔著〕

定価2300円+税

ISBN978-4-8068-0716-2

ラディカルに学ぶ『資本論』

森田成也〔著〕

定価2300円+税

ISBN978-4-8068-0687-5